grafit

Chemnitzer Str. 31, D-44139 Dortmund
E-Mail: info@grafit.de
Internet: http://www.grafit.de

Umschlagzeichnung: Peter Bucker
Druck und Bindearbeiten: GGP Media GmbH, Pößneck
ISBN 3-89425-035-6
28. / 2005

Jacques Berndorf

Eifel-Gold

Kriminalroman

grafit

Der Autor

Jacques Berndorf (Pseudonym des Journalisten Michael Preute) wurde 1936 in Duisburg geboren und wohnt – wie sollte es anders sein – in der Eifel. Berndorf kann ohne Katzen und Garten nicht gut leben und weigert sich, über Menschen und Dinge zu schreiben, die er nicht kennt oder nicht gesehen hat. Ist unglücklich, wenn er nicht jeden Tag im Wald herumstreifen kann, und wird selten auf ausgefahrenen Wegen gesehen.

Von Berndorf sind bisher im Grafit Verlag folgende Baumeister-Krimis erschienen: *Eifel-Blues* (1989), *Eifel-Filz* (1995), *Eifel-Schnee* (1996), *Eifel-Feuer* (1997), *Eifel-Rallye* (1997) und *Eifel-Jagd* (1998).

Für Petra und Arno Sommer,
für die Crew von Roland Crump in Stroheich.

An diesem Roman ist alles erfunden – sagen wir: fast alles.

»O du mein schönes Heimatland,
wo man das Sauerkraut erfand.
Wir preisen Dich und singen laut:
Frieden –Freiheit –Sauerkraut!«

Helme Heine / Gisela von Radowitz

ERSTES KAPITEL

Es war Samstagmorgen, der Sommer war heiß. Alle wichtigen Geschäfte vor dem Wochenende hatte ich erledigt: Brot gekauft, Margarine, Kaffee, zwei tellergroße Schnitzel, ein Glas Essiggurken, zwei Tafeln bittere Schokolade, eine Tüte Kekse. Ich lag im Garten unter der Birke und unterhielt mich mit meiner Katze Krümel, die dicht am Stamm auf dem Rücken lag und müde nach einer Fliege haschte, die ihr auf der Nase tanzen wollte. »Wir werden heute mit dem Wagen zum Steinbruch fahren und dort auf den Uhu warten. Er hat zwei Meter zwanzig Spannweite, und er braucht eine zehntel Sekunde, um dich fertigzumachen.«

Krümel drehte sich auf den Bauch, starrte gelangweilt in eine winzige Glockenblume, wandte sich ab und stellte sich mühsam auf die Beine wie eine Rentnerin am Ende ihrer Tage.

»Du könntest wenigstens Begeisterung zeigen. Oder so etwas wie Dankbarkeit, daß ich dich durchfüttere. Sie säen nicht, sie ernten nicht; ich finde dich mies.«

Sie schlich um die Ecke und war verschwunden, wahrscheinlich wartete irgendwo einer ihrer räudigen Lover auf sie. Ich stopfte mir die Ulivo von Morena und paffte in den heißen Himmel.

Ich mußte eingedöst sein, denn ich wurde wach, weil Krümel dicht neben meinem Ohr einen zärtlichen Heulton vom Stapel ließ.

»Es ist Wochenende, ich habe frei!« schnauzte ich.

Sie tänzelte ein paar Schritte ins tiefere Gras hinein, fuhrwerkte dort wild brummend herum, schüttelte irgend etwas sehr Blutiges wütend hin und her, kam dann erneut angelaufen und maunzte laut um Hilfe.

»Friß deine Maus gefälligst selbst«, erklärte ich. »Dauernd schleppst du die Leichen an, und ich soll sie auch noch mit dir teilen.«

Sie bewegte sich mit starren Katzenaugen rückwärts auf die Beute zu, sprang dann elegant auf sie drauf und legte mit hocherhobenem Maul eines meiner beiden Schnitzel dicht neben meinen Kopf.

»Bist du verrückt?« schrie ich empört. Empörung machte keinen Sinn, weil wir eine Absprache haben: Ich teile mit ihr meine Käsebrote. Also war es vollkommen logisch, daß sie mein Schnitzel mit mir teilte.

»Mach dich vom Acker. Ich kann betrügerische Katzen nicht leiden!« Ich döste wieder ein.

Als sie mich dann zum zweiten Mal wachmiaute, schon wieder eng neben meinem unschuldigen Ohr, hatte sie das zweite Schnitzel im Maul.

Das gab mir zu denken: Warum hatte ich die Schnitzel *auf* den Eisschrank gelegt, anstatt sie ordentlich in der Kälte zu deponieren?

Das Klingeln des Telefons riß mich aus meinen Gedanken. Lange überlegte ich, ob ich mich bewegen sollte. Schließlich stand ich doch auf, trottete ins Haus und nahm den Hörer ab: »Sie sprechen mit dem automatischen Siggi Baumeister. Ich bin zur Zeit in Hollywood, nähere Auskunft erteilt Philip Marlowe. Wenn Sie allerdings ...«

»Jetzt hör schon mit dem Scheiß auf«, schimpfte jemand außer Atem. »Nimm deinen Fotoapparat und fahr mit Vollgas nach Wiesbaum. Von Wiesbaum aus nach Flesten rüber. Mitten auf der Waldstrecke, dicht an der Straße hat irgendwer zwei Männer an zwei Bäume gebunden, Sack überm Kopf ...«

»Wer ist denn da?«

»Spielt doch keine Rolle«, erwiderte der Anrufer gutmütig und hängte ein.

In solchen Fällen bleibt nichts anderes, als sich auf die Ehrlichkeit der Menschen zu verlassen. Natürlich konnte es sein, daß irgendeiner der meist jugendlich gutgelaunten Gäste bei Ben im *Teller* mich leimen oder irgendein grinsender Bauer mich in den April schicken wollte.

Doch ich hatte die Ahnung, daß diese Nachricht echt sein könnte. Folgerichtig geriet ich in Hektik. Ich nahm die Nikon-Automatic aus der Schreibtischschublade heraus und schob dabei die Schublade eher wieder zu, als die Hand mit dem Apparat sie verlassen hatte. Ich fluchte, krümmte mich vor Schmerzen, trat auf meine Katze Krümel und stieß den Schreibtischstuhl um, der gegen mein Schienbein knallte. Es war nicht mein Tag.

Ich setzte mich in den Jeep und gab Vollgas. Zwei Männer an Bäumen festgebunden? Ich wich mit Mühe meinem Bürgermeister aus, der langsam um eine Ecke schlich.

Mit Säcken über den Köpfen? Ich wollte auf die Bremse treten und aufgeben. Das roch eigentlich doch nach massiver Verulkung. Wessen Stimme war das gewesen? Ich kannte die Stimme, aber ich konnte sie niemandem zuordnen.

Am Golfplatz war viel Betrieb. Die Leute schlenderten mit ihren Schlägerwagen durch meine Eifel, als hätten sie vor, alles zwischen dem Nürburgring und dem Kylltal aufzukaufen. Aus dem Ruhrgebiet wälzten sich die Kurzurlauber heran, Menschen in Dosen, die sich irgendwann fragen würden, was sie eigentlich hier wollten, und die todsicher muffig irgendwelche Bedienungen anmachen würden, weil das Jägerschnitzel in Köln in drei Minuten auf dem Tisch war und nicht erst in zwanzig.

Lieber Himmel, wem gehörte diese Stimme?

Ich bog links nach Wiesbaum ab, fuhr schnell durch das Dorf am anderen Ende hinaus in Richtung Flesten, durch das Neubaugebiet, dann auf die Waldstrecke. Zuerst kam die breite Trasse, die der Sturm mit dem schönen Namen Wiebke gerissen hatte. Es folgte der Hochwald zur Rechten mit wunderschön gewachsenen Buchen über moosigen Teppichen.

Zwei Kilometer hinter Wiesbaum sah ich die Szene. Sie wirkte grotesk und völlig unglaublich, so, als habe ein vollkommen nervenkranker Regisseur einen vollkommen neurotischen Film zu drehen.

Der sehr verehrte Leser möge sich vorstellen, auf einer ziemlich breiten, hervorragend asphaltierten Straße durch sonnendurchfluteten deutschen Hochwald zu gleiten. Teilen wir dann den Blick voraus in drei Sektionen. Sektion eins zur Linken: Da war, außer Sonne und flirrender Hitze, nichts zu sehen. Sektion geradeaus: Die Straße. Darauf kam ein Streifenwagen der Dauner Polizei herangerollt. Die beiden Beamten sahen mich nicht, weil sie von keines Gedankens Blässe gestreift auf Sektor drei, also nach rechts starrten. Ich muß betonen: Intelligenter als die beiden Uniformierten sah ich auf keinen Fall aus.

Ich bremste und blieb regungslos sitzen.

Da waren zwei umfangreiche Kartoffelsäcke an zwei wunderschön gewachsene Buchen mittleren Alters gebunden. Beide Säcke bewegten sich heftig, als bestehe ihr Inhalt aus Anakondas oder Ähnlichem. Aus beiden Säcken ragte unten je ein Beinpaar. Erkennbar waren dunkelgraue, sehr ordentliche Hosen sowie blitzblank gewienerte schwarze Halbschuhe.

Beide Säcke waren jeweils in Brusthöhe mit kräftigen Paketschnüren an die Bäume gebunden, eine zweite Schnur hielt sie in Höhe der Waden eng am deutschen Holz.

Die Polizisten stiegen aus und machten ein paar sehr hilflos wirkende Schritte auf die Säcke zu. Dann stoppten sie, weil ein Beamter etwas Bedrohendes niemals direkt und schnell angeht.

Der, der den Streifenwagen gesteuert hatte, nahm die Mütze vom Kopf und kratzte sich ausgiebig. Endlich sagte er entschlossen: »Das glaubt uns kein Mensch, das fotografiere ich erst mal.« Der andere Beamte antwortete: »Hm.«

Der Mutigere von beiden ging zum Streifenwagen und kam mit einer Kamera wieder zum Vorschein. Er richtete das Objektiv auf die beiden Säcke, die immer noch sehr heftig zuckten. Zwischendurch war aus den Säcken eine Folge unbeschreiblicher Laute zu vernehmen. Nun stieg ich aus und begann ebenfalls zu fotografieren.

Während der eine Polizist in die Knie ging, um die Szene besser mit der Kamera festhalten zu können, wandte sich der andere blitzschnell zum Streifenwagen um, tauchte in dessen Inneres, und augenblicklich begann sich das Blaulicht zu drehen. Dann fragte er kummervoll: »Sag mal, sollen wir die nicht langsam losbinden? Die kriegen doch einen Herzschlag, oder was?«

»Sofort, sofort«, antwortete der andere. »Ich wußte, daß irgendwas passiert, mein Kaffee heute morgen war schon nicht in Ordnung.«

Ich ging knipsend in die Szene hinein, und der Blaulicht-Polizist seufzte: »Der schon wieder! Sie können doch nicht einfach so fotografieren!«

»Wieso denn nicht?« fragte ich. »Was sind das für Säcke?«

Der Fotograf-Polizist stöhnte: »Das wissen wir noch nicht.« Er machte den Eindruck, als wolle er übergangslos einen Nervenzusammenbruch hinlegen. Er brachte die Kamera zum Streifenwagen zurück und sagte dann gönnerhaft: »Du kannst sie jetzt losschneiden. Sonst kriegen die echt noch 'nen Herzinfarkt.« Dann wandte er sich mir zu: »Wer hat Sie bestellt?«

»Ein anonymer Anrufer.«

»Wollen Sie uns verarschen?«

»Es war so«, versicherte ich.

»Wann war das?«

»Vor fünf Minuten, schätze ich. Und Sie?«

»Wir sind zufällig hier, obwohl uns das kein Mensch glauben wird. Wirklich zufällig. Mensch, Karl, steh nicht rum, schneid die los.« Der, der Karl hieß, ging auf den linken Sack zu und durchtrennte zuerst die Beinfessel.

Der Sack gab eine wirre Serie von Lauten von sich.

Dann die Brustfessel. Schließlich faßte der Polizist den Sack unten und zog ihn nach oben. Heraus kam eine merkwürdige Erscheinung. Dunkelgraue Tuchhose, blaue, uniformähnliche Jacke, dunkelblaues Hemd, schwarze Krawatte. Ein puterrotes Gesicht, dessen Mund mit Paketband verschlossen war. Um den Kopf, auf den Ohren, ein paar Schallschützer. Knallrot, was sehr lustig aussah.

Der eben noch Eingepackte griff sich an den Mund, zog das Paketband ab und jaulte. Dann nahm er die Schallschützer vom Kopf und schrie: »Wo ist unsere Karre?«

»Wo ist was?« fragte der Polizist, der ihn losgebunden hatte.

»Die Karre!« schrie der Mann wieder. »Der Wagen, der Transporter! Wir sind ein Geldtransporter!«

»Das sehe ich nicht so«, murmelte der Polizist. »Oder sehen Sie hier irgendwo einen Transporter?«

»Emil«, regte sich der Mann auf, »unser Transporter ist geklaut!« Der zweite Kartoffelsack reagierte nicht.

»Nun schneide den endlich los!« schnauzte der Polizist neben mir seinen Kollegen an.

Es herrschte eine angespannte Stille, während der Mann, der Emil hieß, von seinem Kostüm befreit wurde.

»Wieviel Uhr ist es jetzt?« rief Emil dann.

»Genau elf Uhr vierzig«, antwortete ich.

»Dann sind wir ungefähr eine halbe Stunde angebunden gewesen!« schrie er. »Du lieber Himmel, Ringfahndung! Ringfahndung!«

»Wieso denn das?« fragte der Polizist neben mir.

»Das darf nicht wahr sein«, hauchte der erste Wachmann. Dann brüllte er: »Wir fahren einen Geldtransporter! Wir kamen aus Hillesheim. Wir kamen hier strikt nach Fahrzeit um zehn nach elf durch. Hier war ein Unfall. Viel Blut. Wir stiegen aus, wir hatten plötzlich diese Scheißsäcke überm Kopf. Kapieren Sie? Unser Geldtransporter ist weg.«

»Wieviel war denn da drin?« erkundigte sich der Polizist neben mir gemütlich.

Es herrschte wieder Stille.

»Genau wissen wir das nicht«, erkärte Emil dann. »Es waren zweiundzwanzig Geldsäcke. Nicht besonders viel, ganz normal. Irgendwas um zehn bis zwölf Millionen Mark würde ich mal sagen.«

Darauf war es sehr still, und niemand moserte, weil ich dauernd fotografierte.

»Ringfahndung«, krächzte der Polizist, der die Wachmänner losgebunden hatte. »Los, gib es durch. Ringfahndung. Verdammt schnell, Mann. Zwölf Millionen? Ich werd wahnsinnig. Wieso bin ich eigentlich Polizist geworden?«

Der neben mir bewegte sich und hastete zum Streifenwagen. Er hockte sich hinein, nahm den Hörer und begann wie wild zu sprechen. Wir konnten ihn nicht verstehen, er sah aus wie ein Karpfen, der verzweifelt nach Sauerstoff giert.

»Jonny, Junge, ich wußte, heute geht was schief«, sagte Emil. Er sagte das ganz ruhig und hockte sich auf einen Moosfleck.

Jonny setzte sich neben ihn. »Gib mir eine Zigarette! Hast du was mitgekriegt?«

»Nicht die Bohne«, murmelte Emil.

Ich gesellte mich zu ihnen. »Sie haben nichts mitgekriegt?« fragte ich nach. »Gar nichts?«

»Wie denn?« entgegnete Emil.

»Nicht schlecht«, meinte ich. »Was ist denn eigentlich genau passiert?«

»Sind Sie von der Presse?« erkundigte sich nun Emil.

»Ja, so ähnlich«, gab ich zu.

»Also, es war so: Wir holen jeden Samstagmorgen Bargeld in Hillesheim ab. Wird da gesammelt von den umliegenden Banken, also von Gillenfeld, Daun, Wittlich, Gerolstein, Kylltal und so. Wir holen es immer um elf Uhr samstags und fahren es in die Landeszentralbank nach Düsseldorf. Ruhiger Job, nichts Besonderes, wird gut bezahlt, weil Samstag ist. Und jetzt das!«

Sie schwiegen.

»Ja, was? Was ist passiert?«

Jonny rauchte und flüsterte: »Paß auf, ich wette, irgendein Bulle kommt auf die Idee und behauptet, wir wären es gewesen!« Er zitterte.

Emil stimmte ihm mit einem müden Nicken zu.

»Also, was war los?« versuchte ich es erneut.

»Wir fuhren normal nach Plan los. Als wir hier ankamen, lagen drei auf der Straße, also drei Menschen. Ziemlich viel Blut. Normalerweise dürfen wir nicht anhalten, egal, was passiert. Aber wir hielten an, weil hier in der Eifel sowieso nie was los ist. Da lagen die drei, und da lag das total kaputte Motorrad.«

»Moment mal, drei Mann und ein Motorrad?« fragte ich.

»Ja, ja, später ist mir das auch aufgefallen, aber zuerst denkst du ja nichts Schlechtes. Ich bremse, ich ziehe die Handbremse und sage zu Emil: Laß uns helfen. Wir steigen also aus und bücken uns, und schon ist es passiert, schon hatten wir die Säcke über den Köpfen und …«

»Hat denn keiner von den dreien etwas gesagt?«

Jonny schüttelte den Kopf. »Kein Wort, nicht einen Muckser. Außerdem brauchten sie ja auch nicht zu reden. Weil, na ja, es war ja alles klar. Sie griffen sich unsere Colts. Was braucht man da zu reden? Halt, wo sind denn eigentlich unsere Colts?« Er stand auf und rannte zu den Bäumen, an denen sie festgebunden worden waren. »Sie haben sie hier ins Gras gelegt. Na, gründlich waren sie ja. Komisch, ich hätte die Dinger mitgenommen. Tja, also, wir kriegten Paketband aufs Maul und die Ohrenschützer, dann die Säcke und an die Bäume. Das war es.«

»Und es waren wirklich zwölf Millionen im Wagen?«

Emil antwortete: »Ja, ja, so um den Dreh. Genau wissen wir das ja nicht, wir zählen das Scheißzeug nicht, ist ja nicht unsere Aufgabe. Aber da kann keiner ran. Der Wagen ist wie ein Panzerschrank. Mit Zeitschloß, verstehst du? Das Ding kriegen die erst nach achtzehn Uhr auf, keine Minute eher. Moment mal, haben die unsere Schlüssel?«

Jonny nickte. »Na sicher, die waren gründlich. Ich weiß nicht, wie ich das meiner Frau sagen soll. Der Job ist weg.«

»Wer weiß von diesem Geldtransport?« fragte ich weiter.

»Also, ich würde mal sagen, der, der in der Bank in Hillesheim dafür verantwortlich ist. Dann unser Einsatzleiter in Düsseldorf und wir. Sonst? Sonst glaube ich niemand.«

»Und das ist jeden Samstag das gleiche?«

»So isses«, nickte Emil.

»Wie lange schon?«

»Die Tour läuft seit Januar«, sagte Jonny. »War eine gute Tour, richtig gemütlich.«

»Mit anderen Worten: Es muß Leute gegeben haben, die das genau wußten. Und die danach geplant haben.«

»Das sehe ich auch so«, stimmte Emil zu. »Das können nur Profis gewesen sein. Das mußt du dir mal vorstellen! Sie reden kein Wort, sie schlagen uns nicht einmal nieder, sie binden uns einfach an einen Baum, und das war es dann.« Seine Stimme schwankte. »Und wir sind unseren Job los.«

»Scheiße!« sagte Jonny. »Die kannten unsere Route, die wußten alles. Zu dritt, unglaublich!«

»Sie konnten es auch zu acht machen, oder mit zwanzig Leuten«, murmelte ich.

»Wieso das?« fragte Emil.

»Ganz einfach«, entgegnete ich. »Seht euch da auf der anderen Straßenseite den Wall an. Dahinter konnten sie eine ganze Kompanie verstecken.«

»Das ist richtig«, nickte Jonny, »aber das ist jetzt egal.«

»War es ein richtig zerdeppertes Motorrad? Neu oder alt?«

»Weiß ich nicht. Doch stop, ich weiß es wieder. Es war ziemlich neu, es war eine ...«

»Ich habe erst eine Honda gesehen«, fiel ihm Emil ins Wort, »aber es kann auch eine Suzuki gewesen sein. Es war eine Suzuki.«

»Richtig gut«, fand ich. »Wer immer diese Truppe war, sie war richtig gut.«

Die beiden Polizisten saßen im Wagen, reichten sich immer noch abwechselnd den Hörer, sprachen, sahen sehr kränklich aus und waren nicht im Weg.

Ich versuchte es sicherheitshalber noch einmal: »Sie sagen, es waren ungefähr zwölf Millionen Mark im Wagen?«

Emil erwiderte beschwichtigend wie ein Irrenwärter: »So ernst solltest du das nicht nehmen, wir kriegen es ja, wie gesagt, nicht zum Zählen. Wenn ich sage zwölf Millionen, können es achtzehn Millionen sein oder zweiundzwanzig. Ihr Pressefritzen wollt es wohl immer genau.«

»Und zu siezen brauchst du uns auch nicht«, meinte Jonny mürrisch.

»Also, noch einmal: Ihr ladet also in Hillesheim das Geld. Wo da genau?«

»Kreissparkasse.«

»Wie geht das vor sich? Geht ihr da rein?«

Emil nickte. »Na sicher. Wir fahren hinters Haus. Dann kommen wir hinten durch eine Tür in das Treppenhaus. Da steht jemand von der Bank, und der geht ...«

»Wer war das heute?«

»Eine Frau, eine junge Frau. Den Namen kennen wir nicht. Ich würde mal sagen, dreißig oder so. Ganz schnukkelig. Sie geht mit uns runter in den Tresorraum. Dann schließt sie auf, denn der Kies liegt in Säcken im Tresor. Wir nehmen die Säcke und schleppen sie in den Wagen. Das ist alles.«

»Sonst war kein Mensch dabei?«

Er schüttelte den Kopf, Jonny schüttelte den Kopf.

»Kann man das beobachten?«

»Na ja«, gab Jonny zurück, »warum soll man das nicht beobachten können?«

»Weil man daraus lernen kann«, erwiderte ich. »Ihr seid dann also losgefahren. Hier war der Unfall, der keiner war, und dann schlug das Schicksal zu. Diese Straßenszene, könnt ihr die noch einmal beschreiben?«

Emil nickte, er war offensichtlich dankbar, daß jemand ihn davon abhielt, nachzudenken. »Also wir kommen da hinten von Wiesbaum her. Wir sehen drei Mann auf der Straße liegen, mittendrin ein Motorrad, ein kaputtes Motorrad.«

»Wie lagen die? Kannst du mir das zeigen?«

»Na schön«, sagte er ergeben und marschierte die fünf Schritte auf die Straße. »Einer lag hier, also parallel zur Straße. Die beiden anderen lagen rechts von ihm quer auf der Straße. Das Motorrad lag hinter den dreien. Wir bremsen, halten an, steigen aus und laufen hin ...«

»Wie weit entfernt habt ihr gehalten?«

»Höchstens vier oder fünf Meter.«

»Ihr habt also Blut gesehen?«

»Ja, eindeutig«, bestätigte Jonny von seinem Ruheplatz im Moos aus. »Wir sind zu denen hin und haben uns über die gebeugt.«

»Ihr beugt euch über die und habt sie also erkannt?!«

»Nein. Die trugen Motorradhauben ...«

»Handschuhe?«

»Handschuhe auch«, sagte Jonny. »Weiß ich noch genau. Der, über den ich mich beugte, griff sofort nach meiner Waffe, nach dem Colt und hielt ihn mir an den Bauch. Da sehe ich die Handschuhe ... Arbeitshandschuhe.«

»Bei mir war das genauso«, murmelte Emil.

»Und die sagten kein Wort?«

»Kein Wort«, nickte Emil. »Nicht mal ›Hände hoch‹ oder so was. Wir hoben die Hände, weil wir das eingetrichtert bekommen haben auf der Schulung. Wir sollen zu unserem Schutz sofort die Hände hochheben.«

»Und dann?«

Es war einen Augenblick lang still. Die Polizisten saßen im Streifenwagen, die Vögel zwitscherten, die Sonne stand steil und heiß, und ein Pärchen Eichelhäher jagte sich wild schimpfend durch die Bäume.

»Na ja, der, der mich bedrohte, stülpte mir erst die Kopfhörer über, also diese Schallschützer, dann den Sack. Dann ein paar Schritte, dann rückwärts an die Eiche da, dann …«

»Buche«, verbesserte ich.

»Von mir aus Buche«, sagte er mürrisch. »Dann waren wir auch schon festgebunden. Das war es wirklich.«

»Sie sprachen also kein Wort, richtig?«

»Richtig«, antwortete Emil. Er sah zu Jonny hinüber: »Ich wette mit dir, wir sind dran.«

»Schnell deinen Namen und Anschrift. Schreib es auf, hier, oder nein, sprech es schnell ins Mikro. Es gibt Zoff.« Ich hielt ihm das Aufnahmegerät vor das Gesicht. Er nickte, war plötzlich ganz kühl, als er sagte: »Ruf unsere Frauen an und treib irgendeinen Anwalt auf, machst du das? Und … also Emil Kratkowiak, Köln-Ehrenfeld, Lange Straße 16. Telefonnummer, Telefonnummer auch? Ja, also, null, zwo, zwo, eins, sechs, sieben, vier, drei, sechs, zwei, acht. – Na Jungens, macht ihr die Ringfahndung?«

»Die Ringfahndung steht schon«, entgegnete der, der sie fotografiert hatte. »Sie kommen mit einem Hubschrauber. Wir haben die Weisung, daß Sie am Tatort bleiben sollen. Alle drei.«

Der zweite Polizist fragte betulich und nebenbei: »Könnte ich die beiden Colts haben?« Er versuchte ein Lächeln. »Jetzt braucht ihr sie ja nicht mehr.« Er kam zu Emil und ließ sich die Waffe geben, dann ging er hinüber zu Jonny, der die Waffe wortlos und ohne aufzustehen am gespreizten Daumen baumeln ließ.

Auf einmal kam Jupp des Weges. Er lärmte mit seinem uralten Lanz heran – ich mußte nicht einmal den Kopf drehen, um zu wissen, daß er es war. Jupp ist ein Unikum, Jupp hat keine Landwirtschaft mehr, aber immer noch den Trekker und einen kleinen Hänger. Er hat nichts zu tun, aber er rumpelt fröhlich durch die Vulkaneifel und bekennt grinsend, das sei besser, als still auf die Rente zu warten. Er ist ein lauter, freundlicher alter Mann im hellblauen Drillich, immer bereit zu helfen, immer bereit, mit den Augen zu zwinkern und seine Standardfrage zu stellen: »Meinst du das ernst, oder willst du mich verarschen?«

Langsam und quietschend bremste er, sah auf die Szene und fragte: »Irgendwas passiert?«

»Nichts passiert«, log einer der Beamten. »Nur Routinekram. Sie können weiterfahren.«

»Die beiden da sehen aus wie die aus dem Geldtransporter«, stellte Jupp fest. »Haben ja auch so Uniformen an. Sind die das?«

»Wir sind das«, bestätigte Emil freundlich.

»Keine Aussage«, sagte der Blaulicht-Polizist scharf.

Jupp nickte und stellte den Motor seines Treckers ab. »Ich habe drauf gewartet«, meinte er ungerührt. »Einmal mußte das kommen. Sieh an, der Siggi ist natürlich auch schon da.«

»Wieso hast du darauf gewartet?« fragte ich.

»Seit Januar fahren die hier jeden Samstag durch. Jeden Samstag zwischen fünf nach elf und zehn nach elf. Immer mit dem Geld aus Hillesheim. Irgendwann mußte das mal so kommen. Wieviel?«

»Zwölf Millionen. – Wer weiß das außer dir?«

Er sah mich an und ließ die Zunge in seinem halbgeöffneten Mund spielen. »Also, wenn du mich so fragst: Ich kenne keinen hier, der das nicht weiß.«

»Das hätte mich auch gewundert«, murmelte ich. »Also weiß es wie üblich jeder.«

Jupp grinste. »Du weißt doch wie das ist: Ein Eifler Junge macht erst mit sechs Monaten die Augen auf, aber dann sieht er alles.«

»Wieso eigentlich diese Strecke?« überlegte ich laut. »Wieso erst Richtung Ahrhütte? Wieso nicht direkt zur Autobahn?«

»Wir nehmen in Ahrhütte auch noch Geld auf«, erklärte Jonny. »Nicht viel, aber wir haben es auf dem Plan.«

»Wir haben Anweisung, daß nicht gesprochen werden soll«, griff der Polizist unglücklich ein.

»Das ist doch lächerlich«, platzte ich. »Und Sie wissen das!«

Er sah mich an und nickte. »Da machste was mit.«

»Wie schwer ist eigentlich dieser Transporter?« fragte ich.

»Er wiegt genau dreieinhalb Tonnen, also siebzig Zentner. Das Kennzeichen ist K-BZ 6000«, wußte Emil.

»Wie schnell ist das Ding, wenn man Vollgas fährt?«

»Ziemlich schnell«, sagte Jonny. »Du kannst mühelos hundertvierzig fahren.«

»Dann könnten die theoretisch schon fast in Köln sein«, rechnete ich.

»Mindestens«, bestätigte Jonny, »wenn nicht weiter.«

»Die Autobahn ist aber dicht«, belehrte uns der ältere Polizist. »Die haben jede Straße abgesperrt.«

Ich ging die Straße entlang, sehr langsam, sehr genau den Straßenbelag beobachtend. »War das hier? Lagen hier die Männer?«

Jonny nickte.

»Wenn sie blutig waren, muß das Blut Farbe gewesen sein. Hier ist nicht ein Tupfer Farbe.«

»Fiel mir auch schon auf«, sagte Emil trübe. »Es roch nach Tomaten.«

»Hm«, murmelte Jonny. »Als die drei da lagen und ich an sie ranging, bin ich auf was getreten. Ich glaube, es war eine Plane oder so was.«

»Sieh mal an«, sagte ich.

Ich ging weiter die Straße hinauf, fand nichts, entdeckte im Asphalt nicht einmal einen Kratzer neuesten Datums. Also bewegte ich mich im rechten Straßengraben weiter und erreichte den ersten Waldweg. Er war zerfurcht, einige Spuren waren neu, andere uralt. Auf der gegenüberliegenden Seite das gleiche. Etwa sechzig Meter weiter mündete ein weiterer Weg. Auch hier Reifen aller Breiten, neue Spuren, alte Spuren. Vermutlich rührte das daher, daß sie immer noch ohne Unterlaß die Reste der 40.000 Kubikmeter Holz abtransportierten, die »Wiebke« hier umgelegt hatte. Selbst für indianische Scouts schien das aussichtslos.

»Hauen Sie bloß nicht ab«, rief der ältere Polizist. Ich antwortete nicht, sondern hockte mich auf einen Buchenkloben und starrte in den Wald.

Ich stopfte mir die Valsesia von Lorenzo und schmauchte vor mich hin. Du lieber Himmel, zwölf Millionen Mark!

Die beiden Polizisten waren jetzt bemüht, eine rotweiße Plastikleine erst quer über die Straße und dann mindestens zwanzig Meter tief zwischen die Bäume zu spannen. Nach einigen Minuten stellte der Jüngere fest: »Die Strippe reicht nicht, es ist zuwenig.«

»Ach leck mich doch am Arsch«, schimpfte der Ältere.

Jupp kam herangeschlendert. »Schreibst du drüber?«

»Weiß ich noch nicht.«

»Mußt du aber doch, ist doch dein Beruf.«

»Muß ich nicht, muß ich überhaupt nicht.«

Er legte den Kopf schief wie ein Dackel und grinste. »Ha, ha, ha, zwölf Millionen. Du bist als erster hier und schreibst kein Wort. Ha, ha, ha.«

»Ach Jupp, sag die Wahrheit. Meintest du das eben ernst, als du behauptet hast, jeder weiß von den Geldtransporten?«

Er kniff die Augen zusammen und lächelte strahlend. »Natürlich. Du weißt doch, wie das hier ist. Du kannst nicht im Januar anfangen, jeden Samstag die Strecke Hillesheim, Wiesbaum, Flesten, Ahrhütte, Ahrtal und so weiter zu fahren, ohne daß es auffällt. Jeder hier kriegt das mit, jedenfalls jeder, der abends irgendwo sein Bier trinkt. Heimlichtuerei funktioniert hier doch nicht mal im Beichtstuhl. Oh, Junge, das waren richtige Gangster. Schreibst du nun drüber?«

»Weiß ich nicht, weiß ich wirklich nicht. Hast du niemanden gesehen? Kein Auto, das wie ein Geldtransporter aussieht?«

»Die Strecke bis Flesten rüber kein Auto. Junge, das ist ein Ding!« Seine Stimme war vor lauter Hochachtung heiser.

»Was würdest du mit zwölf Millionen machen?« fragte ich.

»Weiß ich nicht. Vielleicht mal nach Lourdes oder vielleicht nach Köln, einen draufmachen. Da kenne ich eine Kneipe, in der … na ja, die gibt es nicht mehr. Und du, was würdest du machen?«

»Das ist mir zu dämlich, das überlege ich nicht.«

»Glaubst du, die beiden Wachmänner haben damit zu tun?«

»Haben sie nicht, aber sie werden heute abend arbeitslos sein. Diese Typen aus dem Revier kenne ich, die waren es nicht.«

»Bei zwölf Millionen wäre ich nicht sicher«, argwöhnte Jupp. »Du kannst bei so 'nem Wetter so einen Transporter überallhin fahren. Irgendwo in den Wald, zwanzig, dreißig Kilometer nur durch den Wald. Du räumst ihn aus und läßt ihn stehen. Ehe die den finden, ist es Weihnachten.« Er hob seinen knolligen, dreckigen Zeigefinger: »Von hier bis Adenau und weiter über den Nürburgring ist nix als Wald. Wer will dich da finden?«

Ich antwortete nicht, weil ich wußte, daß er recht hatte. Ich nahm den Film heraus, spannte einen neuen ein, fotografierte sicherheitshalber alles noch einmal und schlenderte herum.

»Das war Spitzenarbeit«, verkündete ich laut.

»Das bewundern Sie, nicht wahr?« fragte der jüngere Polizist aggressiv.

»Irgendwie schon«, gestand ich. »Einfach so und schwuppdiwupp sind zwölf Millionen verschwunden. Da muß irgendwer Köpfchen haben.«

»Die Bullen werden meinen Kohlenkeller filzen, in dem keine Kohlen sind«, klagte Emil müde. »Eigentlich bin ich ja dankbar, daß die mir keine Beule geschlagen haben. Aber alle werden sagen: Na klar, Komplizen schlagen sich nicht die Köpfe ein. Ich wette, das genau werden alle sagen.«

»Also, ich nicht«, versprach der ältere Polizist.

»Kann ich das schriftlich haben?« fragte Jonny.

»Wie lange dauert das denn, bis die Spezialisten hier sind?« erkundigte ich mich.

»Wissen wir nicht«, entgegnete der jüngere Polizist. »Warum?«

»Ganz einfach«, erklärte ich. »Ihr habt nicht einmal genügend Plastikstrippe, um diesen sogenannten Tatort abzusperren. Ich wette, daß jetzt, um sechs Minuten vor zwölf, mindestens dreihundert Leute bereits wissen, daß hier zwölf Millionen geklaut wurden. Sie werden gleich aus den Wäldern kommen. Scharenweise.«

Sie kamen fünf Minuten später, und sie kamen wirklich scharenweise, mit allem Denkbaren, was vier Räder hat: Sportlich getunte Golfs, Mantas, niedrig wie Flundern, uralte Unimogs, Trecker, Jeeps. Sie schoben sich etwa auf einhundert Meter heran, stiegen dann aus und schlenderten unendlich langsam auf uns zu. Hätten sie alle in die Luft geguckt und ein Liedchen gepfiffen, hätte es mich auch nicht gewundert.

»Heh, Leute«, klärte der jüngere Polizist sie jovial auf, »bis hierher, bis zu dieser Linie. Nicht weiter. Das ist ein Tatort!«

Sie blieben alle an dieser nicht existierenden Linie stehen, und Gabi fragte laut: »Siggi, stimmt das, daß der ganze Zaster futsch ist?«

»Ja«, nickte ich, »alles verschwunden.«

Traurig klang ich nicht. Alle lachten mit frischgewaschenen Samstagsgesichtern. Ein paar rückten weiter nach vorn, und der jüngere Polizist bat inständig: »Leute, denkt an die Linie.«

Ich schlenderte zu ihnen hin und winkte Gabi zu. Sie war gerade über zwanzig und hatte den Vorzug, vor fast nichts Angst zu haben. »Tu mir einen Gefallen. Nimm die Filme, die ich dir gebe. Laß sie entwickeln. Sofort und egal, was es kostet. Geht das klar?«

»Was ist denn hier passiert?« wollte sie wissen.

»Bitte, ich erzähl dir später alles. Mach dich erst einmal auf die Socken.«

»Ich brettere durch die Äcker«, versprach sie und verschwand. Es war sicher, daß sie tatsächlich brettern würde. Langsam ging ich zu der Stelle zurück, die sie den Tatort nannten. Ich legte mich neben Emil und Jonny in das Gras und paffte vor mich hin.

Um Punkt ein Uhr kam der Hubschrauber. Es war eine Riesenbiene aus den Beständen des Bundesgrenzschutzes, und sie ging etwa zweihundert Meter entfernt auf einer großen Lichtung nieder. Zwanzig Männer und eine Frau kletterten heraus, die alle wie eine etwas zögerliche Prozession auf uns zukamen, als bestehe die Gefahr, daß wir wie eine Erscheinung wieder verschwinden könnten.

Vorneweg ging ein Mann in meinem Alter, mit Schnäuzer und einer lächerlich hellblauen, irisierenden Krawatte auf einem dunkelblau gestreiften Hemd. Er redete ununterbrochen mit weit ausholender Gestik, und die Leute um ihn herum sagten dauernd: »Jawohl, Herr Oberstaatsanwalt« oder »Natürlich, Herr Oberstaatsanwalt.«

Als er uns erreicht hatte, machte er drei schnelle Schritte

nach vorn, wandte sich zu den Polizisten und rief: »Rapport, meine Herren, Rapport!«

Der Oberstaatsanwalt bewegte sich mit den beiden Polizisten ein paar Schritte zur Seite und hörte angestrengt zu. Das dauerte ein paar Minuten. Dann drehte er sich abrupt herum und sagte in unsere Richtung: »Ich brauche Sie erst später, meine Herren, also warten Sie.«

»Das geht nicht«, widersprach ich.

Er war irritiert, und einige aus seinem Troß waren es auch. Er räusperte sich: »Am Tatort hier tanzen Sie nach meiner Pfeife, ist das klar? Sie sind der Pressemensch?«

»Richtig.«

»Sie werden warten müssen.«

»Muß ich nicht«, erklärte ich. »Ich wohne zweitausend Meter weg, und ich habe zu arbeiten.« Ich mochte ihn nicht.

»Sie warten. Sie haben Fotos gemacht?! Ich sperre diese Fotos!«

»Sie sperren gar nichts«, gab ich zurück. Den zehnten Film hatte ich längst in der Tasche. »Ich schenke Ihnen meine Kamera.« Ich hielt sie ihm hin.

Er nahm und öffnete sie; er kannte sich aus und schaffte es auf Anhieb. »Wo ist der Film?« fragte er.

Ich reichte ihm das Gewünschte. »Kann ich jetzt gehen?«

»Nein.« Er nahm den Film und steckte ihn in die Tasche. Dann rief er: »Fräulein Eggendorf, Fräulein Eggendorf!«

Die, die Eggendorf hieß, kam heran und sagte: »Ja, bitte?«

»Ihr Fall. Ein Mann der Lokalpresse. Ein bißchen aufmüpfig.«

Sie nahm mich am Ellenbogen: »Nun kommen Sie schon, Herr Kollege. Das hier ist sowieso eine Nummer zu groß für Sie.« Sie zerrte an mir.

»Ich bin nicht Ihr Kollege«, schimpfte ich. »Wieso zerren Sie an meinem Hemd herum? In sechs Stunden habt ihr den Fall doch sowieso nicht mehr! Was soll der ganze Aufstand?«

Es war still.

»Darf ich fragen, was das schon wieder heißen soll?« bellte der Oberstaatsanwalt.

»Sicher dürfen Sie das. Hier wurden rund zwölf Millionen Mark samt Transporter geklaut. Soweit ich weiß, ist das der schnellste, sauberste und größte Geldraub seit dem Zweiten Weltkrieg. Die Bundesanwaltschaft winkt, Herr Oberstaatsanwalt.«

»Sie sind ja verrückt«, sagte die, die Eggendorf hieß und immer noch mein Hemd zwischen Daumen und Zeigefinger hatte.

»Also verrückt ist der wirklich nicht«, widersprach der ältere Polizist und zuckte zusammen, weil der Oberstaatsanwalt ihn so ansah, als wolle er ihn als Nachspeise bestellen.

»Sie arbeiten lokal?« fragte der Oberstaatsanwalt.

»Nie«, gab ich Auskunft.

Das irritierte ihn, das irritierte auch die Eggendorf, die mein Hemd losließ.

»Zunächst schnell die Lage. Meine Herren, kurze Besprechung!« wandte sich der Oberermittler unvermittelt von mir ab und versammelte alle um sich. Etwa dreißig Schritt abseits dozierte er irgend etwas.

Dann schwärmten sie aus. Sie öffneten ihre Koffer, fotografierten, maßen, nahmen Emil und Jonny beiseite und begannen, sie auszufragen. Ein paar Männer blieben untätig abseits stehen und sahen gelangweilt aus. Das waren die wirklich Wichtigen, und sie gehörten sicher nicht zum Troß des Oberstaatsanwaltes.

Nun sah ich, wie der ältere Streifenbeamte sich mit dem Oberstaatsanwalt unterhielt und dabei mit dem Kopf zu mir hindeutete.

Der Oberstaatsanwalt winkte daraufhin die Eggendorf zu sich und sagte ihr irgend etwas. Die Frau atmete tief durch und kam sehr langsam auf mich zu. »Wir verhängen eine Nachrichtensperre«, teilte sie mir mit.

»Kennen Sie die rechtlichen Grundzüge einer Nachrichtensperre?« fragte ich grinsend.

»Ich denke, ja«, sagte sie spitz.

»Ich denke, nein«, erwiderte ich. »Ich war vor Ihnen hier. Alles, was bis dato zu meiner Kenntnis gelangt ist, darf ich verwenden. Sie können mir das nicht verbieten. Die Nachrichtensperre bedeutet, daß *Sie* sich bemühen müssen, den Mund zu halten.«

»Ich möchte Sie aber bitten ...«

»Bitten Sie mich nicht, das hat keinen Sinn. In spätestens drei Stunden muß Ihr Herr und Meister sowieso eine Pressekonferenz einberufen. Es bleibt ihm gar nichts anderes übrig. Meine Kollegen werden aus allen Himmelsrichtungen einfallen. Wollen Sie denen etwa zu verschweigen versuchen, daß Ihnen zwölf Millionen abhanden gekommen sind?«

»Sie arbeiten doch manchmal auch für … na ja, für …« Es wollte ihr nicht über die Lippen.

»Für das Magazin in Hamburg«, half ich aus. »Das tue ich nicht nur manchmal. Natürlich werde ich Sie lobend erwähnen.«

»Wie bitte?« fragte sie schrill.

Plötzlich kam Bewegung in die Szene. Die beiden Uniformierten rannten zu ihrem Streifenwagen, der Ältere nahm den Hörer und hörte eine Weile zu. Dann rief er aufgeregt: »Herr Oberstaatsanwalt, Herr Oberstaatsanwalt!«

Der Oberstaatsanwalt ließ sich Zeit, solche Leute lassen sich immer Zeit. Er nahm den Hörer mit ganz spitzen Fingern.

»Sie sind aus dem Rennen«, gluckste ich die an, die Eggendorf hieß.

»Quatsch«, widersprach sie heftig.

»Wollen wir wetten?« fragte ich. »Ein Pfeffersteak im *Teller*?«

Der Oberstaatsanwalt beugte sich weit nach vorn, es sah beängstigend nach einem Sturz auf den Waldboden aus. Dann straffte er sich, schluckte den Schlag und winkte den vier Männern zu, die schweigend abseits standen, weil sie das Ganze bisher nichts anging. Die vier setzten sich in Bewegung und bildeten einen engen Kreis um den Oberstaatsanwalt, der sie informierte: »Wir gehen raus aus dem Fall. Das war das Innenministerium in Mainz.«

»Na also«, sagte ich.

»Wir sehen uns noch«, versprach er mir giftig.

»Ich verkehre nicht in Ihren Kreisen«, gab ich muffig zurück.

Einer der vier kam zu mir und sagte höflich: »Sie können selbstverständlich nach Hause gehen, Herr Baumeister. Irgendwann schicke ich einen Beamten vorbei.« Er machte eine kurze Pause. »Besser, ich komme selbst. Mal ehrlich: Haben Sie schon einmal einen so perfekt abgeräumten Tatort gesehen?«

»Noch nie«, gab ich zu.

Er seufzte: »Scheißprofis« und ging von uns weg. Dann drehte er sich unvermittelt um. »Ich werde die beiden Wachmänner nicht festnehmen.«

»Das finde ich gut«, sagte ich. Ich fand das wirklich gut. »Darf ich fragen, welcher Organisation Sie angehören? Bundesnachrichtendienst oder Bundeskriminalamt?«

Er lächelte leicht. »Bundeskriminalamt.«

»Noch etwas: Wissen Sie, ob es schon mal einen vergleichbaren Fall gegeben hat?«

»Nein, ich habe noch nie von einem Fall dieser Art gehört. Aber vielleicht steht die Karre mit den Millionen ja drei Waldstücke weiter?«

»Wohl kaum«, murmelte ich. »Und wenn sie da steht, ist sie leer, und drin liegt ein Zettel: Schönen Dank!«

»Das glaube ich nicht«, sagte er. »Das Ding ist mit einem Zeitschloß versehen, quarzgesteuert. Man kann es vor achtzehn Uhr nicht aufmachen, ganz unmöglich. Nicht einmal mit einem panzerbrechenden Geschoß. Wir haben also noch mehr als sechs Stunden.«

»Gott mit Ihnen«, flüsterte Jupp ganz fromm.

ZWEITES KAPITEL

Irgendwann flog der Hubschrauber mit dem Oberstaatsanwalt und seiner Mannschaft davon, die Vertreter des Bundeskriminalamtes tummelten sich, sprachen mit Zeugen, fotografierten, vermaßen und taten sicherheitshalber all das, was ohnehin kein Ergebnis bringen würde. Sie arbeiteten lustlos, und in ihren Gesichtern stand die wütende Erklärung: Ich tue es, damit hinterher niemand sagen kann, ich hätte es nicht wenigstens versucht.

»Das ist ein Ding«, sagte Jupp. Es klang wie die endgültige Feststellung eines Sachverständigen. »Wie geht es jetzt eigentlich weiter?«

»Das weiß ich nicht. Vermutlich bilden sie eine Sonderkommission oder so etwas«, spekulierte ich.

»Du schreibst also doch drüber?!«

»Noch nicht. Bis heute abend werden erst mal alle Sender und Zeitungen einfallen.«

»Und dann schreibst du, was passiert ist, und kassierst, häh?« Er sah mich listig an.

»Ich weiß ja nicht, was passiert ist.«

»Na ja, aber du kannst doch so tun, als wie wenn ...« Er grinste. »Ich würde es jedenfalls nicht umsonst machen. Ich muß weiter, sonst bestraft mich das Leben.« Seit Gorbatschow das gesagt hatte, zitierte er ihn ständig.

Der Mann vom Bundeskriminalamt kam erneut, zog mich beiseite und fragte: »Was für Fotos haben Sie?« Er lächelte und fügte hinzu: »Ich weiß, daß Sie sie haben. Wir zahlen nicht gut, aber wir zahlen.«

»Kein Problem. Sie bekommen einen kompletten Satz, jedes Motiv. Ungefähr sechzig bis zweihundert«, versprach ich.

»Was kostet das?«

»Sie zahlen die Entwicklung, also pro Abzug hundert Prozent dessen, was ich zahle.«

»Wieviel wird das sein?«

»Fünf Mark pro Bild oder so.«

»Sie sind ein echter Freund«, grinste der BKA-Mann.

»Ich bin echt freundlich, wenn ich erfahre, wie Sie heißen.«

»Marker.« Er fummelte in der Brusttasche seines Jacketts herum und reichte mir seine Visitenkarte. »Das sieht nach organisierter Kriminalität aus.«

»Das denke ich auch«, nickte ich. »So perfekt, so glatt, so schnell, so spurlos.«

»Sie schwärmen ja richtig«, mahnte er.

»Sie müssen zugeben, daß es unwirklich gut geklappt hat«, verteidigte ich mich. »Ich mag Dinge, die gut klappen ... Wenn es wirklich okay war, stehen Ihre Chancen ganz schön schlecht. Das bedeutet, Sie werden auf die Mitarbeiter unterer Behörden angewiesen sein, die hier zu Hause sind. Und die, na ja ...« – ich wußte nicht, ob ich die

Frechheit riskieren konnte, aber ich riskierte sie – »... untere Behörden in regional eng begrenzten Räumen verhalten sich immer wie beim Beamtenmikado.«

»Was ist denn das?«

»Das ist eine Regel: Wer sich zuerst bewegt, hat verloren.«

Da scheint eine starke, heiße Sonne durch die Bäume, und du gehst über weiches, langhalmiges Gras. Du riechst etwas, das dich an deine Jugend erinnert, an deine Kindheit: heiße Sonne auf Gras, auf Heu, Scheunengeruch, irgend etwas wie ein Zuhause. Ein paar Meter entfernt haben vor nicht einmal zwei Stunden Unbekannte zwölf Millionen geklaut. Wenn du aufmerksam hinguckst, dann siehst du die Geldtransportbegleiter trübsinnig im Gras hocken und die Kriminalbeamten sinnlose Gespräche führen. Du siehst Leute, mit denen du seit Jahren zusammenlebst, ein wenig ratlos rauchend, miteinander kichern und flüstern. Und du denkst: Wenn ich jetzt aufwache, war es zumindest ein spannender Traum.

Ich ließ den Wagen stehen und schlenderte die Straße hinauf Richtung Flesten. Es waren circa einhundert Zuschauer, die, erregt debattierend, in Grüppchen herumstanden.

Zweihundert Meter weiter befand sich eine Jungtannenpflanzung mit sehr dichtem, sonnendurchtränktem Gras, irgendeine Blauschwengelart. Hier hörte die eine Welt auf, und die andere begann. Ich hockte mich neben eine kleine mannshohe Birke, die in der Sonne träumte. Im Gras zogen Ameisen ihre Bahn, ein stahlblauer kleiner Käfer torkelte durch die Halme, drohte dauernd zu kippen, kippte aber nicht. Eine Hummel machte einen mörderischen Krach, eine Blaumeise kam sehr schnell heran, hockte sich einen Meter über meinem Kopf auf einen dünnen Ast, spürte mich und zuckte blitzschnell davon. Aus irgendeinem Grund summte ich *Yesterday* von den Beatles.

Jupp tuckerte auf seinem Trecker heran, anscheinend fand er es doch zu spannend, um heimzufahren. Er bremste quietschend, stellte den Motor ab, kletterte herunter, kam zu mir und fragte: »Glaubst du, daß das Rechtsradikale waren?«

»Wieso das?«

»Na ja, die brauchen doch Geld, um alles zu finanzieren: Parteien gründen, Bier ausgeben, jede Menge Bier, Säle mieten und so. Das würde doch passen.«

»Das war eine kalte, klare, schnelle Sache. Rechtsradikale haben nicht genug im Hirn.«

»Wir haben hier ja auch keine. Nicht in der Eifel!« gab er mir recht.

»Hör doch auf«, erwiderte ich wütend. »Natürlich haben wir welche. Vor ein paar Tagen sind morgens um drei Uhr Skinheads in der Disco erschienen, haben ›Sieg heil‹ geschrien und wollten sich prügeln.«

»Die waren sicher betrunken«, sagte er schnell.

»Die SA- und SS-Leute konnten anfangs ihre eigenen Schweinereien auch nur besoffen ertragen«, murrte ich.

Er sah mich an, wandte sich ab und kletterte durch den flachen Graben, warf seinen Trecker an und fuhr langsam los. Ich wollte ihm zurufen, es täte mir leid, aber eigentlich tat es mir nicht leid.

Ich schlenderte zurück, stieg in den Jeep und fuhr langsam nach Hause. Plötzlich wußte ich, wer mich angerufen hatte. Ich grinste, schob ein Band der neuen Kölner Gruppe LSE ein und ließ den Tommy Engels in einem sanften Swing ersaufen. »Isch bin der Saunaboy ...« Ich gab Gas.

Krümel hockte in der Haustür und sah mir vorwurfsvoll entgegen. »Wir haben einen Geldraub«, informierte ich sie. »Hören Sie zu, Watson: Stellen Sie fest, wer es war, und wir kassieren die Hälfte.« Ich wollte mich bücken, um sie zu kraulen, aber sie schlug nach mir. »Das ist die Hitze«, mutmaßte ich.

Ich rief Mutter Melzer an: »Ist denn der Alfred da?«

»Irgendwo im Stall«, antwortete sie.

»Kann er mich zurückrufen?«

»Kann er. – Moment, da ist er.« Der Hörer wurde gewechselt, und mein Freund Alfred sagte: »Na, bist du schon reich?«

»Du bist ein Sausack«, schimpfte ich. »Wieso rufst du mich an und weißt etwas von zwei Männern, zwei Säcken und zwei Buchen?«

»Ich? Ich doch nicht.«

»Doch, du. Du kommst jetzt her und beichtest.«

Er kicherte sehr hoch und erheitert und hängte ein.

Ich hatte noch nicht meinen Tee mit Eis und Zitrone in den Garten getragen, da kam er, schmal, drahtig und fuchsig grinsend, um die Ecke. Er hockte sich auf einen Stein am Kräuterbeet, und seine Augen ertranken in Heiterkeit.

»Bist du da vorbeigekommen?« begann ich das Verhör.

»Wieso?«

»Hör mal, du Gauner, das ist gar nicht spaßig. Die beiden, die an den Bäumen festgebunden waren, gehörten zu einem Geldtransporter. Der Transporter hat sich in Luft aufgelöst, die zwölf Millionen, die drin waren, auch ...«

»Ich bin nicht dort vorbeigekommen«, sagte er, und plötzlich war das Lachen in seinen Augen erloschen. »Ich war oben auf dem Hügel oberhalb vom Eichengrund. Ich habe da drei Eichenstämme gekauft, die habe ich rausgezogen. Plötzlich denke ich: Das darf nicht wahr sein. Da sah ich sie. Sie strampelten wie verrückt. Ich hatte das Glas im Trecker, ich konnte sie genau sehen. Ich rauf auf die Maschine und Gas gegeben und ab. Und dann bin ich im Dorf in die Zelle und habe dich angerufen. Was war los?«

»Du hast sie also gesehen, wie sie an den Bäumen zappelten?«

»Richtig. Wirklich zwölf Millionen?«

»Wirklich.«

Er hielt den Kopf schräg: »Wieso ist mir das nicht eingefallen?«

»Stimmt es, daß jeder von diesem Transport am Samstag wußte?«

»*Jeder* weiß ich nicht. Ist denen was passiert?«

»Nicht mal eine Schramme, das war perfekt, das war geradezu verrückt perfekt. Kennst du jemanden, der so was kann?«

»Bin ich Al Capone?« Er lächelte. »Nein, ich kenne keinen.«

»Hast du zufällig auf die Uhr gesehen?«

»Nicht zufällig. Es war genau dreiundzwanzig Minuten nach elf. Auf die Sekunde genau«, erklärte er.

»Wenn sie um zehn nach elf den Punkt erreichten, hatten die Täter also ganze dreizehn Minuten. Hast du außer den Säcken an den Bäumen irgend etwas anderes gesehen?«

»Nichts. Kein Mensch, kein Auto, keine Maschine, keinen Trecker, nichts. In dreizehn Minuten kannst du so einen Transporter so verstecken, daß kein Mensch ihn findet.«

»Jupp meinte das auch«, murmelte ich. »Wie würdest du so etwas anstellen?«

Ein Zitronenfalter tanzte vor Krümels Nase, sie schlug nach ihm, traf nicht, und ich bildete mir ein, der Falter kicherte.

»Wie groß ist so ein Transporter?«

»Na ja, zwei Meter dreißig breit, ungefähr fünf Meter lang, vielleicht sechs, rund zwei Meter hoch.«

Alfred überlegte eine Weile und sagte dann: »Wenn du Zeit hast, zeige ich es dir eben. Wann geht der Rummel los?«

»Ich schätze mal gegen vier bis fünf Uhr heute nachmittag. Also gut, wohin?«

»Komm mit.«

Wir kletterten auf seinen 100-PS Case, und er fuhr zum Sportplatz hoch, durch die Windbrüche, dann auf den breiten Forstweg für die Holztransporte.

»Da oben von der Kuppe aus kannst du sehen, wo sie die Männer angebunden haben«, schrie er. »Ich würde den Transporter hier rausfahren. Ich zeige es dir.« Er bog sehr hart und ohne das Gas wegzunehmen in einen steil ansteigenden Weg ein, der vollkommen überwuchert war. Der Anstieg war ungefähr dreihundert Meter lang, dann flachte das Gelände ab. Er fuhr nach rechts zwischen die Tannen und stellte die Maschine ab.

»Ich würde die Karre hierherfahren, dann da vorne in den Graben. Siehst du, wo das Wasser steht? Da hinein. Dann müßte noch etwa ein halber Meter in der Höhe abgedeckt werden. Ich würde also vom Holzverladeplatz den Caterpillar holen und Baumstämme draufschieben. Und zwar so, daß die Stämme quer zum Fahrzeug liegen, also parallel zu den Achsen. Zehn Stämme, und du siehst nichts mehr ... Du könntest aber auch folgendes machen: Du nimmst den Komatsu mit der Ramme und schiebst den ganzen Erdwall quer über den Transporter. Ich wette mit dir: Ich schaffe das in zehn Minuten.«

»Ja, aber du hinterläßt frische Spuren.«

»Kein Problem«, erwiderte er sehr ernsthaft. »Ich hebe da vorn die Krüppeltannen mitsamt den Erdballen raus und pflanze sie drauf. Von mir aus eine Stunde. Der Überfall ist jetzt rund zweieinhalb Stunden her. Du hättest also mindestens eine Stunde satt Zeit, das Ding einzubuddeln. Überhaupt kein Kunststück.«

»Aber Werner als oberster Waldarbeiter würde den Wagen doch sofort finden.«

»Werner ist niemals am Wochenende hier. Du hättest Zeit bis Montagmorgen, wahrscheinlich sogar viel länger, denn der Forst hier wird nicht mehr abgefahren, hier liegt kein Holz mehr. Jetzt im Sommer ist hier Totenstille.«

»Und die Jäger?«

Alfred kniff die Lippen zusammen. »Wenn du es geschickt machst, merkt das nicht mal der Jagdherr. Der hat andere Probleme.«

»Glaubst du, daß Menschen aus der Stadt auf diese Idee kommen können?«

Er kratzte sich an der Stirn. »Niemals, die sind viel zu doof.« Dann grinste er: »Im Ernst, sie kommen nicht auf so eine Idee. Ist der Transporter wirklich spurlos weg?«

»Spurlos weg. Jemand konnte sich reinsetzen und starten. Er hatte, bis die Polizei auftauchte, circa 25 Minuten Zeit.«

»In 25 Minuten bist du weit.«

»Aber niemals weit genug, um einer Ringfahndung zu entkommen. Die machen die Autobahn dicht. Am Anfang, am Ende, an jeder Ausfahrt. Jede Bundesstraße, jede Landstraße ...«

»Wenn die so ein Ding klauen, dann wissen sie doch vorher, wohin damit. Oder?«

»Na sicher, der Logistiker, der das gedreht hat, sollte sich sein Hirn vergolden lassen.«

»Wie lange brauchen die, um das Ding aufzukriegen?«

»Zeitschloß. Um achtzehn Uhr kannst du einen Schlüssel drehen und bist reich.«

»Die hätten bei mir auf dem Hof parken sollen«, erklärte er. »Ich hätte nicht einmal Gebühren kassiert.«

Wir kletterten wieder auf seine Maschine. Er schrie: »Was ist, wenn die das Ding mit einem Hubschrauber geklaut haben?«

Zu Hause setzte er mich ab. »Also, ich werde ’n bißchen rumhorchen.«

Ich ging wieder in den Garten und legte mich unter die Birke.

Nach einer Weile kam Gabi um die Ecke, mit einer großen, braunen Tüte unter dem Arm. Sie sagte: »Die Fotos sind alle gut, ich habe zwei Sätze machen lassen. Das ist ja irre, die zwei Säcke an den Bäumen. Ob die das waren? Ich meine, wenn die und die Räuber unter einer Decke steckten?«

»Könnte sein«, erwiderte ich, »glaub ich aber nicht. – Paß auf, du nimmst einen Satz und bringst ihn zu einem Mann am Tatort. Er heißt Marker und ist einer der nettesten. Bestell ihm schöne Grüße. Den anderen Satz nimm mit zu dir nach Hause. Erzähl bitte keinem davon. Hast du die Negative? Gut. Nimm die auch mit zu dir. Gibt's aus Hillesheim was Neues?«

»Nein«, sagte sie. »Außer, daß alle drüber reden, eigentlich nichts. Ich habe das ausgelegt.«

»Im Schreibtisch in der Schublade. Nimm dir, was du brauchst, und einen Hunderter mehr.«

»Das will ich nicht.«

»Sei still, ehre das Alter, zolle ihm Respekt und nimm einen Hunderter mehr. Was machen die Männer?«

Sie lächelte leicht. »Ich bin sozusagen auf Warteposition. Aber viel Vernünftiges läuft nicht rum.«

»Nimm niemals einen Typen aus dem Sonderangebot«, mahnte ich väterlich.

Gabi trollte sich samt ihrer langen Beine und murmelte im Weggehen: »Man muß nehmen, was man kriegt, aber ich will keinen Runderneuerten.«

Ein Pärchen Rauchschwalben jagte sich dicht über mir, Krümel kam um die Ecke und maunzte, als sei ich zwei

Jahre weggewesen. Sie interessierte der Geldraub überhaupt nicht. Aber wen interessieren schon zwölf Millionen, wenn er den Wanst voll Schnitzel hat? So ließen wir eben den Tag aus der Sonne tropfen, und irgendwann schliefen wir ein, ihr Kopf dicht neben meinem.

Der Rummel begann um fünf Uhr. Es fing damit an, daß ich hörte, wie jemand in scheinbar heller Verzweiflung gegen meine Haustür donnerte. Gleichzeitig schellte das Telefon.

An der Haustür war Helmuth Huth: »Ich brauch mal eben eine zweite Schubkarre.«

»In der Garage«, sagte ich.

»Und? Biste jetzt reich?«

»Ich war nicht beteiligt, Ehrenwort«, versicherte ich.

»'n Ehrenwort taugt nichts mehr«, sagte er.

Am Telefon war Willi, mein Ortsbürgermeister, und fragte: »Haste mal zwei Minuten Zeit?«

»Für dich immer«, sagte ich. »Und? Biste jetzt reich?«

Er lachte schallend, wurde dann plötzlich sehr ernst und sagte: »Das Ding war von langer Hand vorbereitet, oder?«

»Sieht so aus. Womit kann ich dienen?«

»Es geht um, na ja, um Klärchen, also um die Witwe Bolte. Also, es ist so, daß sie hinter jedem Busch die Jungfrau Maria und den Erzengel Michael sieht. Nun ist das so, daß sie in ein Altenheim oder aber in eine Klinik soll, wenn ... na ja, wenn die Jungfrau Maria nicht verschwindet. Und da wollte ich fragen, ob du jemanden weißt, der vielleicht ihr Haus kaufen will. Wenn ich das verkauft kriege, braucht die Gemeinde nicht so viel beizubuttern, wenn sie gepflegt werden muß.«

»Ich weiß keinen, und mein Taschengeld für diese Woche ist verbraucht. Was wird die Pflege kosten?«

»Also, ich denke mal, bis zu viereinhalbtausend im Altenheim. Die Klinik wird teurer.«

»Hat sie keine Rente?«

»Ja, aber nur Minimalrente. Sie hat gespart, rund hunderttausend. Aber die sind im Nu futsch.«

»Ich weiß wirklich niemanden, Willi. Will nicht jemand vom Golfclub das Haus kaufen?«

»Vielleicht«, überlegte er, »aber das kann dauern, bis man mit einem von denen handelseinig geworden ist. Und es müßte schnell gehen.« Wenn er Sorgen hatte, und die hatte er dauernd, zog er die Vokale in die Länge.

»Sie hat doch diese Anfälle jedes Jahr ...«, begann ich.

»Jedes Jahr zweimal«, verbesserte er schnell. »Einmal im Sommer, einmal zu Weihnachten.«

»Wie alt ist Klärchen eigentlich?«

»Sechsundachtzig. Na ja, hör dich mal um.« Er hängte ein.

Krümel tauchte auf, lief in die Küche, stellte sich vor ihren leeren Napf und maunzte wie das heulende Elend. Da schellte das Telefon erneut.

»Mein Name ist Karmann«, sagte ein Mann mit einer gutgeölten Stimme. »Guten Tag, Herr Kollege. Ich vermute, Sie wissen, weshalb ich mich melde?«

»Vermutlich wollen Sie etwas von dem Zaster abstauben.«

»Das wäre schön«, seufzte er. »Nein, nein, ich rufe an, weil wir den Titel rausschmeißen und mit dem Geldraub aufmachen wollen. Was haben Sie?«

»Sie können einen Satz Fotos vom Tatort mit den beiden Fahrern haben. Kostet zweitausend. Die Summe des geklauten Geldes ist nicht klar, aber Sie können davon ausgehen, daß es um die zwölf Millionen sind.«

»Wer ermittelt?«

»Der Bundesanwalt mit dringendem Verdacht auf organisierte Kriminalität und/oder Terrorismus-Szene.«

»Konkrete Verdächtige?«

»Nicht der Hauch davon. Wer sind Sie?«

»Bild am Sonntag. Unsere Reporter sind unterwegs. Beschreiben Sie bitte den Tatort? Ich muß diesen gottverdammten Text machen. Reuter meldet nur den Raub ohne Einzelheiten. Helfen Sie mir?«

»Ich helfe. Soll ich den Text faxen? Und machen wir einen Gesamtpreis? Sagen wir viertausend, und Sie haben in zwei Stunden alles. Wie kommen Sie an die Fotos?«

»Wir schicken einen Kurier. Ist das okay?«

»Das ist okay. Können Sie den Preis bestätigen?«

»Einverstanden. Danke. Da ist noch etwas, Herr Kollege. In der nahen Vergangenheit gab es das häufiger, daß ein

Geldtransporter überfallen wurde und sich dann herausstellte, daß die Wachleute beteiligt waren. Auf eine andere Weise hätte der Coup auch gar nicht klappen können. Nun halte ich es für leichtsinnig, von Beginn an zu sagen: Deren Weste ist rein, die waren es nicht! Wie, um Gottes willen, ist es denn möglich gewesen, die mattzusetzen?« Er suchte nach möglichen Schuldigen für die Schlagzeile.

Ich erklärte es ihm. Nachdem er aufgelegt hatte, rief ich Gabi an und bat: »Tut mir leid, aber könntest du schnell nach Hillesheim fahren? Sag Bescheid, daß das Wochenende ausfällt. Ich brauche noch acht Sätze Fotos. Und paß bitte genau auf: Es gibt ein paar Bilder mit den beiden Transportbegleitern als Säcken an den Bäumen. Die nimmst du erst gar nicht mit.«

»Gut«, sagte sie. »Eigentlich wollte ich baden.«

»Das tut mir leid. Wenn du jemanden weißt, der für dich einspringen kann ...«

»So war das nicht gemeint. Endlich ist was los ...«

In den nächsten zwei Stunden riefen sechs Redaktionen an, und ich tanzte mit Krümel auf dem Arm um den Küchentisch und jubelte: »Zweimal im Jahr so ein Ding, und ich habe eine Rente.« Krümel sah mich sehr mißtrauisch an, und ich beruhigte sie hastig: »Na ja, bis jetzt sind das ungefähr sechzehn Tonnen Whiskas.«

Ich gab jeder Redaktion über Fax mit leichten Änderungen einen vier Seiten langen Text durch. Eigentlich stand nichts drin. Es war eine hervorragende Übungsaufgabe, aus Nichts etwas zu machen. Gegen sieben Uhr kam der Anruf, auf den ich schon den ganzen Tag gewartet hatte.

Er lärmte, er lärmt immer: »Ich weiß, ich weiß, du hast viel zu tun, du bist überlastet. Jemand hat zwölf Millionen geklaut, und du hast Hochkonjunktur. Sag mal, mein Lieber, was hast du den anderen verkauft?«

»Texte und Fotos.«

»Und welche Fotos hast du nicht verkauft?«

»Ein paar von den beiden Fahrern.«

»Sind die hübsch?«

»Sehr hübsch, würde ich sagen.«

»Kann ich die haben? Und habe ich sie allein?«

»Ja!«

Er machte mir ein gutes Angebot und informierte mich: »Ich lege dir einen jungen Mann namens Unger ans Herz. Er kommt irgendwann in der Nacht an, er wird sich melden. Unger, Herbert Unger.«

»Die Blaskapelle meines Musikvereins wird spielen, wenn er einläuft«, erwiderte ich.

Wenig später teilte mir Freddie Seiters von der Polizei mit, die Pressekonferenz werde gegen 22 Uhr in der Bank sein.

»Habt ihr schon einen Verdacht?« erkundigte ich mich.

»Nicht den geringsten«, seufzte er. »Nicht mal die Transportbegleiter geben was her. Familienväter, wenig Schulden, keine boshaften Bekannten, keine habgierigen Ehefrauen. Nichts, verstehst du, einfach gar nichts.«

»Wie schön!«

»Hast du *schön* gesagt?« fragte er wütend.

»Das habe ich gesagt«, gab ich zu. »Das hält mein Geschäft am laufen.«

»Du bist ein Abstauber!«

»Für so viel Bares bin ich alles, was du möchtest«, erwiderte ich brav.

Ich hatte den Hörer kaum wieder eingehängt, da ging es weiter. Diesmal war es eine Stimme, die schwache Erinnerungen in mir weckte und die ungefähr nach meinem Opa klang, wenn er gut gelaunt gewesen war.

»Ich grüße Sie, Herr Baumeister«, sagte die Stimme einleitend. »Jetzt hat das internationale Gangstertum auch Ihre verträumte Hütte erreicht. Was halten Sie davon?«

»Was halte ich wovon?« fragte ich vorsichtig.

Mein Gesprächspartner am anderen Ende lachte sanft. »Sie wissen nicht, wer ich bin, nicht wahr? Ich bin der Rodenstock.«

Rodenstock, Rodenstock? Rodenstock! »Etwa der Kripomensch aus Trier?«

»So ist es.«

»Wie geht es Ihnen?«

»Ich bin pensioniert, ich ...«

»Aber Sie trinken noch Kaffee, essen Bitterschokoloade, trinken Cognac und rauchen dazu eine Zigarre?«

»Ja, das ist mir geblieben. Wer ermittelt in dem Fall?«

»Der Generalbundesanwalt, es riecht nach Organisiertem Verbrechen. Leben Sie noch in Trier?«

»Nein, ich lebe jetzt in Cochem an der Mosel. Ich weiß nicht einmal, warum. Es ergab sich so ...«

»Wenn Sie Lust haben, kommen Sie her. Wenn Ihre berufliche Neugier ...«

»Ja, ja, deswegen rufe ich an. Ich meine, falls ich Ihre Familie nicht störe.«

»Ich habe keine Familie, immer noch nur eine Katze.«

»Könnte ich, ich meine, macht es Ihnen ehrlich nichts aus ... Ich würde morgen gegen Mittag vielleicht ..., ich interessiere mich für den Fall, ich denke, da muß man dabeisein.«

»Kommen Sie ruhig her«, sagte ich. »Haben Sie keine Hemmungen.«

»Das ist sehr liebenswürdig«, stelzte er.

Schließlich kam der Kurier der Bild am Sonntag, tat geschäftig, sah sich um und murmelte verachtend: »Komisch, das ist hier doch am Arsch der Welt. Woher kommen denn hier zwölf Millionen her?«

»Langsam angespart«, schlug ich vor und drückte ihm den Umschlag in die Hand.

Nachdem wieder etwas Ruhe eingekehrt war, ließ ich die Badewanne vollaufen, um mich für die Pressekonferenz auf Vordermann zu bringen. Sicherheitshalber nahm ich das Telefon mit. Gerade als ich mich im Schaum suhlte und langsam wieder atmen konnte, schrillte das Ding, und eine muntere Stimme parlierte: »Baumeister, ich hörte gerade im Fernsehen, daß irgendwer in deiner Gegend ein paar Millionen geklaut hat. Da dachte ich an dich. Wie hast du das gedreht?«

»Ganz einfach: Ich habe den Transporter angehalten, habe mich hinter das Lenkrad gesetzt, und die ganze Kiste voll Geld steht jetzt in meiner Garage und wartet auf mich. Wer bist du?«

»Eine Frau.«

»Das ist keine erschöpfende Auskunft, das höre ich.«

»Die Bettina.«

»Aha.« Bettina? Bettina? Ihrem Ton nach zu urteilen, hatte ich augenblicklich zu wissen, wer Bettina war. Ich wußte es nicht.

»Wir haben im letzten Sommer ... also wir haben uns in München getroffen, und du hast mir eine Stunde lang erklärt, wieso und warum du so gern allein lebst.«

»Aha.« Ich erinnerte mich immer noch nicht. »Und jetzt?«

»Jetzt dachte ich, ich rufe mal an. Wie geht es dir denn so?«

»Gut, ausgesprochen gut, aber ich muß gleich weg. Pressekonferenz, weißt du?«

»Ja. Ich dachte, ich komme mal vorbei.«

»Das ist jetzt schlecht, es ist ...«

»Ich bin hier in Daun, oder wie das heißt. Ich könnte ja mal reinschauen.«

»Aber nicht vor elf abends, bitte.«

»Also, um elf dann«, sagte sie erleichtert.

»Es war jemand, den ich nicht kenne«, erklärte ich meiner Katze, während ich das Telefon wieder beiseite stellte. »Du brauchst gar nicht beleidigt zu sein.«

Aber natürlich war sie beleidigt und schlich hinaus, als sei ich tätlich geworden.

Ich war sauber, ich roch gut, ich fühlte mich sehr gelassen, hockte mich in den Jeep und fuhr nach Hillesheim zur Bank. Der abendliche Sommerhimmel bot alle Rottöne an, die man sich vorstellen kann, und ein paar Kameraleute drehten munter mitten in den Kitsch hinein. Es waren mehr Kolleginnen und Kollegen da, als normalerweise Presseausweise in der ganzen Eifel zu finden sind. Sie waren alle gutgelaunt, und ein paar von ihnen grinsten mich freundlich an, weil sie wohl wußten, daß ich als erster am Tatort gewesen war. Sicherheitshalber rief ich laut: »Ich weiß rein gar nichts.«

Der Kundenraum der Bank war zu einem kleinen Vortragssaal umfunktioniert worden. Es standen zwanzig Stühle vor zwei erhöht aufgebauten blanken Tischen mit vier Stühlen dahinter. Jemand mit Sinn für Humor hatte eine winzige Vase mit drei oder vier Gänseblümchen daraufgestellt.

Neben mir sagte jemand: »Unger. Ich soll Ihnen herzliche

Grüße vom Chef bestellen, und selbstverständlich bestimmen Sie den Preis.«

»Wie bitte?« fragte ich verblüfft. Mein Gegenüber hatte ein blasses, schmales, langgezogenes Gesicht, er sah ein bißchen aus wie der Gaul von Lucky Luke.

»Na ja, wenn Sie für uns arbeiten würden, wäre das von Vorteil.« Er runzelte die Stirn. »Man erzählte mir, Sie seien ziemlich gut im Recherchieren. Was glauben Sie, steckt dahinter?«

»Dahinter steckt jemand, der dringend Bargeld braucht«, meinte ich.

Er sah mich an, versuchte ein Grinsen, schaffte es dann auch. »Im Ernst, wie schätzen Sie das ein? War das nicht perfekt?«

»Nicht sehr perfekt«, behauptete ich. »Es ist eine etwa vier Kilometer lange, prima ausgebaute Nebenstraße mit garantiert kaum Verkehr. Aber die Täter haben die Straße nicht dichtgemacht. Das hätten sie aber um ihrer Sicherheit willen mit zwei Trucks erledigen können. Das gibt mir Rätsel auf.«

Er starrte über meine Schulter und fragte keck: »Woher wollen wir denn wissen, ob die Täter nicht für die Viertelstunde, die sie brauchten, die Straße dichtmachten? Das weiß doch keiner, oder?«

»Hallelujah, Bruder«, murmelte ich. »Wir sollten das aber niemandem sagen, oder?«

»Niemals nicht. Gibt es hier eine Disco?«

»Ja. In Bitburg oder Trier oder Gerolstein. Warum?«

»Weil ich lange nicht mehr getanzt habe«, erwiderte der erstaunliche Mensch.

»Und beim Tanzen treffen Sie die Gangster?« fragte ich.

»Nein ...«, er schüttelte energisch den Kopf.

Unser durchaus konstruktives Gespräch wurde unterbrochen durch den Eintritt dreier Männer und einer Dame. Letztere war die Dame namens Eggendorf mit einem herrlich verkniffenen Mund.

Die drei Männer setzten sich, die Dame auch. Der Mann der Bank, einer mit einem militärisch korrekten, dichten Schnäuzer, einer wirksamen Sonnenbräune aus der Dose und einem grellfarbenen Seidenschlips zu grauem Anzug mit dem genau passenden Alter von etwa vierzig Jahren, ergriff das Wort. Während er nach dem Mikrophon fischte und es zu sich heranzog, begann er: »Ich bin für dieses Haus verantwortlich, mein Name ist Schuhmacher, ich bin der Leiter dieses Institutes. Von hier aus wurde der Transport wie jeden Samstag auf die Reise geschickt und ...«

»Wer wußte denn von diesen Geldtransporten?« fragte ein Kollege aus den hinteren Reihen.

Die Frage hatte sie wahrscheinlich aus dem Fahrplan geworfen, sie sahen sich alle etwas ratlos an. Schließlich ergriff Marker das Wort: »Können wir uns einigen, meine Damen und Herren, daß Wolfgang Schuhmacher die Ereignisse zunächst aus Sicht des Bankhauses schildert? Dann ich aus der Sicht der Kriminalisten und der Bundesanwaltschaft. Dann Ihre Fragen. Ist das okay so?« Er nickte Schuhmacher zu.

Schuhmacher räusperte sich mehrmals, dann fuhr er fort: »Wir führen diese Transporte seit vielen Monaten durch, noch niemals ist irgendwas passiert. Wir haben einen möglichst rationellen Transportweg gewählt. Wir, das sind Volksbanken, Sparkassen, Kreissparkassen. Einmal in der Woche werfen wir sozusagen unser Geld zusammen und transportieren es von hier aus zur nordrhein-westfälischen Landeszentralbank nach Düsseldorf. Im Wagen waren heute morgen genau achtzehnkommasechs Millionen Mark in Scheinen, kein Münzgeld.«

Es war so still, daß die berühmte Stecknadel einen ohrenbetäubenden Lärm verursacht hätte. Dann ging ein Raunen durch die Pressekonferenz.

»Waren die Transportbegleiter immer dieselben?« fragte eine Frauenstimme.

Er nickte. »Immer dieselben«, antwortete er stolz.

Jemand rief laut: »Peinlich, peinlich.«

Eine Kollegin begann unterdrückt zu lachen, Schuhmacher wurde unsicher. Er hastete weiter: »Nun ja, wir waren mit den beiden Herren total zufrieden. Sie arbeiteten schnell und absolut zuverlässig ...«

»Und sie hatten viel Zeit, das Ding auszubaldowern«, sagte ein Mann links von mir.

Marker grinste und reagierte schnell: »Das ist nicht Sache von Herrn Schuhmacher.«

»Richtig«, stimmte Schuhmacher erleichert zu. »Brauchen Sie noch weitere Einzelheiten?« Er starrte in die Runde, als wolle er sagen: Falls jemand eine Einzelheit will, kriegt er Prügel.

Eine Kollegin seufzte: »Sie verkennen die Lage, Teuerster: Wir sind hier, um Ihnen zu Ihrer Kohle zu verhelfen, und nicht, um Sie zu streicheln. Wieviel wiegen denn so achtzehnkommasechs Millionen Mark? Und was ist das überhaupt für Geld? Ist es numeriert, sind die Nummern irgendwo aufgeschrieben?«

»Es ist nicht numeriertes Geld«, gab Schuhmacher hektisch Auskunft. »Es kommt aus Daun, aus Gillenfeld, aus Bitburg, aus Prüm, aus dem oberen Kylltal und aus Gerolstein. Es fließt hier im Laufe jeden Freitagabends zusammen.«

»Es ist also Mischgeld?« fragte jemand.

Schuhmacher nickte. »Klassisches Mischgeld. Die Banken bündeln es, damit die Zählung in Düsseldorf leichter ist. Es sind also alle Sorten Banknoten, vom Zehnmarkschein bis hin zum Tausender. Was es wiegt, weiß ich nicht, aber ich kann Ihnen sagen, was die einzelnen Banknoten gebündelt wiegen: Also: Fünf Bündel Zehnmarkscheine sind 5.000 Mark und wiegen 330 Gramm. Fünf Bündel Zwanzigmarkscheine sind 10.000 Mark, und sie wiegen 360 Gramm. 25.000 Mark in Fünfzigmarkscheinen wiegen nicht einmal ein Pfund, genau 440 Gramm ...«

Er schien stolz, daß er derartige Dinge wußte, und blickte um sich wie ein Champion.

»Mein Gott«, stöhnte ein Kollege erbost, »hören Sie doch auf mit dem Pipifax. War der Transporter voller Geld?«

»Ja«, antwortete Schuhmacher beleidigt. »Er war randvoll. Das Geld war in Säcken, wie immer.«

»War am heutigen Transport irgendwas anders als sonst?« erkundigte sich eine Frau.

»Nein«, sagte Schuhmacher ernsthaft.

Alle lachten schallend.

»Sie hocken da vorn und scheinen uns klarmachen zu wollen, daß Sie nicht im geringsten an irgendwas Schuld tragen«, brachte eine sehr aggressive, jugendliche Stimme die Sache auf den Punkt. »Ihnen sind achtzehnkommasechs Millionen geklaut worden, und Sie atmen nicht einmal schneller. Stehen Sie auf dem Standpunkt, daß Sie das nichts angeht? Ich meine, beim Bauernsterben sind die Banken doch auch die einzigen Gewinner gewesen. Ist das Ihrer Meinung nach normal?«

Es lag wenig Sinn in dieser Frage, sie drückte eigentlich nur Wut aus. Aber Schuhmachers Reaktion war verblüffend. Er stand auf, warf einen mörderischen Blick in Richtung des fragenden jungen Journalisten und wollte die Versammlung demonstrativ verlassen.

Marker, der Mann vom Bundeskriminalamt, legte ihm besänftigend die Hand auf den Arm. Jemand schrie: »Sitzen bleiben! Wir haben hier keinen Kredit beantragt, Herr Schuhmacher.«

Alle lachten erneut.

Wie alle Beleidigten dieser Welt beschloß Schuhmacher, die Frage zu ignorieren. Er wiederholte: »Es war in meinen Augen ein ganz normaler Samstag.«

»Wo waren Sie, als der Transporter hier beladen wurde?«

»Was soll das?« Schuhmacher geriet ins Stottern und sah Marker hilfesuchend an. Marker nickte beruhigend.

»Ich war einkaufen«, flüsterte Schuhmacher. »Ich glaube, ich war beim Metzger.«

Marker sah mich jetzt an und zwinkerte mir zu.

Ein älterer Kollege stand auf und sagte freundlich: »Ich denke, der Herr Schuhmacher hat uns nichts Erhellendes mitzuteilen, falls man nicht den Metzger als erhellend bezeichnen will. Herr Marker, was ist aus kriminalistischer Sicht zu sagen?«

»Können wir die Kameras ausblenden?« bat Marker. »Ich möchte erst einmal etwas feststellen.« Er wartete einige Sekunden, bis die Kameras abgestellt waren, dann legte er die Handflächen zusammen. »Wir haben nicht die Spur einer Spur. Selbstverständlich haben wir uns eingehend mit den beiden Transportbegleitern befaßt. Freundlich, wie ich betonen will. Sie wissen so gut wie ich, daß das in einigen bisherigen Fällen zum Erfolg führte. Aber in diesem Fall haben wir es mit zwei Familienvätern zu tun, deren dienstliches und privates Leben nach einigen Stunden intensivster Prüfung auf nichts anderes schließen läßt, als daß sie damit nichts zu tun haben können. Wenn Sie nun Fragen haben, dann los, aber denken Sie bei Ihrer Arbeit daran: Wir haben nur einen Schlüssel zu einem möglichen Erfolg – das sind Ihre Veröffentlichungen und Filme.«

»Na gut«, ließ sich jetzt eine gemütliche Stimme vernehmen. »Fangen wir also an: Wer wußte von den Transporten?«

»In jeder Bank grundsätzlich zwei Leute. Der Filialleiter und der für den Transport Verantwortliche. Dann hier im Haus, in dem das Geld zusammenlief, waren es Herr Schuhmacher als Filialleiter und eine junge Dame, die samstags morgens die beiden Transporteure erwartete und das Geld einladen half. Alles in allem sind das etwa zwanzig Leute.« Marker machte ein unglückliches Gesicht.

Schuhmacher sagte schnell: »Aber Sie wissen ja, meine Damen und Herren: Wir deutschen Banken sind für unsere Diskretion berühmt. Ich würde mal sagen, daß zwar zwanzig Leute von den beteiligten Banken davon wußten, aber niemals von diesem Wissen Gebrauch machen würden. Das halte ich für unmöglich. Ich sage Ihnen: Niemand wußte von diesen Transporten!«

Marker kniff beinahe gewaltsam die Augen zusammen.

Nun konnte ich mich nicht mehr zurückhalten: »Ich bin Siggi Baumeister, ich lebe hier, Herr Schuhmacher, ich bin nicht hierhergekommen, um von Ihnen verscheißert zu werden. Sie werden zwischen Hillesheim, Wiesbaum, Ahrhütte und anderen Dörfern garantiert Hunderte von Zeugen finden, die ihre Uhr an jedem Samstag danach stellen konnten, wann der Geldtransporter durchfuhr. Die wußten alle, daß der Zaster aus Hillesheim vorbeikam.« Ich setzte mich wieder.

Schuhmacher schien zu überlegen, Marker nickte bedächtig und sagte: »Ich fürchte, es ist so, wie Herr Baumeister ausführt: In dieser Gegend war allgemein bekannt, daß an jedem Samstagmorgen der Geldtransport lief!«

Es war mir klar, daß Schuhmacher mir nun nie mehr einen Kleinkredit anbieten würde, also sagte ich zu Unger:

»Passen Sie genau auf, was gesagt wird. Vor allem auf das, was nicht gesagt wird. Und kommen Sie nachher zu mir. Okay?« Dann drängelte ich mich hinaus.

Durch die Menschenmenge ging ich zum Jeep. Da stand Alfred, grinste mich an und fragte: »Sag mal, Onkel Siggi, kennst du einen Wassi?«

»Nein, Onkel Alfred. Wer ist Wassi?«

»Na ja«, erklärte er, »ich weiß nicht genau. Jemand aus Kerpen. Ein Russe.«

»Und was macht ein Russe in Kerpen?«

»Er lebt da. Er heißt nicht Wassi, die nennen ihn nur so. Er heißt Wassiliew oder so.«

»Was ist mit diesem Wassi?«

»Also, er arbeitet im Wald«, antwortete er lahm.

»Wie schön für ihn«, sagte ich. »Und weil er im Wald arbeitet, hat er wahrscheinlich die achtzehneinhalb Millionen geklaut, oder?«

»Nee, nee, das nicht. Aber die Leute sagen: Wenn einer was weiß, dann Wassi. Weil Wassi jeden Tag im Wald ist, auch wenn nichts zu arbeiten ist.«

»Wer sind die Leute? Wer sagt das?«

»Ich hab das von Kläuschen.«

»Und wer ist Kläuschen?«

»Kläuschen ist Meiers Klaus. Kennst du Meiers Klaus nicht? So 'n Dicker, immer gut drauf.«

»Arbeitet der auch im Wald?«

»Nein, der arbeitet im Zementwerk in Ahütte. Aber er sieht Wassi öfters, und manchmal trinken sie einen zusammen. Kläuschen meint: Wenn einer was gesehen haben könnte, dann Wassi.«

»Also ein Rußlanddeutscher. Also Strumpffabrik Kerpen.«

»Richtig. – Ich geh jetzt auf ein Bier zu Mechthild.«

»Moment. Das Geld ist nicht von einem allein geklaut worden. Hat Wassi denn Freunde, die das mitmachen würden?«

»Weiß ich nicht«, wurde er nun muffig. »Bin ich Moses?«

»Bist du nicht«, beruhigte ich ihn.

Ich fuhr zur Strumpffabrik nach Kerpen. Ich hatte zwar nicht die geringste Hoffnung, daß dieser Deutschrusse namens Wassi irgend etwas wissen oder gar etwas sagen würde. Aber da ich gelernt habe, keine Spur außer acht zu lassen, dachte ich, es sei besser, diese kleine Arbeit sofort hinter mich zu bringen.

Die Strumpffabrik befindet sich linker Hand am Ortsausgang von Kerpen Richtung Leudersdorf und Ahütte. Granitgrau liegt sie schwerfällig am Hang einer großen Mulde, und jedermann, der einige Ahnung von Architektur hat, weiß sofort, daß das Gebäude nur in der Amtsperiode des Größten Feldherrn aller Zeiten entstanden sein kann. Tatsächlich ist es errichtet worden, um als Heim für den Reichsarbeitsdienst zu dienen, genauer: für junge Mädchen, die dort nachts schliefen und tagsüber ringsum auf den Bauernhöfen ihren Dienst taten. Die Feldwege um das Haus herum waren insbesondere der männlichen Jugend bestens bekannt, denn sie dienten dazu, sich im Morgengrauen anzuschleichen, wenn die Mädels auf den Hof gescheucht wurden, um in teutonischer Strenge den Körper zu lockern. Ein Haus ewiger Niederlagen, denn am Ende der tausend Jahre des Dritten Reiches wurde daraus ein Lazarett für angeschossene Landser, dann, nach Ende des Krieges, ein Altenheim, schließlich eine Strumpffabrik, die zu Beginn der achtziger Jahre den Betrieb einstellte. Jetzt hausten dort deutsche Russen aus Kasachstan, von denen nicht wenige begreifen mußten, daß das Land, in dem Milch und Honig fließt, durchweg asphaltiert ist. Übergangswohnheim nennt sich das jetzt.

Das Licht wurde zusehends blau, die Nacht kam, aber es war immer noch sehr warm, ein Abend, der nach Sommerfest und nach Liebesgeflüster am Waldrand roch.

In der Strumpffabrik schlief niemand. Sie hockten im Schein von zwei roten Lampions um einen sehr großen Tisch und diskutierten und lachten miteinander. Auf dem Tisch standen große Teller mit den Resten halber Hähnchen.

Ich stieg aus und ging langsam auf sie zu. Ihre Gesichter glänzten im matten Schein der Lampions, es waren gute, vor Freude erhitzte Gesichter.

»Ich suche jemand«, erklärte ich. »Guten Abend! Ich suche Wassi oder Wassiliew.«

Einige Frauen begannen zu lachen, einige Männer grinsten, einige Kinder fanden das prima. »Er sucht Wassi! He, Wassi!«

Ein Mann mit einem breiten, gutmütigen Gesicht stand auf und war leicht verlegen. Er war absolut viereckig und sah aus wie das Urbild aller Bauern.

»Ich bin Wassi«, gab er sich zu erkennen. Er machte ein paar Schritte auf mich zu.

»Ich bin der Siggi«, gestand ich. »Kann ich Sie einen Augenblick lang sprechen?«

»Ja, ja«, sagte er bereitwillig. Dann wies er auf das Haus und ging vor mir her in die große Halle. Dort gab es eine Sitzecke, und er hockte sich in einen Sessel. »Was wollen Sie?«

»Nichts Besonderes«, sagte ich. »Sie haben gehört von dem Geldraub, dem Geldklau?«

Er hatte kugelrunde Augen, und zum ersten Mal sah ich, daß in seinen Augen das Lachen tanzte. »Sicher habe ich gehört. Jeder hat gehört. So viel Geld!«

»Man sagt, Sie haben gesehen, wie es geklaut wurde. Stimmt das?«

»Ich geklaut? O nein, ich nicht.«

»Nein, nein. Haben Sie gesehen, wie es geklaut wurde? Haben Sie irgendwelche Männer gesehen, die das gemacht haben?«

»Männer gesehen? O nein. Ich war nicht da, ich habe nichts gesehen. Vielleicht Frauen, vielleicht keine Männer?«

Ich sah ihn verblüfft an und dachte dann darüber nach, daß man mit einem Auto von diesem Haus zum Tatort in knapp vier Minuten fahren könnte. »Haben Sie ein Auto?«

Er lächelte. »Ich? Auto? O nein, kein Auto. Zu teuer.«

»Sie arbeiten im Wald. Und Sie sind dauernd im Wald, oder?«

»O ja. Ich arbeite im Wald, ich bin oft im Wald. Ich bin gerne im Wald, ich ... in Kasachstan war ich auch im Wald. Immer.«

»Gefällt es Ihnen in Deutschland?«

»O ja. Deutschland ist gut. Ich ... es ist ... ich bin ja Deutscher.«

»Und Sie suchen eine Wohnung?«

»Ja. Hier in der Eifel. Ich will bleiben. Ich will in der Eifel bleiben.«

»Haben Sie Kinder?«

»Ja, zwei, Helena und Pjotr, also Peter.«

»Arbeitet Ihre Frau?«

»Nein, geht nicht. Die Kinder sind zu klein.«

»Ist sie gerne hier?«

»Nicht so gern. Sie ist Russin, sie ist keine Deutsche. Sie sagt: In Kasachstan war es besser.« Er seufzte, nicht allzu tief. »Aber sie wird begreifen, daß es gut ist hier. Suchen Sie die Klauer, die Diebe, diese Leute, die die Millionen ...«

»Es waren achtzehnkommasechs Millionen.«

»Hui, sehr schön! Viel Geld! Würde reichen.« Er grinste entwaffnend. »Nein, ich weiß nicht, ich war nicht da, ich war im Wald, aber nicht an der Stelle. Ich habe nichts gesehen.« Sein Mund wurde ganz breit. »Und Polizei? Weiß Polizei schon was?«

»Nicht die Spur«, sagte ich. »Falls Sie etwas hören, rufen Sie mich an?«

Wassi hockte da, strahlte, und seine Augen grinsten diabolisch: »Na sicher. Wenn ich was weiß, rufe ich Sie an.« Er nahm meine Visitenkarte, starrte sie betulich an, und die ganze Zeit über dachte ich verkrampft: Der Sauhund weiß etwas!

»Das ist sehr gut«, setzte ich dem Gespräch erst mal ein Ende. »Danke vielmals und schönen Abend!«

»Tschüs«, verabschiedete er sich und lächelte bescheiden.

DRITTES KAPITEL

Ich bog auf den Hof und mußte in die Bremsen gehen, weil sie da auf einem Koffer hockte und den Eindruck machte, als bewache sie mein Haus. Ich hatte sie vergessen, ich erinnerte mich, daß sie angerufen hatte, aber wie sie hieß, wußte ich nicht mehr. Was hatte sie gesagt? Bettina? Bettina? Bettina ...

Sie stand auf: »Grüß dich, ich bin also die Bettina. Du erinnerst dich?«

Zuweilen ist es gut, bei der Wahrheit zu bleiben, zuweilen ist es besser, nicht unbedingt höflich zu sein. Ich gab also zu: »Tut mir leid, ich erinnere mich nicht. Was hast du gesagt, wo haben wir miteinander gesprochen?«

»Beim Sommerfest von Petra. In Gräfelfing. Du hast mir erzählt, daß du ganz allein hier lebst, wie dich das ausfüllt und wie dich das glücklich macht ...«

»Petras Sommerfest ist mir geläufig«, sagte ich vorsichtig. »Wie kommst du in diese Gegend?«

»Ich habe eine alte Mitschülerin besucht. In Daun. Sie hat mit mir zusammen Abitur gemacht und ist da verheiratet. Weil ich sowieso in der Gegend war, da dachte ich ... o Scheiße, ich komme im falschen Augenblick, nicht? Ich bin völlig falsch, du erinnerst dich nicht an mich. Kann ich verstehen, manchmal geht das so, ich geh ja schon wieder, ich störe ja nur ...«

»Mal langsam. Wenn du hier auf den Bus warten willst, stehst du bis Montag morgen um halb acht. Das sind nur rund sechsunddreißig Stunden. Was, sagtest du, habe ich dir erzählt?«

Sie war schmal und dunkelhaarig und hatte große, eindrucksvolle Rehaugen und einen vollen Mund, der dauernd zuckte, als wolle sie zu weinen beginnen.

»Du hast auf diesem Fest bei Petra erzählt, wie du hier wohnst. Wir haben darüber gesprochen, was man im Leben unbedingt lernen sollte. Du hast gesagt: Man muß unter allen Umständen lernen, mit sich allein zu leben. Erst dann ist man gut für das Leben mit anderen. Das ... das habe ich nicht vergessen. Ruf mir ein Taxi, ich bin hier falsch, ich störe doch nur, ich ...«

»Nun komm erst einmal rein«, sagte ich energisch. »Gib mir diesen Koffer, dann kochen wir uns einen Kaffee. Und dann finden wir ein Bett für dich, und morgen sehen wir weiter.«

»Aber wenn ich doch störe, und was sagt deine Familie?«

»Ich habe keine Familie, jedenfalls meistens nicht. Sieh mal, da ist Krümel, das ist meine Katze, das ist meine Familie. Und hinten im Garten gibt es Glockenunken, eine Erdkröte und einen oder mehrere Grasfrösche, und unter der größten Birke liegt ein Haufen alter Äste. Da wohnt ein Igelpaar, die haben Junge, und da gibt es ein Plastikbecken mit einem Haufen Wasserflöhe. Das ist meine Familie. Jetzt steh hier nicht rum ...«

Mein Vortrag wurde massiv gestört durch ein Auto, das mit quietschenden Reifen um die Kurve schoß, auf den Hof donnerte, tiefe Spuren in die Erde riß und schepperte, als es abgebremst wurde. Es war der junge Kollege namens Unger, und er kam aus dem Auto herausgesprungen, als sei der Teufel hinter ihm her. Er stürzte heran, leckte sich die Lippen und keuchte dann: »Wir müssen einen Deutschrussen namens Wassi, also Wassiliew, finden. Der weiß was, ich wette, der weiß was.«

»Er behauptet, daß er nichts weiß«, berichtigte ich. »Das ist Bettina, ein Gast aus München, das ist Herbert Unger, ein Mensch aus Hamburg. Gebt euch die Hand und vertragt euch. Jetzt will ich einen Kaffee.« Ich nahm den Koffer und marschierte ins Haus. Ich hörte, wie Unger hinter mir höflich fragte: »Sind Sie auch daran interessiert, die Kohlen zu finden?« Sie antwortete verwirrt: »Welche Kohlen denn?«

Ich öffnete für Krümel eine Dose Thunfischhäppchen und füllte ihr eine Schüssel mit Wasser. Meinen Gästen erklärte ich: »Ich habe ein Problem mit euch. Morgen kommt ein lieber alter Freund. Ich habe aber keine drei Zimmer.«

»Wieviel haben Sie denn?« fragte Unger.

»Zwei«, entgegnete ich wahrheitsgemäß.

»Ich kann doch wieder abhauen«, murmelte Bettina. »Schließlich hast du nicht mit mir gerechnet ...«

»Kommt gar nicht in Frage«, bestimmte Unger. »Irgendwie schaffen wir das schon. Der liebe alte Freund kriegt ein Zimmer, die Bettina kriegt Zimmer Nummer zwei, und ich kann vielleicht irgendwo auf einem Sofa schla...«

»Kommt überhaupt nicht in Frage«, widersprach ich. »Die nächsten Tage werden hektisch. Wenn ich hektisch bin, will ich nicht über fremde Körper stolpern. Haben Sie was dagegen, in einem Schlafsack zu pennen?«

»Oder vielleicht in einem Hotel?« schlug Bettina vor.

»Das geht nicht«, sagte Unger schnell, und er wurde verlegen.

Ich klärte sie auf: »Das geht deswegen nicht, weil sein Chef ihm aufgetragen hat, sich eng an mich zu halten und mich keine Stunde allein zu lassen. Da hilft nur der Schlafsack.«

»So isses«, nickte Unger dumpf. »Was sagt Wassi?«

»Wassi arbeitet im Wald, ist gern im Wald, war schon in Kasachstan im Wald, hat aber nichts gesehen, weil er nicht am Tatort war«, informierte ich ihn.

»Und, glauben Sie das?«

»Nein, das glaube ich nicht«, gab ich zu.

»Sollen wir ihn ein bißchen unter Druck setzen?« fragte er.

»Hier wird niemand unter Druck gesetzt«, verneinte ich resolut. »Er wird reden, wenn er will. Wenn er nicht will, müssen wir ... egal, wir werden sehen. Was war noch auf der Pressekonferenz?«

»Der übliche Schmonzes«, resümierte er. »Kein Mensch weiß etwas, aber alle reden klug daher. Der Banker geht mir auf den Senkel, der redet unentwegt Schmalz und hat Augen wie ein totes Pferd.«

»Wo ist der Kaffee?« fragte Bettina.

»Ich helfe Ihnen«, bot sich Unger schnell an.

»Das ist eine gute Idee«, lobte ich und marschierte hinüber in mein Arbeitszimmer. Einigermaßen verzweifelt ließ ich mich in meinen Sessel fallen. So viel Besuch! Drei Leute im Haus, das muß man sich mal vorstellen! Krümel strich um meine Beine, und ich tröstete sie: »Wir müssen jetzt hart sein, da müssen wir durch!« Um mir zu beweisen, daß ich nicht der einzige war, der mit akuter Melancholie schwanger ging, legte ich Mahlers *Lied von der Erde* auf, um es dann schleunigst durch die Dutch Swing College Band zu ersetzen, die die Lage jedoch auch nicht in den Griff bekam.

Wie das an superwarmen Wochenenden so sein kann, tauchte plötzlich mein Bürgermeister in der Tür auf. »Falls du eine Flasche Bier im Eisschrank hast, nehme ich dein Angebot an und setze mich fünf Minuten«, lud er sich ein.

»Hast du was erreicht? Gibt's Neues von der Witwe Bolte?«

»Nicht die Spur.« Er schüttelte den Kopf. »Sie hockt zu Hause und kocht nichts mehr. Sie sagt, alles Irdische sei unrein, und singt ununterbrochen Marienlieder. Nein, kein Platz in Sicht. Die vom Altenheim sagen ganz klar: Wir haben in Notfällen Aufnahmepflicht, aber in diesem Fall ist eine Klinik zuständig. Die Kliniken in Daun, Gerolstein und Wittlich wiederum sagen: Wir nehmen akute Psychiatrie-Patienten nur und nur so lange, bis sie durch Medikamente ruhiggestellt sind. Mehr nicht!«

»Und die Kliniken in Andernach, Schleiden oder Neuenahr?« warf ich ein.

Er zündete sich eine Zigarette an: »Geht nicht, das mache ich nicht. Sie stammt aus unserem Dorf, war ihr Leben lang hier und ist ja meistens auch ganz normal. Wenn ich sie jetzt irgendwo jotwede unterbringe, ist sie im Eimer. Dann wird sie wirklich meschugge. Oh, verdammt, was hat mich bloß dazu gebracht, hier den Bürgermeister zu machen?«

»Hast du jemanden, der sie gelegentlich betreut? Essen kocht und so?«

»Kättchen macht das. Ich gucke auch manchmal, aber das ist doch alles nicht das richtige.«

»Was sagt denn der Arzt?«

»Was soll der sagen, der ist kein Facharzt, der dröhnt sie zu, und das war es dann. Wenn sie die Tabletten verdaut hat, geht alles von vorne los. Was macht der Geldraub?«

»Was soll er machen? Alle reden, keiner weiß etwas. Weißt du etwas? Setzen Sie eine Belohnung aus?«

»Sie wollen achthunderttausend bieten, heißt es. Ganz schönes Taschengeld. Hast du einen Schimmer, wer es gewesen sein könnte?«

»Niemand hat einen Verdächtigen. Hilft es dir, wenn ich zwischendurch der Witwe Bolte auch mal das Essen mache?«

Er nickte und trank von dem Bier. »Ich habe Gäste, ich muß zurück. Vielleicht kannst du zur Witwe Bolte rübergehen und mal mit ihr reden?«

»Mache ich. Und wenn du etwas von dem Zaster erfährst, sagst du es mir?«

Er versprach es mir und ging davon, voller Sorge über die Zukunft der Witwe Bolte.

Unger und die Bettina saßen vorn in der Stube und schienen schon ein Herz und eine Seele zu sein. Ich erklärte ihnen: »Ich muß eine alte kranke Frau besuchen. Unger, Sie legen den Schlafsack am besten hier in die Ecke. Ich habe die Bettwäsche in dem Schrank dort.«

»Ist gut«, murmelte er nicht sonderlich interessiert. »Wir fahren vielleicht noch nach Gerolstein in die Disco. Stört Sie das?«

Bevor ich antworten konnte, brach Bettina in Tränen aus: »Ist doch alles Scheiße«, schluchzte sie. »Ich bin aus meiner Ehe raus, ich wurde langsam verrückt, versteht ihr. Ich wußte nicht, wohin. Ich klapperte alle Mitschülerinnen ab, von denen ich weiß, wo sie leben. Aber die haben mich früher nicht interessiert, und jetzt können sie mit mir nichts anfangen, und ich ... Da dachte ich: Vielleicht kann Baumeister helfen ...«

»Ist schon in Ordnung«, beruhigte sie Unger ganz sanft. »Jetzt gehen wir erst mal in die Disco und sehen uns die Prinzen aus der Provinz an. Schwoofen wird dir guttun, oder?«

Sie schniefte und nickte, und ich sagte: »In der Glasschüssel auf der Garderobe liegt ein Hausschlüssel ... Ich verschwinde jetzt.«

Meiner Schätzung nach war es immer noch zwanzig Grad warm, viele Leute saßen in ihren Gärten, hatten Lichter in Gläsern auf die Tische gestellt und genossen die Friedlichkeit des Sommers. Als sie noch Bauern waren, hatten sie nie die Zeit gehabt, im Sommer nächtelang zu singen und zu feiern. Jetzt, da sie irgendwo arbeiteten und die Trecker verkauft waren, feierten sie gerne und sangen: »Am Brunnen vor dem Tore ...« Es klang immer wie eine Beschwörung. Wenn es warm wird, sind die Nächte von Samstag auf Sonntag endlos, nichts und niemand wartet, außer der Pfarrer am Sonntagmorgen.

Das Haus der Witwe Bolte stand einsam am Ende der schmalen Straße auf der linken Seite. Sie hatte keine unmittelbaren Nachbarn. Nach vorn hinaus sah sie auf das Dorf und die alte Kirche, nach hinten auf die Scheune vom jungen Christian Daun. Witwe Bolte lebte in ihrem kleinen, uralten Haus wie auf einer Insel.

Ich war erleichtert, denn ich sah kein Licht, hörte keinen Laut und wollte schon wieder umkehren, als ihr Lied durch die nur angelehnte Haustür tönte. »Meerstern, ich dich grüße, o Maria hilf …« Sie sang frisch und klar wie ein sehr junges Mädchen, selbst die hohen Töne kamen deutlich und ohne Fehl.

Ich klopfte gegen die Tür, aber sie hörte mich nicht. Ich trat ein und sah sie in der Küche. Sie hatte das Licht ausgeschaltet, und auf dem Fußboden und dem Küchentisch brannten Teelichter, sicherlich alles in allem mehr als hundert.

Sie kniete auf dem Boden und sang mit sehr rhythmischen Kopfbewegungen. Sie drehte sich leicht zu mir, lächelte und wies einfach hinter sich. Wahrscheinlich wollte sie, daß ich mich hinter sie kniete. Das ließ ich sein, blieb stehen und wartete, bis sie drei Strophen gesungen hatte.

Bevor ich etwas sagen konnte, wandte sie lächelnd den Kopf und fragte: »Guten Abend, Herr Baumeister. Wollen Sie mit uns beten?«

»Das will ich nicht. Ich wollte nach dir sehen, weil man sagt, du bist krank.«

Sie war einen Augenblick lang still, schien nicht einmal zu atmen, dann drückte sie ihren sehr schweren Körper hoch und stand auf. »Ja, ich bin wohl krank. Aber die Leute meinen alle, ich bin verrückt. Dabei bete ich nur zum Erzengel Michael und zur heiligen Jungfrau.«

»Das ist sicherlich gut und schön …«, meinte ich.

In diesem Augenblick kam Kättchen, die Frau meines Bürgermeisters, aus dem Schlafzimmer, stutzte und sagte dann: »Grüß dich, Siggi. Unser Klärchen hat jetzt ein frischgemachtes Bett. Und du? Kümmerst dich um den Geldlaster?«

»Ein bißchen, Kättchen, ein bißchen. Aber es sieht nicht so aus, als würde jemand damit zum Fundamt gehen.«

Sie lachte. »Damit kann man eine Bank aufmachen.«

»Dafür reicht es wohl nicht, aber die Portokasse wäre gut gefüllt. Sag mal, ist das nicht gefährlich mit den Teelichtern?«

Sie nickte. »Schon. Aber was willst du machen? Kaum bist du draußen, stellt sie neue auf und zündet sie an. Aber eigentlich ist Klärchen ja ganz vernünftig. Nur ißt sie zu wenig.«

Ich knipste das Licht in der Küche an. Die Witwe Bolte trug einen alten, verwaschenen Bademantel über einem weißen Nachthemd. »Wann hast du denn zum letzten Mal gegessen?« fragte ich.

»Ich brauche doch nichts essen, der Herr ernährt mich schon irgendwie«, antwortete sie zuversichtlich. Ihr Gesicht war schwer und glänzte ein wenig fettig, ihre Augen strahlten.

»Laß mal sehen«, meinte Kättchen. Auf dem Herd standen zwei zugedeckte Töpfe. In einem war Soße mit einer Art Krautwickel, im anderen Kartoffeln. »Das ist doch schon was«, erklärte das praktische Kättchen. »In zehn Minuten gibt es was zu essen.«

»Das kann doch der Siggi mit nach Hause nehmen«, schlug die Witwe Bolte keck vor. »Er ist doch allein.«

»Ich bin aber hier, um aufzupassen, daß du anständig ißt«, sagte ich. »Du hörst jetzt brav auf Kättchen. Mit wem redest du denn die meiste Zeit? Mit Maria? Oder mit dem Erzengel Michael?«

»Das kommt darauf an«, erklärte die Witwe Bolte ernsthaft. »Meistens natürlich mit Mutter Maria. Schließlich ist sie ja auch eine Frau. Manchmal aber auch mit Michael. Es kommt … es kommt auf das Thema an. Meistens sind es ja Frauenthemen.«

Kättchen, eine deftige Frau in den Vierzigern, stand am Herd und rührte in den Töpfen. »Wo sie schon gerade von Mutter Maria redet. Hast du das von Mater Maria im Altenheim schon gehört?«

»Nein, was?«

»Die muß heute nachmittag richtig blau gewesen sein, richtig besoffen.«

»Mutter Maria? Die? Doch nie!«

»Doch, doch. Sie hat sich doch immer eine neue Küche für das Altenheim gewünscht. Und hatte keine Chance, sie zu kriegen, weil der Neubau soviel Geld verschlungen hat. Das Ding sollte sage und schreibe 130.000 Mark kosten. Nun hat sie heute irgendeinen Spender gefunden, der ihr das finanziert. Und soweit man hört, ist sie heute abend bei einer Frauengruppe oder so was richtig besoffen aufgetreten und hat alle umarmt und abgeknutscht. Die Gruppe ist ausgefallen, die Frauen haben dann Sekt getrunken. Mater Maria war dun!« Sie kicherte.

Die Witwe Bolte übernahm das Kichern. »Die Jungfrau Maria ist manchmal richtig gut gelaunt. Als ich gesagt habe, unser Pfarrer hätte es nicht so gern, wenn ich mit ihr rede, hat sie gesagt, der wär nur neidisch.«

»Wie lange darfst du schon mit Maria und Michael sprechen?« fragte ich grinsend.

»Na ja, so zehn Jahre, denke ich. Das war viel Arbeit, weil man es sich durch Gebete verdienen muß. – Die Gabeln sind da in der Schublade. – Wenn ich viel gebetet habe, schlafe ich glatt zwölf Stunden. – Die Teller sind oben im Schrank, nicht unten. Wollt ihr ein Schnäpschen? Einen selbstgemachten Schlehenschnaps?«

»Hast du selbst Schlehen gepflückt?«

»Na sicher, nach den ersten Frösten im Dezember. Es gab diesmal unheimlich viele. Du glaubst auch nicht, daß ich mit der Jungfrau rede und dem Erzengel, nicht wahr?«

»O nein, im Gegenteil. Ich wette, du sprichst wirklich mit ihnen, und ich wette, niemand außer dir kann sie wirklich verstehen.«

Die Witwe Bolte schwieg. Dann murmelte sie: »Das ist nett von dir. Oh, Kättchen, tu nicht zu viel auf den Teller!«

»So«, befahl Kättchen, »der Teller wird aber leergegessen!« Dann grinste sie mich an und hatte den Schalk im Nacken. Harmlos versprach sie: »Der Siggi kann doch so gut Geschichten erzählen. Wenn du brav ißt, Klärchen, erzählt er dir sicher eine Gute-Nacht-Geschichte.«

»Das ist aber toll!« strahlte die Witwe Bolte, und ich dachte über irgendeine brutale Todesart für Kättchen nach.

»Na gut.« Ich streckte die Waffen. Insgeheim beschloß ich, mich furchtbar zu rächen, hatte aber noch keine Ahnung, wie das aussehen könnte.

»Komm her, Klärchen«, sagte Kättchen. »Ab ins Bett! Und nicht mehr aufstehen und nicht mehr rumlaufen. Und auch nicht mehr beten. Hörst du?«

»Ich bin ja ein braves Mädchen.« Sie kicherte, sie war eine wirklich fröhliche Verrückte.

Kättchen geleitete sie ins Schlafzimmer und zog ihr den scheußlichen Bademantel aus. Dann legte sich die Witwe Bolte hin, wurde zugedeckt, und ich bekam einen Hocker neben das Bett gestellt.

Da sitzt man gegen Mitternacht neben dem Bett einer alten Frau, und es fällt einem nichts, absolut nichts ein. Sie liegt wie ein Kind auf dem Kissen und strahlt in Erwartung dessen, was kommen wird. Ich druckste herum und sagte: »Ja, äh, ähem« und Ähnliches mehr. Plötzlich erinnerte ich mich an eine kitschige, honigsüße Fünf-Minuten-Geschichte von dem wundersamen Igel namens Murkel, der nachts die Kinder in den Betten besucht und sie tröstet, wenn sie unglücklich sind. Die erzählte ich ihr. In meiner Geschichte tröstete Murkel erfolgreich einen kleinen Jungen, der steif und fest behauptete, den Heiligen Antonius gesehen zu haben.

Ich brachte die Geschichte nicht zu Ende, denn entweder war sie so einschläfernd schlecht, daß die Witwe Bolte zu schnarchen begann, oder sie war das beste Beruhigungsmittel seit Erfindung des Holzhammers.

Kättchen flüsterte erstaunt: »Das wirkt ja Wunder«, was mich nicht gerade tröstete. Wir löschten das Licht und gingen hinaus. Kättchen erklärte: »Ich schließe nicht ab. Kein Mensch kommt auf die Idee, Klärchen zu klauen.« Damit machte sie sich auf den Weg.

Ich schlenderte durch die Nacht und hatte keine Lust zu irgendwas. Nicht, nach Hause zu gehen, ins Bett zu steigen und zu schlafen. Also kletterte ich in den Jeep und fuhr zu dem, was sie lapidar Tatort nannten. Ich stellte den Wagen zwischen die Bäume, stopfte mir die Prato von Lorenzo, schmauchte vor mich hin und betrachtete diese zweihundert Quadratmeter, auf denen sich alles abgespielt haben sollte. Dabei stellte ich mir vor, ich hätte herauszufinden, wohin der Transporter fuhr, wer ihn steuerte, wie die Wachleute überlistet worden waren. Angenommen, das war zu schaffen. Wohin jetzt mit dem Wagen? Wieviel Zeit hatte ich, wieviel Zeit sah meine Planung vor? Zwanzig Minuten, sechzig Minuten, zwei, drei, vier Stunden. Konnte ich das überhaupt planen? Wenn ich wußte, wann dieser Wagen durchkam, wenn ich wußte, mit welchem Trick ich die zwei Transportbegleiter herauslocken konnte, dann mußte ich auch wissen, daß der Wagen ein Zeitschloß hatte, eines, das erst um achtzehn Uhr den Zugang zu den Millionen freigeben würde. Also mußte meine Planung vorsehen, mir mindestens bis zu diesem Zeitpunkt den Rücken freizuhalten. Erst danach könnte ich den Wagen leeren, das Geld verladen. Und dann? Dann mußte ich mit dem Geld in ein absolut sicheres Versteck abtauchen können. Ich hatte den Wagen seit kurz nach elf, ich mußte ihn absichern bis achtzehn Uhr dreißig. Das waren sieben Stunden, das war schier unmöglich. Trotzdem mußte genau diese Möglichkeit bestehen. Wer hatte das gedreht, wer hatte das geplant, wer hatte so viel Grips im Kopf?

Samstagmorgen, bestes Wetter, Hochsommer. Wie lange fuhr um kurz nach elf niemand auf dieser Straße? Ein Unding, anzunehmen, daß alle Wochenendtouristen ausgerechnet diese Straße meiden würden.

Wie lange würde der Geldtransporter brauchen, um entweder in Wiesbaum oder in Flesten die nächste, schnelle, durchgehende Straße zu erreichen? Zehn Minuten? Zehn Minuten, wenn er langsam fuhr. Also fünf Minuten. Unnütze Überlegung, denn auf diesen vielbefahrenen Straßen konnte der Geldtransporter nicht verschwinden: Zu viele würden ihn sehen, er würde irgend jemandem mit Sicherheit auffallen, denn ein Geldtransporter am Wochenende fällt auf.

Daraus konnte man schließen, daß die Täter ein Versteck für den Wagen in unmittelbarer Nähe gefunden haben mußten. Aber, was bedeutete *unmittelbare Nähe*? Vier Kilometer? Acht Kilometer? Sie hatten durchaus Zeit, zwanzig Kilometer zu fahren. Sie konnten, wenn sie über Meßtischblätter der Gegend verfügten, die in jedem Papierladen zu kaufen waren, mühelos alle belebten Straßen vermeiden. Von meinem Standpunkt bis etwa in Höhe des Nürburg-rings gab es auf einer Strecke von rund dreißig Kilometern endlose Wälder, in die man bei guter Vorbereitung eintauchen konnte wie ein Frosch in ein Schlammloch: unauffindbar.

Sie konnten, natürlich, durch Anhängen einfacher Blenden in Wagengröße aus dem Geldtransporter mühelos einen Lkw mit Tiefkühlkost machen, sie konnten plötzlich ein Wäschereifahrzeug fahren, ein Postauto sogar, wenn auch eines mit absonderlichen Formen. Aber das würde niemandem auffallen.

Ich hockte mich in den Jeep und fuhr heim. Dort legte ich ein Klavierstück von Brahms auf, fand es aber fade, wechselte zu Miles Davis, ließ mich beruhigen und beschloß, ins Bett zu gehen, nachdem Krümel eine zusätzliche Portion Herz abgestaubt hatte.

Es war gegen drei Uhr, als ich sie hörte.

Unger sagte dauernd »Pst, pst« und zischte dabei so laut wie ein Feldwebel. Bettina gluckste vor Lachen, und schließlich fragte Unger drängend: »Also, verdammt noch mal, wo ist denn dieser Scheißschlafsack?«

Dann war es eine Weile still, bis es zaghaft klopfte, und noch ehe ich mich geräuspert hatte, stand Unger schwankend vor meinem Bett und verkündete nuschelnd: »Wir melln uns zurück, Chef.«

»Ist ja gut«, nörgelte ich.

»Da is aber noch was«, sagte er drohend.

Ich öffnete die Augen, stützte mich hoch, sah ihn an und hatte allen Whisky der Welt um die Nase.

»Es ist nämlich so, daß die Bettina einen echten, tiefen Kummer hat!« trompetete er.

»Aha.«

»Jawoll!« betonte er. »Also, sie ist eigentlich hergekommen, weil sie hoffte ... weil sie hoffte, daß Sie ihr irgendwie helfen würden. Weil: Sie hat einen tiefen Kummer.«

»Lieber Mann«, erklärte ich, »Sie sind hier, um einen äußerst delikaten Geldraub zu beschreiben, und nicht, um die Kümmernisse der Bettina zu untersuchen.«

»Hah!« rief er triumphierend. »Hah! Sind nicht gerade wir Journalisten gefragt, wenn Menschen in Not sind?«

»Richtig«, bestätigte ich. »Zerschossene Kinder aus dem ehemaligen Jugoslawien, Kinder aus Somalia auch, Unterhosen für die Kurden von mir aus auch noch. Aber die Tränen von Bettina?« Langsam wurde ich wütend.

»Hah!« begann er erneut. »Müssen nicht gerade wir hinhören, wenn Tränen fließen? Gerade wir, die wir dazu in der Lage sind, auch mehrgleisig zu denken, zwei oder drei Probleme gleich... gleichzeit...«

»Gleichzeitig«, half ich.

»Also gleichzeitig zu behandeln. Müssen wir das nicht?«

»Hock dich mal aufs Bett«, sagte ich. Man soll Betrunkene nicht unnötig am Elend der Welt verzweifeln lassen. »Was hat sie denn, die Bettina?«

Er atmete mit dicken Backen aus wie ein Pferd. »Ihr Mann schlägt sie.«

»Ist das sicher? Das ist schlimm.«

»Sage ich doch«, sagte er. »Und was tun wir? Wir hören weg!«

»Wir hören nicht weg. Sie sollten aber jetzt schlafen«, beruhigte ich ihn.

»Aber wir müssen auch Bettina helfen, klar?«

»Klar.« Hinter mir stand Krümel auf der Fensterbank und fauchte ihn an.

»Schon gut«, nuschelte Unger würdevoll. »Ich wünsche eine angenehme Nacht.«

Ich hatte keine angenehme Nacht, ich konnte nicht mehr einschlafen. Ich nahm nach Sonnenaufgang um sechs Uhr eine Decke und trollte mich in den Garten unter die Birke. Irgendwie bin ich in meinem Haus nicht mehr zu Hause, wenn sich in jedem Zimmer ein anderer Mensch räkelt. Gastfreundschaft ist gut, aber zuviel davon macht mir angst.

Punkt zehn Uhr schlurfte jemand um die Ecke, und ehe ich ihn identifiziert hatte, sagte dieser Jemand: »So schön kann es nur in der Eifel sein.«

Ich hatte natürlich vergessen, daß er sich angesagt hatte, und erwiderte: »Ach, der Herr Rodenstock. Herzlich willkommen!« Es klang verdächtig matt.

»Ich bin etwas früher«, deutete er eine Entschuldigung an. »Ich muß eben noch das Taxi bezahlen.« Damit ging er wieder.

Höflich wie ich bin, folgte ich ihm. Es war ein Taxi aus Cochem.

»Ich habe die Fahrpläne studiert«, erklärte er. »Die Verbindungen hierher sind gleich Null. Da habe ich einen Sondertarif für Rentner ausgehandelt.« Während er das schnell sagte, sah er mich nicht an, ließ sich zwei kleine Koffer anreichen und bezahlte fahrig.

Er war nicht mehr der alte, sehnige, auf Mord spezialisierte Kriminalist, er wirkte müde, abgemagert und hatte Falten im Gesicht, die grau und schlaff hingen.

»Sie wollen sich sicher die Hände waschen?«

»Das wäre gut. Wie geht es der Dame von damals, dieser Elsa?«

»Ich weiß es nicht. Wir telefonierten vor einem Jahr, da ging es ihr nicht gut. Sie hatte irgend etwas hinter sich, eine miese Erfahrung oder so ...«

Ich nahm schnell seine beiden Koffer, ging vor ihm her ins Haus und stellte sie ihm in das Gästezimmer. »Da ist das Bad«, informierte ich ihn. »Ich habe zwei junge Leute zu Gast, einen Kollegen und ein weinendes Herz. Nette Leute. Ich mache uns jetzt einen Kaffee.«

Rodenstock nickte, er bewegte sich sehr langsam.

Ich kochte Kaffee und suchte nach einem Rest Cognac, der sich in irgendeiner Flasche verbergen mußte. Dann trug ich alles um das Haus herum in den Garten und wartete. Fritz, mein Frosch, hockte blinzelnd neben dem kleinen Wasserbassin und feierte den Sonntag.

Schließlich kam er. Er hatte die widerlich melancholische dunkelbraune Krawatte abgelegt und ein lichtblaues Hemd mit kurzen Armen angezogen. »Wie geht es Ihnen?« fragte er.

»Ganz gut. Die Zeit vergeht, und ich sehe ihr dabei zu. Und Ihnen?«

»Man schlägt sich so durch.« Er setzte sich wie jemand, der Rheuma hat.

»Wieso leben Sie in Cochem? Ihre Stadt war doch Trier.«

»Das ist richtig, aber ich hatte keine Lust mehr, dort zu wohnen. – Erzählen Sie mir, was geschehen ist?«

Ich sah ihm zu, wie er die Schokolade zerbrach, sich Kaffee einschenkte, einen kleinen Schluck Cognac eingoß, dann die Brasil anschnitt und sie bedachtsam anzündete. Ich berichtete ihm, was geschehen war, das Wenige, das bekannt war.

»Da verschwinden also mehr als achtzehn Millionen, und niemand weiß und ahnt etwas?«

»So ist es.«

»Das glaube ich nicht«, meinte er nach einer Weile.

»Ich auch nicht. Aber das hilft uns nicht weiter.«

»Wohnen hier in der Gegend Menschen, denen so etwas zuzutrauen wäre?«

»Mit Sicherheit nicht. Für mich riecht der Geldraub nach Profis mit langer Vorbereitung. Was sagt der Spezialist?«

»Ein Moment macht mich nachdenklich. Da legen drei Männer – nehmen wir einmal an, daß es drei waren – eine Plane auf die Straße, darauf ein zerdeppertes Motorrad. Dann legen sie sich daneben. Der Wagen kommt, die beiden Fahrer steigen aus, um zu helfen. Und jetzt kommen die Sekunden, die merkwürdig sind: Die Täter schlagen nicht zu, bedrohen offensichtlich nicht einmal. Sie haben nach Aussage der Wachleute auch nicht die Spur einer Waffe. Nicht einmal einen Knüppel, so lächerlich diese Vorstellung auch ist. Weiter: Die Täter sagen nach Aussage der Wachleute kein Wort. Gewiß, sie haben Motorradmasken an. Aber wieso, um Gottes willen, versuchen die Wachleute nicht wenigstens Gegenwehr?«

»Ich glaube, die Fahrer sind nicht von der Sorte der harten Cowboys. Man hat ihnen bei der Schulung beigebracht, jede Gewalt zu vermeiden. Man hat ihnen gesagt: Seid unter allen Umständen passiv, geht auf die Täter in jeder Weise ein! Vielleicht liegt die Professionalität der Täter genau in diesem Punkt: vollkommen wortlos und vollkommen ohne Gewalt. Vermuten Sie denn unter den Tätern irgendwelche Bekannte der Wachleute?«

»Nicht unbedingt. Aber vielleicht ist doch einer darunter?«

»Glaube ich nicht.«

Unger kam um die Ecke und trug meinen Bademantel. Er räkelte sich und sagte unternehmungslustig: »Guten Morgen! Sie haben Besuch?«

Ich stellte sie einander vor: »Herr Rodenstock ist Mordspezialist.«

»War, war«, verbesserte Rodenstock schnell.

»Machen Sie sich alleine einen Kaffee«, bestimmte ich. »Wir müssen überlegen.«

»Was ist mit diesem Wassi?« fragte Unger.

Rodenstock spürte einem Stück Bitterschokolade und einem Schluck Cognac nach. Er sagte langgezogen: »Hhhmmm! Wassi ist nach meiner Einschätzung ein Schlitzohr. Wie er mir geschildert wurde, ist er jemand, der durchaus dabeigewesen sein könnte – aber: Er verfügt über null Logistik, er kann es nicht durchziehen.«

»Bettina geht es immer noch schlecht«, wechselte Unger das Thema.

»Lieber Gott«, explodierte ich, »dann kümmern Sie sich um sie! Wir haben einen der größten Geldraubfälle der letzten Jahrzehnte auf dem Hals, und Sie streicheln ihr Seelchen.«

Rodenstock grinste verstohlen.

»Schon gut, schon gut«, muffelte Unger.

»Und ziehen Sie einen anderen Bademantel an«, ergänzte ich bissig.

Der Kollege aus Hamburg antwortete nicht, marschierte wütend davon und trat mitten in ein Büschel blühendes Seifenkraut.

»Schonen Sie die Blumen und Gräser«, murmelte Rodenstock seidenweich. Dann sah er mich an, kniff die Lippen zusammen und setzte hinzu: »Wir sind zwei alte miese Knacker, nicht wahr?«

»Was ist mit Ihnen passiert?« fragte ich.

Er beugte sich mit einem Ruck nach vorn, wollte nach der Kaffeetasse greifen, aber er begann zu zittern.

»Meine Frau ist tot«, erklärte er.

»Scheiße.«

»Ich tauge nichts mehr, ich bin eben alt.«

»Sie sind nicht hierhergekommen, um gequirlten Blödsinn zu erzählen. Wir haben einen Fall zu klären!«

»Aber niemand ist an unserer Meinung interessiert«, wandte er ein.

»Da pfeif ich drauf«, sagte ich. »Wir brauchen einen Ansatz. Haben wir einen Ansatz? Wir haben keinen. Also machen wir beide einen Ausflug.«

»Wohin?«

»Nach Dernau ins Ahrtal.«

»Hocken dort die Gauner und zählen ihr Geld?« Er lächelte.

Wir machten uns auf den Weg. Unger stand vor dem Haus und fragte mißtrauisch: »Recherchieren Sie etwas Wichtiges?«

»Wir recherchieren nicht, wir fahren ein wenig spazieren«, entgegnete ich abweisend.

Langsam fuhren wir durch die Gegend.

Rodenstock drückte sich in die Ecke des Beifahrersitzes und lutschte an seiner erloschenen Zigarre herum. »Es war so, daß sie gar nicht krank war. Wenn ich genau überlege, war sie nie im Leben krank. Sie war immer gut gelaunt. Ich wurde pensioniert und dachte: Du hast eine gute Lebensarbeit geleistet, du kannst stolz sein. Die Kinder sind aus dem Gröbsten heraus, sie haben studiert, sie sind was. Dann kam das Landeskriminalamt und bat mich um eine Studie über Schwerverbrechen in Rheinland-Pfalz. Aha, dachte ich, du bist noch wer, man braucht dich noch! Ich war ... ich war richtig glücklich. Dann liegt sie morgens neben mir und ist tot. Einfach so.«

»Was sagen Ihre Kinder?«

»Der Junge trauerte nur, sagte nichts, war schweigsam. Er war immer schon schweigsam. Meine Tochter machte mir Vorwürfe, ich hätte wie ein Parasit gelebt. Auf Kosten meiner Frau. Ich hätte ihr Leben gestohlen. Es war furchtbar ... Sie ist verheiratet, hat zwei kleine Kinder, einen guten Mann. Ich habe sie angestarrt und nichts sagen können. Was soll man da sagen?« Er begann zu weinen, kramte umständlich ein Taschentuch heraus und preßte es sich ins Gesicht.

Ich fuhr durch Ahütte hindurch die kleinen Serpentinen hinauf auf die Straße zwischen Nohn und Adenau. Zwei Bussarde hingen in der Luft und schwankten leicht im Wind wie betrunkene Wächter.

»Deshalb sind Sie also nach Cochem gezogen?«

»Ja, ich habe Trier plötzlich gehaßt. Es ist eine schöne Stadt, aber ich hatte nichts mehr mit ihr zu tun. Ich pendelte zwischen meiner Wohnung und ihrem Grab. Ich stand da und redete mit ihr und wußte, das ist irgendwie abartig. Aber ich redete trotzdem mit ihr, denn ich hatte ihr so verdammt viel zu sagen und ...«

»Es ist nicht abartig, das ist normal. Sie müssen aufhören, sich zu bestrafen.«

»Ich wollte mich dann wirklich bestrafen, ich ... ich habe es versucht.«

»Wie lange ist das jetzt her?«

»Ein Jahr.«

»Und ... wie wollten Sie sich umbringen?«

»Zuerst wollte ich mich erschießen.«

»Hatten Sie denn Ihre Dienstwaffe noch?«

»Nein. Ich hatte von irgendeinem zwanzig Jahre zurückliegenden Fall eine Waffe im Haus. Ich bin nie ein Waffennarr gewesen, habe in meiner ganzen Dienstzeit meine Waffe nur einmal gebraucht, da habe ich in die Luft geschossen. Ich konnte das nicht.«

»Was geschah dann?« Ich mußte ihn treiben, er mußte es auf sich nehmen zu reden.

»Dann habe ich mich quer durch die Hausapotheke gefressen. Schmerzmittel, Schlafmittel, Herzmittel, Magenmittel. Ich weiß es nicht, hundert bis dreihundert Tabletten. Vor ihrem Grab bin ich umgefallen.«

»Und dann in die psychiatrische Klinik?«

»Nein, sie pumpten mich leer und überwiesen mich in die ambulante Behandlung. Der Psychiater war ein Arschloch, er redete ununterbrochen über sich selbst und merkte es nicht. Auf diese Weise hat er mich gründlich geheilt.«

»Dann nach Cochem. Warum Cochem?«

»Cochem ist eine sehr schöne Stadt. Ich habe da einen Winzer, bei dem ich mein Leben lang Wein kaufte.«

»Sonst niemanden?«

»Nur noch einen alten Pfarrer, einen witzigen Mann. Sonst niemanden.«

»Denken Sie noch an Selbstmord?«

»Manchmal, aber nicht allzu intensiv.«

»Und der Geldraub? Dieser Fall hier?«

»Interessiert mich eigentlich nicht. Ich wollte wohl reden,

sonst nichts. Wahrscheinlich steckt gar kein Genie dahinter, wahrscheinlich ist es irgendeine dubiose Geschichte zwischen den Wachleuten und irgendwelchen geldgeilen Leuten ...«

»... aber mehr als achtzehn Millionen?«

»Was ist, wenn die Täter keinen Schimmer hatten, wieviel da in dem Wagen war?«

»Das ist gut«, sagte ich, »das ist sehr gut.«

In Adenau bog ich nach links in die Talstraße ein. Es waren viele Leute unterwegs, wir schlichen dahin.

»Wie würde ich das Ding schaukeln?« überlegte Rodenstock laut.

»Ja, wie denn?«

»An welche Informationen kann ich kommen? Ich meine in Kneipen, bei Handwerkern und bei Bauern?«

»An alle, die Sie brauchen. Das ist so gottverdammt verlogen in diesen konservativen Regionen. Eigentlich weiß man offiziell nichts, aber trotzdem weiß jeder alles. Dafür gibt es ein witziges Beispiel: Hier in den kleinen Dörfern gibt es die sogenannten Junggesellenvereine. In einem dieser Dörfer beschloß der Verein, einen Puff zu besuchen. Machten sie auch und zahlten mit Schecks. Natürlich ausgestellt auf den Namen der Puffmutter. Diese Schecks wurden ordnungsgemäß eingelöst, und plötzlich wußte die ganze Vulkaneifel, wer wieviel im Puff gelassen hatte.

Also kennen Sie zuerst einmal die genauen Zeiten, in denen der Geldtransporter irgendwo durchkommt. Ferner kennen Sie die Strecke genau, weil die sich nie verändert. Sie wissen wahrscheinlich, wer die Fahrer sind, wie sie reagieren werden, denn es ist überhaupt kein Kunststück, die Wohnungen der Fahrer ausfindig zu machen. Man muß ihnen nur vorsichtig genug folgen. Sie können leicht erfahren, daß das Fahrzeug ein Zeitschloß hat, das jeweils samstags um 18 Uhr freigegeben wird.«

»Warum sind die Täter das Risiko eingegangen, den Wagen mitten auf der Straße abzufangen?« fragte Rodenstock weiter. »Sie müssen zugeben, das ist wirklich ein Risiko.«

»Ist es. Habe ich auch schon drüber nachgedacht. Es wäre einfacher gewesen, zur Bank zu fahren, dann abzuwarten, bis die beiden Transportbegleiter in dem Hintereingang der

Bank verschwunden sind, ihnen nachzugehen, sie und diese junge Bankangestellte lahmzulegen, einzuschließen und mit dem Geldtransporter zu verschwinden. Die Frage ist also: Warum haben die Täter das nicht so durchgezogen?«

»Vielleicht haben sie gedacht, daß sie dabei nicht ohne Gewalt auskommen werden.«

»Wenn sie auf der Straße gewaltlos vorgehen konnten, warum nicht in der Bank?« entgegnete ich.

»Das stimmt, und ich weiß keine Antwort.« Er schwieg eine Weile. »Vielleicht sagt das etwas über die Psychologie der Sache, der Täter, des Umfeldes.«

»Verstehe ich nicht.«

»Nun ja, die Täter haben die für die Tat wesentlich sicherere Bank nicht benutzt, wohl aber die Straße durch den höchst unsicheren Wald. Das heißt: Aus irgendeinem Grund erschien ihnen dieser Tatort sicherer.«

»Das deutet auf Typen wie Wassi.«

»Richtig«, bestätigte er. »Haben Sie schon gefragt, ob dort irgendwelche Campingwagen gesehen worden sind?«

»Nein, habe ich nicht. Aber das ist aussichtslos. Ganze Heerscharen von deutschen, belgischen, niederländischen, französischen Campingbussen ziehen 24 Stunden lang bei diesem strahlenden Wetter durch die Eifel. Es ist zwar völlig sinnlos, aber wir können uns ja mal erkundigen.«

Ich hielt in Niederadenau an einer Telefonzelle und rief mich selbst an. Bettina meldete sich.

»Gib mir mal den Unger«, bat ich.

»Wann kommst du wieder? Ich will nämlich weg.«

»Nutz die Chance, bleib bei mir.«

»Aber ich gehe jedem auf den Wecker«, schluchzte sie.

»Dir geht es beschissen. Ich kenne keine Landschaft, die bei beschissenen Gefühlen so gründlich heilt wie die Vulkaneifel. Gib mir den Unger.«

Er meldete sich: »Sie waren sauer, nicht wahr? Ich entschuldige mich.«

»Schon gut. Die Straße, auf der der Geldraub passiert ist, die zwischen Wiesbaum und Flesten, konnte im Zweifelsfall nicht nur von einem Laster abgesperrt werden, sondern auch von Campingbussen oder Gespannen. Fragen Sie die

Leute tot. Und noch etwas: Fragen Sie bitte alle Leute, die Ihnen über den Weg laufen, wieviel Geld ihrer Schätzung nach jeweils am Samstagmorgen transportiert wurde.«

»Aber das ist doch eine idiotische Frage, das weiß doch ohnehin keiner ganz genau.«

»Fragen Sie, das ist ein Befehl. Und noch etwas: Lassen Sie nicht zu, daß Bettina verschwindet. Die braucht Hilfe, keine Vereinsamung.«

Es war eine Weile still. »Sie sind schon ein Typ«, meinte Unger dann, »danke.«

Wir fuhren weiter auf der B 257. In Ahrbrück tankte ich, am Restaurant »Zum Ahrbogen« fragte Rodenstock gepreßt: »Können Sie mal rechts ranfahren?«

Ich tat das, polterte auf den großen Parkplatz, und er machte die Tür auf und übergab sich. »Ich bin einfach im Eimer«, keuchte er.

»Die achtzehneinhalb Millionen werden Sie wieder aufrichten«, versuchte ich lahm, ihn zu trösten.

Es ging weiter. Altenahr, dann abbiegen auf die Talstraße. Aufgereiht wie auf einer Perlenschnur: Reimerzhoven, Laach, Mayschoß. Dann Rech, die Einfahrt nach Dernau, links die Weinberge hinauf nach Grafschaft und Esch.

»Was wollen wir hier eigentlich?« erkundigte sich Rodenstock.

»Nachdenken«, erklärte ich. »Wir besuchen Moses Bär.«

Ich hielt auf der linken Straßenseite vor dem alten Holztor vom Judenfriedhof und stieg aus. Eine Gruppe Wanderer kam die Straße hinabgetrottet und starrte uns neugierig an.

»Auf einem Friedhof?« fragte er. »Ausgerechnet auf einem Friedhof?«

»Es ist ein ganz besonderer Friedhof«, belehrte ich ihn.

»Friedhöfe sind alle gleich.«

»Dieser ist etwas gleicher«, sagte ich und drückte das Holztor auf. »Sie haben dieses winzige Fleckchen seit Jahrhunderten benutzt, alle Juden des Ahrtals. Moses und die Seinen sind die letzten gewesen. Moses kennt mich nicht, aber ich kenne ihn. Sehen Sie mal, zwanzig Grabsteine, meist hebräische Inschriften, nicht mehr leserlich, von Moos überwachsen, halb versunken.«

»Aber irgendeiner pflegt das doch?«

»Ja, ja, die Gemeinde Dernau hält das in Ordnung. Schlechtes Gewissen, würde ich mal sagen.«

Er holte das Taschentuch aus der Jacke und wischte sich den Schweiß vom Gesicht. Er starrte auf den dunklen Marmorstein. »Du lieber Himmel, was ist da passiert?«

»Ein Drama«, erzählte ich. »Kein Mensch wird jemals herausfinden, was im einzelnen passierte. Aber es war ein Drama. Immer, wenn ich ein wirkliches Problem habe, komme ich hierher und rede mit Moses. Vielleicht hört er zu.«

»Was ist passiert?« fragte er tonlos. »Fünf Namen auf einem Grabstein? Und alle 1942 gestorben.«

»Nicht gestorben. Krepiert, verhungert, erschossen. Die Geschichte ist dramatisch und unglaublich. Moses Bär war ein Metzger, ein koscherer. Minna war seine Frau, Emma seine Schwester. Sie wohnten mitten in Dernau und waren sehr beliebt. Die Geschichte fing mit den beiden unten eingemeißelten Söhnen Arthur und Siegfried an. Der Sohn Siegfried Israel Bär wurde 1941 von einem Dernauer angefallen und belästigt. Er schrieb daraufhin dem Landrat. Der Landrat schrieb wütend zurück, der Vorfall sei erstunken und erlogen, und Siegfried Bär solle ihn gefälligst in Ruhe lassen. Weil genau das der Siegfried Bär nicht tun wollte, ließ der Landrat das Problem auf die damalige, typische Art bereinigen: Beide Söhne wurden behördlich aufgefordert, Dernau zu verlassen und sich in ein Konzentrationslager zu begeben. Später bekam die Gemeinde die Nachricht, Arthur Bär sei auf dem Transport in das Lager verstorben, was schlicht heißt, er ist vergast oder erschossen worden, während sein Bruder Siegfried als ›im Osten verschollen‹ gemeldet wurde. Zurück blieben Moses, seine Frau Minna und seine Schwester Emma. Im Februar 1942 starben sie alle drei innerhalb einer Woche in ihrem Haus. Auf allen drei Totenscheinen steht ›Grippe‹. Aber wahrscheinlich sind sie verhungert, denn dem ganzen Dorf war es verboten, sie zu besuchen, ihnen etwas zu bringen, mit ihnen zu sprechen.«

»Großer Gott«, murmelte Rodenstock betroffen.

»Ich habe die Totenscheine«, fuhr ich fort. »Seit fast zehn Jahren gehe ich hierhin, wenn ich glaube, einen Kummer oder ein Problem zu haben. Wenn ich diesen Friedhof verlasse, habe ich keinen Kummer mehr.«

Er blieb sehr ruhig vor dem Grab stehen, bückte sich dann und suchte im Gras und im alten Laub herum. Als er einen Stein gefunden hatte, trat er vor und legte ihn auf den Grabstein.

»Lassen Sie uns zurückfahren, und versohlen Sie Ihrer Tochter den nackten Arsch. Sie hat es verdient«, schloß ich.

Wir fuhren wieder, wir sprachen nicht miteinander, nur einmal sagte Rodenstock: »Im Sommer soll ich meine Enkel hüten. Ich denke, ich werde mit ihrer Mutter sprechen, ganz ernsthaft sprechen.«

Gegen vierzehn Uhr waren wir zu Hause, der Hof lag verlassen in der Hitze. Unger und Bettina hockten im letzten Winkel des Gartens an der Natursteinmauer. Er saß auf einem Stuhl, vor ihm kauerte Bettina, hatte den Kopf auf seinen Schoß gelegt.

»Du lieber Himmel«, seufzte Rodenstock. »So viel Glück!«

Ich gebe zu, ich wollte Unger anmachen. Ich wollte bissig sagen, er solle gefälligst davon ablassen, Turteltäubchen zu spielen. Aber dann dachte ich, das sei unfair. Also fragte ich nur danach, was er herausgefunden hatte.

Er hob den Kopf. »Zwei Dinge haben wir rausgefunden.« Er konzentrierte sich, und Bettina rührte sich nicht um einen Zentimeter. »Zum ersten: Ich habe rund dreißig Menschen in Wiesbaum, in Hillesheim, in Daun und Gerolstein auf der Straße befragt, ob sie von dem samstäglichen Geldtransport wußten. Sie hatten fast alle davon gehört. Und es war auch ziemlich genau bekannt, wieviel da transportiert wurde: etwa eine bis höchstens zwei Millionen.«

»Also wußte niemand, wieviel es wirklich war«, sagte Rodenstock zufrieden.

»Der zweite Punkt«, forderte ich.

»Der Wassi, den Sie als eine angenehme, listige Mannsfigur eingestuft haben, ist in Rußland vorbestraft. Er hat drei Jahre in einem russischen Lager gesessen und wurde nur freigelassen, weil er versicherte, er würde Rußland sofort verlassen. Er wurde bestraft wegen gemeinschaftlichen

Raubes, wegen Widerstand gegen die Staatsgewalt und wegen räuberischer Erpressung. Im Übergangswohnheim in Kerpen ist er der einzige dieser Art. Aber in den Heimen in Siegburg und Bad Neuenahr gibt es fünf Kumpane von ihm. Sie hocken dauernd zusammen, treffen sich. Es paßt, es paßt so gut, daß es mich erschreckt. Wassi und Kumpane können das Ding gedreht haben. Denn Wassi hat zugegeben, daß er von den Transporten wußte. Und er war zum Zeitpunkt der Tat nicht im Heim. Alle seine Kollegen in Siegburg und Bad Neuenahr waren auch nicht zu Hause. Und keiner von ihnen hat bis jetzt den Hauch eines guten Alibis.«

VIERTES KAPITEL

»Wo ist Wassi jetzt?« erkundigte ich mich.

»Na, im Heim. Ich habe selbstverständlich verdeckt recherchiert.« Unger klang etwas beleidigt.

»Gut gemacht«, lobte ich. »Also, die meisten dachten, es sind nie mehr als ein oder zwei Millionen, und Wassi könnte es gedreht haben.«

»Was wird er mit achtzehneinhalb Millionen machen?« überlegte Rodenstock.

»Den Verstand verlieren«, meinte Unger lächelnd.

»Sein Verstand wird mit achtzehn Millionen besser zurechtkommen als unserer«, sagte ich. »Unger, Sie fahren zu einer Tankstelle und holen die Sonntagszeitungen. Dann sehen wir fern. Wir müssen herausfinden, was die Kolleginnen und Kollegen von diesem Fall wissen.«

»Ich heiße Herbert«, erwiderte Unger. »Bettina, kommst du mit?«

»Vielleicht könnte uns Bettina lieber was zu essen machen?« widersprach ich.

»Kein Problem«, meinte Bettina brav.

»Ich lege mich etwas hin«, murmelte Rodenstock.

Wir trieben wie Inseln durch die heiße Luft des frühen Abends. Die Sonntagszeitungen hatten groß mit dem Geldraub aufgemacht und baten die Bevölkerung um Mitarbeit. Die ganze Welt schien im dunkeln zu tappen. Im Fernsehen das gleiche Bild. Ein Kommentator der ARD sprach davon, daß man sich daran zu gewöhnen habe, wie in Italien oder den USA mit der Mafia und mafiosen Strukturen zu leben. Er listete auf, wem ein solcher Geldraub zuzutrauen wäre: Anhänger der kurdischen Freiheitsbewegung könnten ebenso die Täter sein wie Ableger der Mafia. Das Verbrechen zeige die Handschrift hochspezialisierter Gangs aus den Staaten des Kaukasus, die der IRA und die arabischer Terroristen. Auch die Rote-Armee-Fraktion könnte eine neue Gangsterabteilung gebildet haben, es sei jedoch auch denkbar, daß Rechtsextreme auf diese Weise versucht hätten, sich Kapital zu verschaffen. Der Kommentator wirkte sehr kühl, sehr gekonnt und sehr eindrucksvoll.

Lustlos aßen wir und redeten kaum. Dann tauchte Rodenstock wieder auf und hockte sich an den Gartentisch. »Ich habe diese sogenannten Theorien bedacht. Organisiertes Verbrechen hin, organisiertes Verbrechen her: Die Planung war vor allem deshalb perfekt, weil niemand die Räuber behinderte. Glauben Sie im Ernst, daß bei diesem strahlenden Sommerwetter mehr als fünfzehn Minuten lang kein Tourist diese Straße befährt?«

»O ja, zuweilen vergehen Stunden, in denen dort niemand auftaucht. Was machen wir mit Wassi? Einfach hingehen und ihn fragen?«

Er schüttelte bedächtig den Kopf. »Würde ich nicht befürworten. Ich bin eher dafür, ihn langsam einzukreisen, also festzustellen, welcher seiner Genossen wirklich ohne Alibi ist. Und erst wenn sie alle keines haben, kommt Wassi wirklich in Frage.«

»Aber wie sollen Rußlanddeutsche das drehen? Wie, um Himmels willen, können die einen ganzen Geldtransporter verschwinden lassen?«

Er lachte leise. »Auf genau die gleiche Art und Weise, in der westeuropäische Gangster so etwas drehen würden. Oder glauben Sie etwa, Kasachstan sei in Sachen Verbrechertum eine nachholbedürftige Gegend?«

»Ich würde gern wissen, was Wassi wirklich angestellt hat – daheim in Kasachstan.«

»Das kann ich herausfinden«, erwiderte Rodenstock nicht sonderlich interessiert. »Ich rufe morgen jemanden an, der es mir sagen kann. Was ist mit diesem Wolfgang Schuhmacher, diesem Bankleiter?«

»Er gilt als arrogant, wenn man über Konten verfügt, die nicht ständig anwachsen. Ich habe nichts mit ihm zu tun und möchte auch nicht in die Lage geraten. Er empfindet sein Management auf eine dubiose Weise als gottgewollt. Das tun viele hier und ersaufen in Mittelmäßigkeit«, erkärte ich.

»Nein, nein, ich meine persönlich. Wie ist er persönlich?«

»Das weiß ich nicht, ich kenne ihn nicht.«

»Ist er Mitglied einer Partei?«

»Glaube ich nicht. Viel zu ängstlich. Er ist eher einer von denen, die nach einer Wahlniederlage behaupten: Ich wußte doch gleich, was los ist. Nein, kein Politkopf, eher einer, der sich niemals festlegen wird, solange es nicht um Zinsen geht. Er würde bestenfalls den Prinzen Karneval machen, wenn ihn die Gemeinde subventioniert, aber auch nur dann.«

»Also bleibt uns nichts anderes übrig, als zu warten, bis ein Hinweis von außen kommt«, sinnierte er.

Als die Sonne ihre stechende Glut verlor, kamen die Anrufe der Tageszeitungen und Presseagenturen. Ich gab Auskunft, so gut ich es vermochte, aber im Grunde konnte ich nicht einmal einen Nebensatz von Bedeutung ablassen. Dann erinnerte ich mich, daß der BKA-Mann Marker kommen wollte, und ich fragte Unger, ob er möglicherweise dagewesen sei, als ich mit Rodenstock im Ahrtal war. Unger wußte von nichts.

»Die werden unermüdlich tagen«, meinte Rodenstock, »und er wird erst kommen, wenn er begreift, daß sie am grünen Tisch nicht weiterkommen.«

Marker kam um neun Uhr. Angriffslustig wie ein Bulle schoß er um die Hausecke und fragte quer durch den Garten: »Habt ihr ein Bier für einen Bundeskriminalisten?«

»Na sicher«, begrüßte ich ihn und stellte ihm meine Gäste vor. »Was ist los, was haben Sie herausgefunden?«

»Nichts! Absolut nichts. Wir haben die Computerauswertung. Nichts deutet auf eine Gruppe hin, die irgendwo in der Welt bereits auf diese Weise gearbeitet hat.«

»Was ist mit den Wachleuten?« hakte ich nach.

Er zuckte mit den Schultern. »Wir haben sicherheitshalber alle Übungen durchgespielt, weiches Verhör, hartes Verhör. Wir haben die so weichgeklopft, daß sie freiwillig zugaben, mit dreizehn Jahren mal onaniert zu haben. Nichts, absolut nichts. Da existiert nicht einmal eine Querlinie zu einer geldgeilen Kioskbesitzerin in Dortmund, nicht mal eine Bekanntschaft mit einer ehrgeizigen Nutte in Wanne-Eickel, einfach nichts. Ausgehend von der Vorgehensweise, traut der Computer den Deal allenfalls Terroristen aus dem Nahen Osten zu. Aber was sollen die ausgerechnet hier?«

»Na, na«, beschwichtigte ihn Rodenstock, »das ist doch einfach, werter Kollege. Die Gruppe arbeitet hier, weil man hier Samstag für Samstag die Millionen durch die Wälder fährt und sich naiv darauf verläßt, daß nichts passieren wird. Baumeister hat mich überzeugt, daß in dieser Gegend alle, die abends ihre Bierchen in der Kneipe trinken oder mit der Nachbarin tratschen, von den Geldtransporten wissen mußten. Jeder weiß davon, also warum sollte es niemand erfahren, der möglicherweise so ein Ding plant?«

»Das ist richtig«, sagte Marker wütend. »Aber derart spurlos können nur Profis arbeiten, die das Ding tausendfach geübt haben. Wir haben mal im Computer simuliert, in welcher Zeit die das durchgezogen haben. Vom Heranfahren des Geldtransporters bis hin zum Anbinden der beiden Fahrer an die Bäume und dem Wegfahren des Transporters hatten sie nach unseren Berechnungen maximal elf bis sechzehn Minuten. Wenn man davon ausgeht, daß sie ein kaputtes Motorrad auf eine Plane legten, Ketchup als Blutersatz verspritzt haben und das alles samt den achtzehneinhalb Millionen spurlos verschwinden ließen, dann kann ich inoffiziell nur sagen: Hochachtung! Die Truppe würde ich gern kennenlernen.«

»Das heißt: Die Mikrospurensuche hat nichts ergeben?«

»Doch, doch, etwas schon. Es war das amerikanische Heinz-Ketchup, die Plane war graugrün und bestand aus einem sehr harten Gewebe aus Polyester. Das kaputte Motorrad war eindeutig eine Suzuki, denn die Träger ließen die Vorderradgabel über den Asphalt kratzen. Dabei lösten sich

Lackspuren. Es ist ein Lack, den in dieser spezifischen Zusammensetzung nur Suzuki verwendet. Aber da das kaputte Motorrad ebenfalls verschwunden ist, nutzt das nicht viel.«

»Sind Sie auf Wassi gestoßen?« fragte Rodenstock hinterhältig.

»Wassi? Wer, bitte, ist das?«

Rodenstock erklärte es kurz und knapp.

»Ein vorbestrafter Rußlanddeutscher aus Kasachstan? Das erscheint mir abenteuerlich«, meinte Marker. »Aber, vielen Dank, ich werde dranbleiben.«

Eine Weile hörte man nur die Natur ihr Lied singen. Dann stöhnte Marker: »Man könnte glatt auf die Idee kommen, daß es eine kleine, hochfeine, elitäre Truppe war, deren Mitglieder im normalen Leben Manager sind und jeden Morgen joggen, deren Firma aufgrund der Rezession plötzlich ins Abseits gleitet und nicht mehr zur retten ist. Das Finanzamt betrügen, bringt auch nichts mehr. Also schult man sich privat um: auf einen einzigen Coup!«

»Heh, das ist wirklich eine Idee, das haut mich um«, war Unger begeistert, »das wäre eine Möglichkeit.« Er stand auf und lief ein paar Schritte. »Na sicher, das ist es! Hochmotivierte junge Manager, körperlich total fit, aber in einer Branche, die hart betroffen ist. Sie fragen sich: Wie können wir den Crash aufhalten? Und sie antworten ganz logisch: Wir klauen genug Geld, um durch jede Durststrecke zu kommen. Heh, das ist irre, das finde ich gut!«

»Dann behalten Sie es für sich«, sagte ich.

»Wieso denn?« fragte er schroff. »Das ist doch mal eine Idee. Ich beobachte einen haushohen Bundeskriminalbeamten beim Lösen einer kniffligen Frage, schildere, was er denkt, mache auf menschlich ...«

»Herr Unger«, unterbrach ihn Rodenstock matt, »ich habe Baumeisters Art zu recherchieren schätzen gelernt. Er läßt jedem seinen Rückzugsraum, und falls er etwas zitieren möchte, fragt er vorher. Das gilt auch für Marker, oder?«

»Und wie das gilt«, bestätigte ich.

»Schon gut«, beschwichtigte Marker, »Unger meint es schon nicht so, er wird fair sein.«

Irgendwo schrillte mein Telefon, und Unger schrak auf: »Ich habe das Ding ins Gras gelegt.«

Alle suchten danach, Bettina fand es schließlich und gab es mir. Jemand verlangte außer Atem: »Herrn Kriminaloberrat Marker, bitte. Dalli.«

Marker nahm den Hörer, hörte zu, verzog das Gesicht und seufzte: »Nicht das auch noch!« Er drückte auf die Austaste und fragte: »Können Sie mich fahren? Ich habe mich hier absetzen lassen. Ich muß in die Schöne Aussicht sechzehn. Dieser Bankmensch Wolfgang Schuhmacher ist tot.«

»Der Hinweis von außen«, sagte Rodenstock leicht amüsiert.

»Ich fahre Sie«, bot ich mich an. »Unger, Sie fahren nach Hillesheim und gehen in die Schöne Aussicht. Das ist eine Straße oben am Südhang. Sie werden herausfinden, wer dort gesehen worden ist. Rodenstock, kommen Sie mit uns?«

»Aber keine Einmischung«, verlangte Marker scharf.

»Großes Indianerehrenwort«, versicherte Rodenstock.

Wir kletterten in den Jeep.

»Haben Ihre Leute gesagt, wie er umgebracht worden ist?«

»Nein. Nur, daß man ihn in seinem Garten gefunden hat.«

Vor Schuhmachers Haus standen zwei Streifenwagen mit laufendem Blaulicht. Dazu eine Menge anderer Autos mit Leuten, die neugierig auf eine Szene starrten, die nichts hergab.

»Wo?« fragte Marker knapp einen der Uniformierten.

»Hinterm Haus im Garten«, sagte der Mann.

Wir gingen um das Haus herum. Der Garten war eine ansteigende, einhundert Meter tiefe Fläche, die oben an einem Waldrand endete. Rechts von uns lag eine Terrasse.

Jemand rief hastig: »Der Doktor muß der Frau eine Spritze geben. Sie hat ihn gefunden, sie flippt aus!«

Ein bizarres Bild bot sich uns: Wolfgang Schuhmacher hatte an dem langen Zaun vor dem Waldrand Obstbäume setzen wollen. Er hatte, in exaktem Abstand von sechs Metern, sehr tiefe Löcher gegraben. Vier Bäume standen schon. Es waren drei Meter hohe Stämme mit üppigem Wuchs. Im vierten Loch lag er selbst in einem schäbigen grauen Trainingsanzug, mit dem Kopf nach unten, die Beine ragten seltsam obszön über den Grubenrand hinaus.

Ein uniformierter Polizist stand am Rand des Lochs und bewegte keinen Muskel in seinem Gesicht. Neben ihm zappelte ein alter, verhutzelter kleiner Mann, der dauernd stammelte: »Ich bin nur der Nachbar, ich bin nur der Nachbar.«

Der Mörder hatte Wolfgang Schuhmacher einen eisernen Pflanzstock mit aller Gewalt in den Mund gerammt.

Marker starrte den Toten an und fragte dann ganz kühl: »Wo sind die Spurenleute?«

Der Uniformierte antwortete nicht.

Marker brüllte: »Ich habe Sie was gefragt, Mann!«

Seltsam unbeteiligt murmelte der Polizist: »Die Spurenleute müssen längst unterwegs sein, der Fotograf auch.«

»Lieber Himmel«, hauchte Rodenstock neben mir.

Marker sank irgendwie am Rande des Loches ins Gras. Nach einer Weile seufzte er: »Ich habe meine Zigaretten vergessen!«

»Hier, Chef.« Der Uniformierte hielt ihm eine Schachtel hin.

»Von wem kam die Nachricht?« fragte Rodenstock.

»Über eins, eins, null«, antwortete der Polizist tonlos. »Seine Frau. Sie schrie: Er ist tot, er ist tot! Dann hängte sie ein, und Sekunden später rief sie erneut an, wieder eins, eins, null. Sie kreischte: Mein Mann ist tot, helft mir. Dann war sie in der Lage, ihren Namen zu sagen und die Adresse.«

»Wer war im Haus?« erkundigte sich nun Marker.

»Nur er hier und die Frau.«

»Kann die Frau aussagen?«

»Nein. Der Arzt hat Valium gespritzt, jede Menge.«

»Das ist verrückt«, stöhnte Marker. Dann streckte er vorsichtig beide Beine aus, als befinde er sich am Rande eines Sumpfes. Er machte einen Schritt in die Grube und fragte: »Hat jemand eine Lupe da?«

Niemand hatte eine Lupe, und der Uniformierte sagte hastig: »Ich gehe mal suchen.«

Es war, als sei alles, was lebte, mit Eis überzogen.

Der Polizist kam zurück und gab Marker eine große, langstielige Lupe. »Vom Schreibtisch des Toten«, erklärte er.

Marker machte einen weiteren Schritt und prüfte, ob er fest stand. Dann bückte er sich tief über den Toten. Groteskerweise sah es so aus, als wolle er ihn küssen. »Wie lang ist so ein Pflanzeisen?«

»Nach der Größe des Griffes zu urteilen, sechzehn bis zwanzig Zentimeter«, schätzte Rodenstock.

»Das ist doch fast unmöglich«, hauchte Marker matt.

»Also Zungenbeinbruch?« fragte Rodenstock.

»Mit Sicherheit«, nickte Marker. »Soweit ich erkennen kann, ist weder ein Zahn gesplittert, noch sind die Lippen verletzt.«

»Rechts von seinem Körper sind wellenförmige Aufwerfungen in der Erde«, murmelte Rodenstock beiläufig.

Marker kam hoch, sah Rodenstock an. »Was bedeutet das?«

»Ich weiß nicht recht. Vielleicht hat er gebuddelt und dann ein Päuschen gemacht. Vielleicht ist er eingeschlafen? Jemand kommt und treibt ihm den Pflanzstock herein. Er wird schockartig wach und wirft sich herum.«

»Fotografieren Sie das mal, Herr Baumeister?« bat Marker. »Und bitte eine Nahaufnahme von der Mundpartie mit dem Werkzeug.«

»Daß nur er und seine Frau in diesem Haus waren, besagt gar nichts«, meinte Rodenstock. Er sah sich um. »Hier kann vom Wald her jeder hinkommen, ohne gesehen zu werden.«

Ich fotografierte, was Marker haben wollte, und alles, was ich brauchen würde. Dann wurde mir schlecht, und ich bewegte mich schnell ein paar Schritte zum Zaun hin.

Ich sah, wie Unger neugierig durch das Unterholz kam. Ich fragte ihn: »Haben Sie etwas gesehen?«

Er schüttelte den Kopf. »Nichts. Aber an das Haus heranzukommen, ist eine einfache Sache. Ungefähr hundert Meter hinter mir ist eine Joggingstrecke mit Übungsplätzen. Da befindet sich auch ein Parkplatz. Darauf stehen acht Fahrzeuge und ...«

»Fotografieren Sie jedes Fahrzeug.«

»Habe ich schon. Kann ich den mal ansehen?«

»Nur zu. Aber dann zurück. Und fragen Sie bitte jeden, den Sie treffen, ob er hier was gesehen hat, was auch immer.«

Er kletterte wendig über den Zaun und besah sich den Toten. Er wurde blaß und dann bleich. Nachdem er ein paarmal tief durchgeatmet hatte, kletterte er zurück in den Wald und sagte: »Irgendwie ist das klar. Er hat mit jemandem zusammengearbeitet. Dann ist Krach ausgebrochen, und sie haben ihn umgelegt. Denken Sie auch so?«

»Ich weiß in dem ganzen Fall überhaupt nicht, was ich denken soll«, erwiderte ich wahrheitsgemäß.

Unger verschwand hinter einer Gruppe Erlen.

Hinter uns zog ein Krankenwagen neben das Haus. Zwei Männer in weißen Anzügen stiegen aus. Der Uniformierte erklärte: »Sie bringen die Frau ins Krankenhaus. Schock.«

»Ja, ja«, seufzte Marker nicht sonderlich aufmerksam. »Aber, Moment, eine Frage muß sie mir noch beantworten. Ist sie bei Bewußtsein?«

»Ich denke schon«, gab der Uniformierte zurück.

Marker marschierte auf das Haus zu, Rodenstock hinter ihm, ich hinter Rodenstock.

Die Frau lag auf einer Bahre zwischen den beiden Männern vom Roten Kreuz. Sie hatte ein hübsches Gesicht, dunkles Haar und war vielleicht fünfunddreißig Jahre alt.

»Es tut mir leid für Sie«, sagte Marker sanft. »Ich habe nur eine Frage: War irgend jemand zu Besuch? War irgend jemand im Garten?«

Ihre Lippen zuckten, als müsse sie ausprobieren, ob sie sprechen kann. Dann antwortete sie seltsam klar: »Ein Mann, ein fremder Mann.«

»Wie alt ungefähr?«

»Dreißig, vierzig, ich weiß nicht. Nie gesehen.« Es strengte sie an.

»Was trug er?«

»Trainingsanzug. Dunkelblau, Kapuze, Sonnenbrille.«

»Hatte er die Kapuze über dem Kopf?«

Sie nickte, dann schwamm ihr Blick weg.

»Fahndung«, befahl Marker schnell in Richtung des Uniformierten. »Schicken Sie ein Fahndung raus. Und ich will, verdammt noch mal, alles über diesen Toten wissen. In zwei Stunden. Ich will wissen, ob er geblümte Unterhosen trug und in der Öffentlichkeit rülpste. Alles, einfach alles.«

»Alles klar, Chef«, bestätigte der Angesprochene.

Marker wandte sich an mich. »Wieviel Kolleginnen und Kollegen sind in Hillesheim? Wir sollten heute noch eine Pressekonferenz machen!«

»Sie sind noch alle da, in irgendwelchen Hotels. Ich arrangiere das. Jetzt ist es neun. Sagen wir um zehn?«

»Danke. Und wieder in dieser trostlosen Bank, bitte.«

»Sagen Sie mal, werter Kollege«, Rodenstock sah auf die Steinplatten des Gartenweges. »Fällt Ihnen bei dem Toten nicht etwas auf?«

Marker nickte. »Da fällt mir etwas auf, das mir Angst macht. Aber sagen Sie mir zuerst, was Ihnen auffällt.«

»Omerta«, sagte Rodenstock.

»Richtig«, knurrte Marker.

»Könnt ihr das mal für den zweiten kriminalistischen Bildungsweg erklären?« bat ich.

»Oh, natürlich«, meinte Rodenstock. »Omerta bedeutet in der Sprache der Mafiosi das Schweigen. Wenn jemand gegen das Schweigen verstößt, wird er getötet. Normalerweise schneidet man ihm zum Zeichen, daß er geredet hat, den Schwanz und die Eier ab und stopft sie ihm in den Mund. Schuhmacher hat den Pflanzstock im Mund. Ein perfekter Ersatz sozusagen.«

»Also mafiose Strukturen, also organisierte Kriminalität«, stöhnte Marker. »Gnade uns Gott, das Ding wird schwer zu knacken sein. Ich dachte heute nacht daran, daß wir nicht einmal ausschließen können, daß irgendwelche Gruppen aus Ex-Jugoslawien, Moslems, Serben oder Kroaten, sich auf diese Weise Kapital für Waffen beschaffen. Genug, um Hunderttausende abzuschlachten. Nichts ist undenkbar ... Ich versuche jetzt im Haus Fotos des Toten aufzutreiben. Gibt es hier einen Fachmann, der die vervielfältigen kann?«

»Gibt es«, antwortete ich. »Ich sage ihm auch Bescheid.«

Rodenstock und ich setzten uns in den Wagen und fuhren in den *Teller*.

Ich bat Andrea, sie möge alle Hotels anrufen und alle Pressemenschen für zehn Uhr in die Bank laden.

Sie seufzte und lächelte: »Das ist so, als hätte ich gar nichts zu tun.«

»Sei umarmt«, bedankte ich mich. »Aber das viele Geld und der Tote jetzt sind auch ein kleines Geschäft für dich.«

»Leider«, sagte sie, und sie meinte es so.

Als nächstes überredete ich den Besitzer der Drogerie Rosenkranz, sich darauf vorzubereiten, sechzig Abzüge von einem Foto zu machen. Schließlich trieb ich Unger auf, der sich in der *Tasse* herumtrieb, und verdonnerte ihn dazu, schweigend an der Pressekonferenz teilzunehmen. Muffig sagte er, er werde meinem Befehl folgen.

Dann fuhren wir heim. Es war immer noch sehr warm, und Rodenstock war mit seinen Gedanken wieder bei seinen eigenen Problemen: »Wahrscheinlich haben Sie recht, wahrscheinlich sollte ich meiner Tochter den nackten Arsch versohlen. Aber eigentlich bin ich gegen Gewalt.«

»Dann vergessen Sie das fünf Minuten lang«, riet ich weise.

Bettina war in der Küche und begrüßte uns munter: »Meine Mutter sagte immer: Wenn du keine Zeit zum Essen hast, mach Spaghetti. Das stopft.«

»Eine sehr kluge Mutter«, lobte Rodenstock.

»Wirklich ein Mord?« fragte sie.

»Wirklich«, bestätigte ich.

»Und hängt das mit dem geklauten Geld zusammen?«

»Ziemlich sicher. Machst du die Spaghetti al dente?«

»Aber ja«, beteuerte sie. »Baumeister, ich wollte noch sagen, daß mir das hier alles sehr guttut.«

»Das ist fein, genieß es. Und noch etwas: Sag nicht mehr, du gingst mir auf die Nerven. Es tut mir leid, daß ich so wenig Zeit habe, aber im Moment scheint das hier ein Nest für Beladene zu sein.«

»Unger ist auch sehr nett«, bemerkte sie.

Rodenstock hockte auf der Treppe. »Was machen wir denn, wenn wir entdecken, daß Wassi bei diesem Schuhmacher ein Konto hatte?«

»Was sollen wir dann machen? Wir haben hier in der ganzen Gegend praktisch nur zwei Bankhäuser, die logischerweise dieses unverschämte Monopol ausnutzen. Wenn Wassi bei denen sein Konto hat, besagt das nichts, absolut nichts.«

»Auch wahr«, gab er zu.

»Im übrigen ist Wassi nicht der Typ, irgend jemandem einen eisernen Pflanzstock in den Mund zu rammen.«

»Na«, sagte er milde, »das ist aber verdammt schnell geurteilt.«

»Auch wahr«, gab ich zu. »Wie wäre es, sollen wir uns nicht krankschreiben lassen, bis uns jemand die Lösung des Falles auf den Tisch legt?«

Er lachte, antwortete nicht und ging hinauf in sein Zimmer. Aus einem nicht begreiflichen Grund war Rodenstock furchtbar gut gelaunt und trällerte laut und falsch: »Schenkt man sich Rooohsen in Tiroohhl ...«

Krümel rieb sich an meinen Beinen, ich hatte sie arg vernachlässigt. Ich summte so etwas wie: »Ich liebe dich am meisten«, und sie war zufrieden. Für des Leibes Wohl bekam sie ein Häppchen Seelachs, wie moderne Katzen es lieben.

Unger kam und berichtete, die Pressekonferenz sei stinklangweilig gewesen, und am Ende liefe es darauf hinaus, daß sie immer noch nichts wüßten und die Presse händeringend bäten, so groß wie möglich aufzumachen und die Leser zu fragen, ob sie vielleicht eine Ahnung hätten, wohin das verschwundene Geld geschafft worden sei und was dieser tote Schuhmacher mit all dem zu tun hätte.

Danach marschierte der Nachwuchsjournalist in die Küche und umarmte mit geradezu entwaffnender Zärtlichkeit Bettina, die beim Spaghettirühren war und vor lauter Glück feuerrot anlief.

Jeder bekam einen Teller voll in die Hand gedrückt, und wir trotteten im Gänsemarsch in den Garten. Es war eine tiefblaue, wunderbar warme Nacht, und die Grillen machten ziemlich viel Lärm.

Marker bog zum zweiten Mal an diesem Tag um die Ecke und hockte sich an den weißen Metalltisch. Bettina fragte hastig: »Spaghetti?« Als er nickte, lief sie ins Haus.

»Lieber Gott«, stöhnte er. »Das muß man sich mal reintun.

Achtzehn Millionen futsch, und nach anderthalb Tagen nicht der Schimmer einer Spur plus einem Ermordeten.«

»Was ist mit Wassi?« nervte Unger wieder. Er ließ nicht locker.

»Wassi war im Wald«, informierte ihn Marker. »Das ist ihm abzunehmen, weil er dauernd im Wald ist. Und mit seinen Kumpanen aus Neuenahr und aus den anderen Heimen war er nicht zusammen. Die haben ein brauchbares Alibi. Das wäre auch zu schön gewesen.«

»Sagt Wassi auch, wo im Wald er war?« schaltete sich Rodenstock ein.

»Ganz genau«, nickte Marker. »Ich bin mit ihm die Strekke abgefahren. Er sagt, er ist im Wald zu Hause und mag Häuser nicht, egal wie sie aussehen. Da ist nichts zu machen. Er ist ein hinterlistiger, verschlagener Waldschrat – aber ich denke, er hat die Millionen nicht. Kennen Sie die Angelgeschichte? Nein? Also, die geht so: Es gibt hier in der Gegend Teiche mit Forellen. Eines Tages haben die Deutschrussen in Kerpen die entdeckt. Ein paar von ihnen kauften beziehungsweise bastelten sich eine Angel. Dann gingen sie munter fischen. Es war ihnen nicht klarzumachen, daß es in diesem Land so etwas wie Fischrechte gibt. Bei ihnen in Kasachstan war das einfach: Wenn sie von einem Teich oder Fluß wußten, in dem Forellen schwammen, dann durften sie die fischen, niemand hat sie deswegen belästigt. Was sagt uns das? Andere Länder, andere Sitten, aber die achtzehneinhalb Millionen haben die nicht.«

Bettina stellte einen Teller Spaghetti vor Marker hin, und er bedankte sich und begann zu essen. »Mittlerweile treibt die Geschichte vollkommen bescheuerte Blüten«, erzählte er kauend. »Eine Boulevardzeitung hat für sage und schreibe zweitausend Mark in bar eine Wahrsagerin in Hillesheim aufgetrieben. Eine sehr freundliche alte Dame, die fest davon überzeugt ist, daß sie wahrsagen kann. Die hat der Redakteurin erklärt, sie wisse genau, wo sich das Geld befindet: nämlich nach wie vor in den Geldsäcken in einem Kellerraum, der sehr feucht ist. Auch die Täter konnte sie beschreiben: Es seien sehr kluge Männer, ungefähr dreißig Jahre alt, sechs an der Zahl und allesamt Ausländer. Wir brauchen also bloß einen feuchten Keller mit sechs Ausländern drin aufzutreiben.«

»Hm«, machte Rodenstock behaglich. »Wenn Wassi ausfällt, bleibt nur noch das Prinzip Hoffnung. Es sei denn, der ermordete Banker hat irgendwelche Spuren hinterlassen.«

Marker hielt inne. »Der Mann ist irgendwie gläsern. Kein Punkt in seinem Leben ist ungeklärt. Ein vollkommen glatter Lebenslauf ohne erkennbare Schwierigkeiten und Brüche, ständig steigendes persönliches Einkommen. Es ist so, als wäre er als Sechzehnjähriger morgens in die Bank gekommen und hätte verkündet: Was auch immer passiert, in fünfzehn Jahren bin ich euer Chef! Verlobungszeit, Heirat, dann Hausbau, keine Kinder, aber ständige Bewegungen im Aktienan- und -verkauf. Mitglied in einigen Vereinen, keine Spur persönlicher Schwächen. Keine Krankheiten, keine Verbindungen zu irgendwelchen dubiosen Zeitgenossen. Nichts, einfach gar nichts. Leumund erstklassig, obwohl allerdings kein Mensch ihn leiden konnte und er keine wirklichen Freunde besaß. Die Frau ist als junges Mädchen sehr beliebt gewesen. Nach der Heirat hat sie sich systematisch aus jeder Freundschaft zurückgezogen, als habe ihr Mann sie gezwungen, Freundinnen und Freunde aufzugeben. Sie haben in diesem Haus gelebt wie auf einer Insel, so, als gehe sie das Leben draußen nichts an und als seien sie sich vollkommen genug ...«

»Glauben Sie, er hat an dem Ding gedreht?« fragte ich.

Marker nickte: »Ja, das glaube ich. Das Ding ist so perfekt. So konnte es nur an dieser Stelle durchgezogen werden. Und lohnen mußte es sich, und vor allem mußten unbedingt Kenntnisse über die beiden Wachleute im Transporter zur Verfügung stehen. Das heißt, jemand, der dieses Ding so schnell drehen wollte, mußte sich todsicher darauf verlassen können, daß keiner der Transportbegleiter zur Waffe griff.«

»Aber wenn man ihn umgelegt hat, muß irgend etwas schiefgelaufen sein«, murmelte Unger.

»Nicht unbedingt«, widersprach Rodenstock. »Wir schreiben hier doch kein Fernsehspiel, das ist das Leben und nicht Derrick.« Er lächelte. »Nehmen wir an, dieser Tote hat eine Gruppe oder einen Komplizen mit Wissen versorgt. Nehmen wir weiter an, es ist alles gut gelaufen, der Geldraub ging ganz glatt. Dann gab es eine Schwachstelle: diesen zweifellos sehr provinziell und eng denkenden Banker. Für jeden Profi muß so ein Mann ein Alptraum sein, weil jeder Profi weiß, daß der absolut keinen Druck aushält und bei jeder Verdächtigung sofort umfallen wird. Also kommt jedem Profi, der rücksichtslos genug ist, sofort die Idee: Sobald das Ding gelaufen ist, muß dieser Mann ausgeschaltet werden!«

»Das ist es«, sagte Marker tonlos. »Das ist verdammt einleuchtend.«

»Hatte Schuhmacher wirklich keine Schwachstelle? Frauen zum Beispiel?« fragte Unger.

Der BKA-Mann schüttelte den Kopf. »Undenkbar, er war praktizierender Katholik.«

»Was sagen seine Kolleginnen und Kollegen?« ließ Unger nicht locker.

»Nichts. Sie sind zurückhaltend. Gemocht hat ihn keiner, das ist unübersehbar. Und alle sind der Meinung, daß sie nicht beurteilen können, ob er sich von achtzehneinhalb Millionen in bar überzeugen ließe. Das besagt, daß sie ihm einen solchen Coup zumindest von der Moral eines Raffke her durchaus zutrauen.«

»Und die Spuren am Tatort?« horchte Unger Marker weiter aus.

»Keine. Der Täter trug Handschuhe. Velourleder.«

»Was machen wohl inzwischen die Räuber?« fragte Rodenstock.

»Schulden bezahlen«, mutmaßte ich.

Marker verließ uns gegen Mitternacht. Gerade, als Unger wortreich einen raffinierten Bankraub in Nizza schilderte, schrillte das Telefon. Es war mein Bürgermeister.

»Hör zu«, sagte er mit Grabesstimme, »du mußt noch mal helfen. Die Witwe Bolte rennt wieder nackt draußen rum und singt Kirchenlieder. Ich hab eine Konferenz, Kättchen ist nicht aufzutreiben.«

»Ich bin schon unterwegs«, beruhigte ich ihn. Widerspruch hätte nichts bewirkt, die Dorfgemeinschaft ist eisern: Baumeister darf auf der Kirmes Bier zapfen und irre Tanten zähmen.

Ich war froh, meinem eigenen Haus zu entkommen, und marschierte durch das nächtliche Dorf. Es war sehr still. In einem Zimmer des Hauses der Witwe Bolte brannte Licht, die Hoflampe schien mattgelb. Niemand war zu sehen.

Ich ging auf den Hof und blieb dann stehen, weil sie mir entgegenkam. Sie hatte irgend etwas um ihre unförmige dicke Figur gehängt, etwas, das merkwürdig glänzte. Dann erkannte ich grellrote Rosen darauf. Es war ein Wachstuch, das Tuch von ihrem Küchentisch. Sie hatte es vorne vor den Brüsten mit einer Wäscheklammer zusammengesteckt. Links und rechts trug sie je eine brennende weiße Haushaltskerze in der Hand, und sie war barfuß. Sie sah mich, nickte, weil sie mich erkannte, und lächelte freundlich.

Hell und selbstverständlich rief sie mir zu: »Guten Abend, Herr Baumeister. Kommen Sie, lassen Sie uns beten.« Dann ging sie einfach weiter. Nach vier Schritten erreichte sie die schmale Straße vor dem Haus, drehte sich um und sagte: »Nun seien Sie doch nicht schüchtern, Herr Baumeister. Die Heilige Jungfrau wird Sie segnen, wenn Sie mit mir beten.«

»Moment mal«, stotterte ich und folgte ihr.

Sie drehte sich wieder um, ihre Bewegungen waren sehr weich und sehr anmutig. Inbrünstig und leise, aber mit klarer Stimme sang sie: »Meerstern, ich dich grüße ...«

»Heh«, sagte ich. »Du erkältest dich!«

Sie hielt inne und schüttelte leicht den Kopf. Tadelnd murmelte sie: »Es ist eine heiße Sommernacht, Herr Baumeister. Wie soll ich mich erkälten? Kommen Sie, lassen Sie uns die Jungfrau feiern und ehren. Sehen Sie, sie wartet schon.« Sie ging weiter, querte die Straße, die stracks auf die zweihundert Meter entfernte Scheune von Christian Daun zuführt.

Dann sah ich es.

Die Scheune wurde von einem blauen Licht umflossen, das an den Kanten des Daches und der Steinmauern zu wabern schien. Zuweilen waren gelbe und rote Blitze in diesem Licht.

»Kommen Sie«, wiederholte sie fröhlich, »die Jungfrau erwartet uns!«

Jetzt erlosch das Licht um die Scheune.

»Das geht so nicht«, schimpfte ich energisch. »Du bist nackt, du holst dir den Tod. Das dulde ich nicht.«

Plötzlich waberte das blaue Licht erneut, die Blitze zuckten.

»Ich bin ein ungehöriges Mädchen«, meinte sie. »Nicht wahr?«

»Na ja, in der Kirche ziehst du dich auch anders an.« Ich nahm ihren Arm, drehte sie sanft herum und bestimmte: »Erst einmal ziehst du dich vernünftig an, dann gehen wir beten.«

Wir gingen zurück, und sie summte ein Lied vor sich hin und wehrte sich nicht. Ich brachte sie in die Küche, sah ihre Medikamente und fragte: »Hast du die Pillen genommen?«

»Oje«, sie kicherte, »habe ich vergessen.«

Ich nahm aus der Tavor-Schachtel zwei Tabletten, legte sie vor sie auf den Küchentisch und gab ihr ein halbes Glas Wasser. »Das nimmst du jetzt und läßt mich dabei zusehen. Dann können wir gehen.« Sie lächelte wieder, antwortete nicht und schluckte brav die Tabletten. »Manchmal bin ich ein ungehöriges Mädchen«, gab sie verschämt zu. Plötzlich vergaß sie, wer ich war, und sie murmelte: »Papa, erzählst du mir eine Geschichte?«

»Erst ab ins Bett«, sagte ich freundlich.

Sie fummelte sich das Wachstuch von den Schultern, ließ es einfach zu Boden fallen und ging hinaus in den Flur, dann in das Schlafzimmer. Ich reichte ihr das Nachthemd, und sie zog es über. Sie beharrte: »Du erzählst immer so schöne Geschichten, Papa.« Dabei legte sie sich hin und zog die Decke hoch an ihr Gesicht. Sie begann am Daumen zu lutschen und war wie ein braver, vollkommen zufriedener Säugling. Ehe ich irgend etwas sagen konnte, schlief sie ein und atmete ruhig und gelassen.

Ich löschte das Licht im Haus, zog die Tür hinter mir zu und starrte auf Christian Dauns große Scheune. Das blaue, wabernde Licht war wieder da. Ich begann zu laufen.

Die Scheune war ein großer viereckiger Klotz auf einem Sockel aus Gasbetonsteinen. Sie war dreißig Meter lang und sicherlich fünfundzwanzig Meter breit. Sie hatte ein leicht geneigtes Flachdach aus wellblechartigem Eternit, durchsetzt mit lichtdurchlässigen Streifen, um die Scheune innen zu beleuchten. Die Scheune, das wußte ich, war voller Heuballen. Der junge Bauer Christian Daun hatte sich darauf spezialisiert, möglichst viel Weiden zu pachten, das Heu zu lagern und besonders an Holländer und Belgier zu verkaufen, die es für ihre riesigen Viehbestände dringend brauchten.

Hinter der Scheune stand das alte Bauernhaus der Dauns. Christians Vater hatte den Hof vor fünfzehn Jahren samt seiner Frau verlassen, um außerhalb des Dorfes neu zu siedeln. Der Sohn hatte sich überraschend entschlossen, den alten Hof allein zu bewirtschaften. Er war ein rotgesichtiger witziger Typ mit Stoppelhaarschnitt, ein Kerl wie ein Kleiderschrank.

Ich keuchte um die Scheune herum und sah ihn auf der anderen Seite mit einem Schweißgerät stehen. Er arbeitete sehr konzentriert, schweißte rundgebogene schwere Eisenhaken an einen großen Heuwender. »Lieber Himmel, ich dachte, es brennt hier. Wieso machst du das nachts?«

Er sah hoch, stellte den Brenner ab, schob die Brille auf die Stirn, grinste und erklärte: »In sechs Tagen kommt ein Holländer. Der will sechzig Tonnen. Ich muß morgen früh, halt, heute früh um vier anfangen, sonst schaffe ich das nicht.«

»Witwe Bolte hält dich für die Jungfrau Maria und den Erzengel Michael«, sagte ich.

Er nahm eine Flasche Bier vom Boden hoch und trank einen Schluck: »Damit kann ich leben«, entgegnete er trocken.

»Sie wollte dich mit brennenden Kerzen besuchen. Nackt.«

Er lachte: »Witwe Bolte? Nackt? Na ja, sie ist verrückt, aber irgendwie ist sie doch eine gute Type!«

»Ist sie«, bestätigte ich. »Willst du nicht wenigstens für zwei, drei Stunden schlafen gehen?«

»Mir geht es doch gut«, erwiderte er bescheiden. In dieser Sekunde war er wie das Salz der Erde. »Du kannst beten, daß das Wetter sich hält«, murmelte er und zündete den Brenner erneut an.

»Mach ich. Aber meine Direktleitung in den Himmel ist vor langer Zeit zusammengebrochen.«

Er grinste.

Ich ging zurück auf den Feldweg und starrte auf den

Wallfahrtsort, den die Witwe Bolte an der Scheunenecke eingerichtet hatte. Da stand auf einem großen Haufen Feldsteine eine scheußlich bemalte Madonna aus Gips. Und Hunderte ausgebrannter Teelichter.

FÜNFTES KAPITEL

Da werden mitten im heißen Sommerwald achtzehneinhalb Millionen Mark geklaut, und du denkst: Die Erde muß explodieren. Es geschieht einfach nichts. Dann wird ein Mann bestialisch getötet, und du denkst: Das ist der Einstieg in die Lösung des Falles. Wieder geschieht nichts. Dann bist du froh, wenn eine alte, nette Frau ein bißchen irre wird und das Licht eines Schweißgerätes anbetet.

Ich kam nach Hause, und sie hockten im Garten und sahen mich erwartungsvoll an, als brächte ich ihnen die Täter auf einem silbernen Tablett. »Die Witwe Bolte hat nackt mit der Mutter Gottes gesprochen«, sagte ich. »Es ist nichts weiter passiert.«

Die Luft war feucht geworden, und die Grillen hatten ihr Konzert beendet. Wir gingen schlafen. Ich hörte, wie Unger leichthin sagte: »Du solltest mich in meinem Schlafsack besuchen. Das hat was von Hemingway.«

Bettina antwortete: »Hemingway ist mir scheißegal.«

Baumeister, der äußerst erfolgreiche Kuppler.

Das Haus wurde still, Krümel kam zu mir und legte sich für einige Minuten auf meine Füße, um dann auf die Fensterbank zu springen und hinauszustarren.

Schuhmacher, ein deutscher Kleingärtner mit Liebe zu Obstbäumen. Serben? Moskauer Mafia? Frankfurter Mafia? Abgesandte der Kurden? Moslems, die Waffen kaufen wollten? Wie war diese Szene, wie sah sie aus?

Schuhmacher liegt in einem Trichter, den er selbst für einen Obstbaum gegraben hat. Der Spaten und die Schaufel liegen auf dem Rasen neben dem Loch. Wie eine überdimensionale Blindschleiche liegt ein Wasserschlauch in vielen Windungen im Gras. Natürlich, er muß die jungen Bäume so naß wie möglich setzen, er muß sie einschlämmen.

Schuhmacher hat einen stählernen Pflanzstock im Mund, ein widerliches Mordgerät. Jemand hat ihm den Mund damit gestopft.

Der Spaten für das Loch in der Erde, der Gartenschlauch, der Pflanzstock ... Hat er darüber nachgedacht, wann er die ersten Äpfel ernten kann? Vermutlich hat er das alles genau gewußt, vermutlich hat er nur junge Bäume gekauft, die nach zwei Jahren die erste Ernte garantieren. Er ist ein Pedant, er macht niemals Sachen, ohne vorher lange darüber nachzudenken, was dabei herauskommen kann.

Vermutlich hat er alles über die Geldtransporte verraten. Aber an wen? Und wie gerät er an Leute, die dieses Wissen in einen Geldraub umsetzen? Nehmen wir an, er wußte ungefähr, wieviel Geld im Transporter sein wird. Bekommt er zehn Prozent? Zwanzig Prozent? Zehn Prozent sind fast zwei Millionen, genug, um ein Leben ohne Arbeit zu führen. Aber ist er der Typ, der das kann? Der auf so etwas eingeht? Vielleicht hat er den Geldtransporter nicht gezielt verraten, vielleicht bekommt er null Prozent? Vielleicht wurde er mit irgend etwas erpreßt?

Kann jemand, mit dessen Hilfe gerade achtzehn Millionen geraubt wurden, am Sonntag mittag auf einer Obstwiese herumwerkeln? Warum nicht?

Draußen auf dem Flur war ein leises Geräusch. Jemand klopfte behutsam, dann ging die Tür auf, und Rodenstock kam herein. Er trug ein Frühstücksbrett. Darauf standen ein halbgefülltes Cognacglas, ein Aschenbecher mit einer brennenden Zigarre, eine Untertasse mit Schokolade und natürlich ein Becher Kaffee. Er flüsterte: »Ich vermute, Sie können auch nicht schlafen.« Er hockte sich in den Sessel, ich schaltete die Lampe ein, und wir starrten uns an.

»Schuhmacher konnte von einer Beteiligung an dem Geldraub träumen«, sagte er matt. »Aber durchziehen konnte er ihn nicht. Es ist ein bißchen so wie der Traum von Robinson oder Tarzan: Man gefällt sich in der Rolle, aber man versucht gar nicht erst, sie auszufüllen. Und dann ist da noch etwas ...«

»Der Pflanzstock«, sagte ich.

Er nickte. »Genau das. Ich wußte, es würde Ihnen auffallen. Sicher, vom Wald her konnte jeder Spaziergänger an Schuhmacher heran. Die Frau sah, wie ein Mann neben ihrem Mann stand. Auch gut. Aber dieser Pflanzstock ... Der unbekannte Mörder kam also aus dem Wald und ging zu Schuhmacher, der gerade einen Obstbaum setzt. So weit, so gut ...«

»... da sind auch noch die Handschuhe«, unterbrach ich ihn. »Velourleder, erinnern Sie sich?«

»Velourlederhandschuhe hinterlassen für Kriminalisten sichtbare Spuren. Komisch ist das schon. Aber dieser Pflanzstock ...«

»Schuhmacher wird im allgemeinen als sehr arrogant geschildert, als jemand, der für Verlierer nichts als Verachtung übrig hat. Natürlich ist er ein zwanghafter Pedant, jemand, der nichts tut, ohne einen Plan im Kopf zu haben. Spontaneität kommt in seinem Leben nicht vor, und seine Kreativität besteht ausschließlich darin, Bares zu zählen. Sollten wir nicht, ich meine, es ist gleich zwei Uhr, aber trotzdem ...«

»Wo wohnt Marker?« fragte er.

»Ich denke, im *Fasan*«, sagte ich. »Ziehen Sie sich einen Pullover über, es ist kühl.«

Zehn Minuten später fuhren wir los, und wir sprachen nicht mehr miteinander, jeder starrte mehr oder weniger trübsinnig vor sich hin. Nur einmal knurrte er: »Verdammte Tat!«

Das Hotel *Fasan* war selbstverständlich geschlossen, und wir mußten eine Weile schellen, ehe ein hagerer Mann in einem Bademantel auftauchte und fragte: »Unfall?«

»Nichts dergleichen«, verneinte Rodenstock. »Welches Zimmer hat Herr Marker?«

»Eins sieben«, antwortete der Mann. »Aber er war hundemüde.«

»Wir auch«, sagte ich.

Marker war sofort wach, öffnete und hockte sich auf das Bett, während wir uns im Zimmer verteilten.

»Es ist so«, erklärte Rodenstock. »Da ist uns etwas aufgefallen im Fall des ermordeten Schuhmachers. Der pflanzte Obstbäume. Getötet wurde er mit diesem spitzen Ding, diesem Pflanzstock. Wenn man nun bedenkt, daß ...«

Marker schlug sich mit beiden Händen klatschend auf die Oberschenkel. »Mein Opa war bei der Bundesbahn«, führte er etwas schrill aus. »Der hatte einen Kleingarten in Mainz. Ich wußte doch, daß da irgendwas nicht stimmte.«

»Sie wird schlafen«, meinte Rodenstock behaglich. Er fühlte sich offensichtlich wohl.

»Dann wecken wir sie«, sagte Marker. Er griff nach dem Telefon, wählte eine Nummer, nannte seinen Namen. »Ich hätte gern den Bereitschaftsarzt.« Dann, nach einer halben Minute: »Doktor Wegner? Ich komme jetzt in die Klinik. Machen Sie bitte Frau Schuhmacher wach, geht das? – Okay, dann bis gleich.«

Wenig später waren wir unterwegs nach Daun, und Marker lamentierte: »Ich erinnere mich an einen Spruch meiner Mutter. Junge, du mußt zusehen, daß du so schnell wie möglich verbeamtet wirst. Dann hast du ein sicheres Einkommen, ein ruhiges Leben und kannst alles langsam angehen.«

Dr. Wegner stand blaß und schmal neben dem Nachtportier und sagte etwas flatterig: »Ist das denn notwendig? Die Frau ist total erschöpft. Und ich fürchte, daß sie ausflippt. Schließlich sind wir kein psychiatrisches Krankenhaus.«

»Macht nix«, erwiderte Marker trocken. »Ziehen Sie eine Spritze mit Valium auf oder irgendwas anderes, was beruhigt. Ist sie wach?«

Wegner nickte. »Sie ist wach. Schock, Sie wissen ja.«

Marker stürmte vor uns her durch die matt erleuchteten Gänge in ein Treppenhaus, dessen Trostlosigkeit etwas von einem Wartesaal in einem alten Bahnhof hatte.

»Aber langsam!« mahnte Rodenstock.

Marker schnaufte: »Auch noch langsam?«

Sie lag attraktiv aufgebaut mit dem Rücken an zwei sehr großen weißen Kissen, und ihr Gesicht war edel bleich. Sie bemühte sich zu lächeln. Sie begrüßte uns: »Das ist aber ungewöhnlich ... zu dieser Zeit.«

»Das stimmt«, sagte Marker freundlich. »Aber leider notwendig.« Er wartete, bis wir uns gesetzt hatten, hockte sich auf die Armlehne eines Sessels. »Haben Sie etwas dagegen, wenn ich Ihnen eine Geschichte erzähle?«

»Nein.« Sie schüttelte den Kopf. »Wenn's der Sache dient.«

»Es dient der Sache«, nickte Rodenstock.

Marker strafte ihn mit einem schnellen Blick. Dann zündete er sich gemächlich eine Zigarette an, und die Frau sagte schnell: »Das dürfen Sie aber nicht, wir sind in einem Krankenhaus.«

»Er darf«, behauptete ich.

»Sagen wir mal so«, begann Marker. »Ich kann gut verstehen, was da gelaufen ist. Sie sind die Tochter einer höchst achtbaren Familie, nicht wahr? Ein Onkel Landrat, ein weiterer Landgerichtsrat, ein dritter ist Abgeordneter in Mainz. Das stimmt doch, nicht wahr?«

Sie nickte und spielte mit einem Zipfel des Kissens, auf dem sie lag.

»Wie lange kannten Sie Ihren Mann vor der Eheschließung?«

»Oh«, sie lächelte matt, »ich kannte ihn seit, seit, na ja, wir kannten uns aus dem Kindergarten.«

»Es war immer klar, daß sie heiraten wollten?«

»Na ja, was heißt immer? Wir dachten daran, dann wollten wir wieder nicht. Er hatte ja auch Freundinnen ... und ich Freunde. Bis wir uns verlobt haben.«

»Aber im Prinzip war es klar, nicht wahr? Er heiratete Sie, und niemand wunderte sich.«

»Das ist richtig«, sagte sie. Sie schloß die Augen.

»Warum haben Sie keine Kinder?« fragte Marker.

»Das wissen wir nicht. Also, ich kann keine bekommen, sagt der Arzt. Aber das ist auch nicht wichtig, denn wir wollten ja keine.« Sie sah niemanden an.

Eine Weile herrschte Schweigen.

»Sie wollten, Ihr Mann wollte nicht«, beharrte Marker etwas störrisch. »Sie hätten durchaus Kinder haben wollen, wie alle Ihre Freundinnen, nicht wahr? Ihr Mann wollte das nicht. Hat er sich auch untersuchen lassen?«

»Nein«, sagte sie. »Hat er nicht. Brauchte er auch nicht. Die Untersuchung bei mir ergab, daß die Eileiter verklebt waren und so, und da ...«

Marker hob die Hand. »Sehen Sie, da ist ein Widerspruch. Sie sagen, daß ein Arzt Sie untersuchte. Sie sagen aber auch, daß Sie gar keine Kinder wollten. Hat Ihr Mann gewußt, daß Sie sich untersuchen ließen?«

Sie preßte die Lippen aufeinander. »Nein, das hat er nicht gewußt.« Wieder ein belastendes Schweigen.

»Sie wollten wissen, ob Sie Kinder kriegen können«, stellte Marker fest. Er wirkte unbarmherzig. »Sie wollten es einfach wissen. Ist das wahr?«

Sie nickte wieder und fummelte an dem Kissenzipfel herum.

Rodenstock neben mir seufzte unterdrückt.

»Der Arzt sagte, Ihre Eileiter seien verklebt. Waren Sie erleichtert? Dachten Sie: Ich kann sowieso keine Kinder kriegen, also was soll's?«

Sie antwortete nicht. Ihr Mund war sehr breit.

»Das dachten Sie wahrscheinlich nicht«, sagte Marker jetzt behutsam. »Der Arzt sagte nämlich noch etwas. Er sagte Ihnen, daß verklebte Eileiter durchaus zu ... na ja, zu reparieren sind, nicht wahr?« Er ließ beide Hände etwas flattern wie ein Zauberer, der einen Trick vorbereitet. »Ich bin, um Gottes willen, kein Spezialist, aber so viel weiß ich: Verklebte Eileiter sind kein Grund, nicht wahr?«

Ein erneutes Nicken, sehr schnell und sehr heftig.

»Aber Sie sollten kein Kind kriegen«, fuhr Marker fort.

»Er wollte es einfach nicht«, sagte sie tonlos.

Marker schloß die Augen und konzentrierte sich. »Jetzt kommen wir zur Szene, in der Ihr Mann stirbt. Sie sagten, Sie hätten aus dem Fenster gesehen, wie ein Mann in einem blauen Trainingsanzug bei Ihrem Mann stand. Das ist ein sehr einleuchtendes Bild, so muß es wohl gewesen sein. Sagen Sie mal, hatten Sie eigentlich so etwas wie ein selbständiges Leben? Gehörten Sie sich selbst?«

Sie antwortete nicht.

»Es war doch so, daß Ihr Mann bestimmte, wie Sie lebten, was gut für Sie war und was weniger gut, oder?«

»Ich liebe ihn«, sagte sie vage und zittrig.

»Das mag sein«, nickte Marker. »Lassen Sie mich trotzdem eine Geschichte erzählen? Hören Sie mir zu?«

»Natürlich«, stimmte sie höflich zu.

»Nun, Ihr Mann war im Garten. Das war an Sonntagen oft

so. Sie waren zusammen in der Kirche gewesen und hatten zusammen gegessen. Dann ging er in den Garten und werkelte herum. Er grub ein Loch aus für einen jungen Apfelbaum, es war sehr heiß. Ich denke, er schlief ein. Sie gingen in die Garage, wo über einer Werkbank alle möglichen Arbeitsgeräte hängen. Sie nahmen den Pflanzstock, und Sie gingen zu ihm. Es kann sein, daß Sie gar nicht wußten, was Sie taten, aber Sie erinnern sich einigermaßen genau. Da lag er in dem Loch in der prallen Sonne und schlief. Wahrscheinlich stand sein Mund ein wenig offen. Und Sie nahmen diesen Stahltrichter und stießen … War es so?«

Sie sah ihn an, sie sah mich an, dann Rodenstock. »Ich liebe meinen Mann«, kam es wieder.

»Das mag sein«, sagte Rodenstock. »Aber Sie töteten ihn. Er machte Ihr Leben kaputt.«

»Da war der Mann im blauen Trainingsanzug«, flüsterte sie.

Ich meinte: »Dieser Mann im blauen Trainingsanzug würde bedeuten, daß Ihr Mann mit dem Geldraub zu tun hatte.«

Ihre Augen wurden sehr schnell, flogen zwischen uns her. »Hat er nicht«, sagte sie. »Dazu ist er viel zu … anständig.«

»Wahrscheinlich auch zu phantasielos«, ergänzte Rodenstock trocken.

»Das auch«, gab sie zu. Dann beugte sie sich weit vor, preßte die Lippen aufeinander, stützte sich rechts und links mit den Händen auf und schrie mörderisch hoch: »Ich war es nicht!«

Die Tür knallte auf. Dr. Wegner kam hereingestürzt und hielt die Spritze mit dem Beruhigungsmittel wie eine Lanze.

»Nicht doch«, sagte Rodenstock amüsiert. »Noch nicht.« Dann wandte er sich der Frau zu, die mit dem Kopf nach vorn auf ihren Oberschenkeln lag. »Wir wissen ziemlich genau, was Sie durchgemacht haben. Er hat Ihnen Ihr Leben gestohlen, nicht wahr?«

Sie bewegte sich nicht, sie hauchte: »Er war nichts anderes als ein bigottes Schwein.« Dann fing sie wieder an zu schreien. »Er war ein Schwein, jawohl, er war ein Schwein. Er hat … er hat …«

Ich war bei ihr und drückte sie zurück, und Wegner

keuchte neben mir: »Ziehen Sie ihr das Nachthemd hoch, schnell!«

Viele unendliche Minuten hielten wir sie fest, ehe sie schlaff wurde. Sie wütete ununterbrochen gegen ihren Mann, bis sie keine Luft mehr bekam.

Marker fragte, ob das Krankenhaus über einen vergitterten Raum verfügte, und als Wegner das verneinte, erklärte Marker: »Ich bleibe hier, um alles zu regeln. Sie muß sicher untergebracht werden. Sie können fahren. Und, Baumeister, halten Sie so lange den Mund, bis ich Ihnen Nachricht zukommen lasse.«

»Selbstverständlich«, sagte ich.

Unterwegs fragte Rodenstock: »Ich möchte wissen, ob sie es bewußt getan hat. Oder im Blackout?«

»Das wird die Kardinalfrage des Prozesses sein«, sagte ich. »Langsam werde ich müde.«

»Was werden Sie Unger sagen?«

»Nichts. Er wollte doch Hemingways Schlafsack spielen, da braucht er nichts zu erfahren.«

Rodenstock schlief, als ich vor dem Haus anhielt.

Natürlich war Unger beleidigt, natürlich stand er wie der Vorwurf persönlich im Hausflur und starrte mich feindselig an. »Wahrscheinlich habt ihr irgendwas geklärt. Ohne mich.«

»Wahrscheinlich«, sagte ich.

Rodenstock gähnte. »Sie haben übersehen, daß ein Mann, der einen ausgewachsenen Apfelbaum von drei Metern Höhe pflanzen will, mit einem stählernen Pflanzstock nichts anfangen kann.«

»Das verstehe ich nicht«, erklärte er etwas dümmlich.

»Sollen Sie auch gar nicht«, antwortete Rodenstock gelassen. »Sie werden es rechtzeitig erfahren. Jetzt gehen wir schlafen.«

Er machte einen sehr bedröppelten Eindruck, so daß ich ihn trösten mußte: »Sie haben nichts versäumt, mein Bester. Ich sage Ihnen, was war, wenn Sie mit Ihrer Schlafsackarie fertig sind.«

»So was!« rief er empört.

Da tauchte Bettina, nur mit einem Hauch von Slip bekleidet, auf dem obersten Treppenabsatz auf, machte »Huch!« und verschwand wieder. Das löste die Verklemmung. Wir lachten, und sogar Unger konnte grinsen.

Als ich mich auf meine geliebte Matratze gelegt hatte, hörte ich noch, wie Rodenstock unsäglich falsch »Ein Männlein steht im Walde …« summte, dann schlief ich ein.

Krümel weckte mich, weil jemand gegen die Tür klopfte. Ich linste auf den Wecker, es war zwei Uhr nachmittags.

Unger stand vor dem Bett und meinte: »Ich weiß, daß ich Ihnen auf den Keks gehe, aber die Redaktion fragt an, ob eine Story drin ist, irgend etwas, was zu schreiben sich lohnt. Weil Rodenstock eisern die Schnauze hält, frage ich Sie. Was war los?«

»Der Banker ist vermutlich von seiner Frau umgebracht worden.« Weil er so verzweifelt aussah, berichtete ich ihm, was im Krankenhaus geschehen war.

Er gab sofort zu bedenken: »Das ist aber keineswegs ein Geständnis. Wenn sie nicht widerspricht und nur schreit, ihr Mann sei ein Schwein gewesen, dann bedeutet das doch nicht, daß es sich tatsächlich so abgespielt hat. Vielleicht ist sie diesem unbekannten Totschläger nur unglaublich dankbar, daß er etwas erledigte, was sie nicht erledigen konnte.«

»Hm …« Er hatte den Stachel des Zweifels in mich gesenkt. »Ich muß duschen«, sagte ich. »Ist Rodenstock schon wach?«

»Rodenstock telefoniert herum, um herauszukriegen, welche Verbrechen der Russe Wassiliew begangen hat. Wollen Sie einen Kaffee?«

»Ins Badezimmer, bitte«, bat ich.

Beim Rasieren schnitt ich mich zweimal, der Kaffee schmeckte nicht, und das Badewasser war erst zu heiß, dann zu kalt. Dann schrie Bettina durch die heilige Stille meines kleinen Bauernhauses: »Wir haben keine Butter mehr!« Irgend jemand drehte ein Radio hoch, und der unbeschreibliche Rex Gildo röhrte metallen von einer Fiesta Mexicana. Ich fand meine Haut über dem Bauch bedenklich schrumpelig, die Fettwülste an meiner Hüfte ekelhaft.

Rodenstock klopfte, kam herein, hockte sich auf den Wannenrand und machte Unger Platz, der sich auf dem Lokusdeckel plazierte.

»Wir sind doch nicht bei den Pfadfindern«, protestierte ich milde. »Ich bade, das ist eine Intimhandlung!«

»Haha«, machte Rodenstock und hielt mir den Telefonhörer hin.

»Marker.«

»Sie haben ein Geständnis?« fragte ich begierig.

»Ich habe gar nichts mehr«, murmelte er dumpf. »Die Frau Schuhmacher hat nicht gestanden. Im Gegenteil: Die Gute beharrt auf dem Unbekannten im blauen Trainingsanzug. Wir sind zwei Schritte vor und drei zurück gegangen. Ich gehe erst einmal schlafen.«

»Die Frau von Schuhmacher gibt es nicht zu«, erzählte ich den anderen und legte das Telefon in Ungers Schoß. »Was ist mit Wassi?«

Rodenstock lächelte. »Wassi war wirklich drei Jahre in einem Straflager. In Sibirien, am Ende der Welt. Er hat ... na ja, er war so eine Art Robin Hood. Er hat zusammen mit einer Gruppe von Waldarbeitern systematisch Krieg gegen die Parteibonzen geführt. Wenn die nämlich Lebensmittellieferungen unterschlugen, um das Zeug auf dem Schwarzmarkt zu verhökern, hat Wassi mit seiner Gruppe diese Lebensmittel geklaut und unter der Bevölkerung verteilt. Die Parteibonzen bekamen auch Devisen, meistens US-Dollar. Die hat Wassi ihnen ebenfalls abgenommen und unter der Hand verscherbelt. Er war so eine Art Volksheld.«

»Das besagt gar nichts«, meinte Unger schnell.

Rodenstock sah mich an. »Sie äußerten den Verdacht, daß Wassi mehr weiß, als er sagt.«

»Dabei bleibe ich«, nickte ich. »Er hatte ein Grinsen in den Augen. Aber das wird niemals zu beweisen sein.«

Rodenstock spitzte die Lippen. »Was machen wir jetzt?«

»Baden«, sagte ich energisch. »Raus hier.«

Unger starrte an die Wand. »Ich werde versuchen, Wassi zu kriegen. Ich habe das Gefühl, daß der drinhängt. Sind eigentlich Gruppen des organisierten Verbrechens jemals hier in der Gegend aufgetaucht?«

»Um Gottes willen«, gab ich schnell zurück. »Die Polizei lebt seit Jahren in einem Notstand. Zwölf Kriminalbeamte für mehr als 60.000 Einwohner. Wenn die etwas von organisiertem Verbrechen hören, machen die sehr schnell die Wende.«

»Es wäre also nicht das Schlechteste, hier zu arbeiten«, murmelte Rodenstock. »Die Serben brauchen Maschinengewehre, die Kurden brauchen Maschinengewehre, die Leute in Somalia brauchen Maschinengewehre, die Leute in Beirut brauchen welche, die Mafia in Moskau braucht Geld für Heroin und so weiter und so fort.«

»Raus jetzt«, wiederholte ich. »Denkt lieber über das Rätsel nach, wie ein tonnenschwerer Geldtransporter spurlos verschwinden kann.«

»Das tue ich unausgesetzt«, sagte Rodenstock. »Ohne Erfolg. Vielleicht war es so, wie BILD schrieb: Ein Hubschrauber hat die Herrlichkeit von achtzehneinhalb Millionen schlicht durch die Lüfte entführt.«

Ich kam zu nichts, denn von 15 bis 16 Uhr riefen sechzehn Redaktionen an und baten um Auskunft wegen des toten Bankers Schuhmacher. Seine Frau erwähnte ich nicht. Als ich durch das Fenster in den Garten blickte und Unger schon wieder mit der reichlich nackten Bettina auf einer Decke liegen sah, begann ich die Welt ein bißchen zu hassen.

Rodenstock saß ganz zusammengefaltet in einem Sessel und las *Lemprieres Wörterbuch.*

Später hockte ich mich in den Jeep und fuhr nach Hillesheim, um bei Ben im *Teller* einen Kaffee zu trinken. Gott sei Dank war niemand dort, der mir Fragen stellen würde.

Ben hantierte lustlos hinter dem Tresen herum. »Wer war es denn nun?«

»Ich weiß es nicht, und es ist mir zur Zeit auch wurscht. Kanntest du diesen Schuhmacher, diesen Banker?«

»Kaum. Ich habe da ein Geschäftskonto, aber nichts sonst. Das paßt ja: Erst verrät er alle Einzelheiten des Transportes, dann wird er nicht mehr gebraucht und aus der Welt geschafft.«

»Das paßt«, gab ich zu. »Hattest du jemals Gäste, die wie Profis aussahen?«

Er lachte. »Wie sehen Profis aus? Stimmt das, daß die Frau von dem Schuhmacher in eine Klapsmühle kommt?«

»Kann sein«, sagte ich. »Es war ein richtiger Breakdown. Wie war sie eigentlich?«

»Sehr hübsch und ziemlich scheu. Sie hatte nichts zu sagen. Eben waren Leute von dpa da, die Bilder von Schuhmacher und seiner Frau haben wollten. Ich habe keine, und ich hätte ihnen auch keine gegeben.«

»Gibt es denn welche?«

»Jede Menge. Karnevalssitzungen, Sportvereinsvorstand, Freiwillige Feuerwehr, Tennisclub glaube ich auch. Da gibt es jede Menge Fotos. Und was ist, wenn es Amateure waren?«

»Amateure passen nicht. Nicht bei so einer perfekten Sache.«

»Das will ich nicht sagen«, erklärte er bedächtig. »Kann doch sein, daß es Amateure waren, die einfach Schwein hatten.« Er war einer, der geradeaus denken konnte.

Ich zahlte, ging und trottete gedankenverloren die Hauptstraße entlang.

»Sieh an, der Detektiv«, sagte jemand hinter mir gutgelaunt. Es war H. H., der mit viel Geschick ein Reisebüro aufgemacht hatte, und den jedermann nur H. H. nannte, wobei ich ehrlich gestanden nicht einmal wußte, was H. H. bedeutete. Er grinste ziemlich arrogant.

»Ich sollte eine Reise bei dir buchen und abhauen«, meinte ich.

»Ich habe so viel davon, daß ich sie sogar verkaufe«, sagte er. »Was ist, hat man eine Ahnung?«

»Man hat keine«, sagte ich. »Vielleicht war es irgendein Ortsbürgermeister, dessen Gemeindekasse leer ist.«

»Das wäre mal etwas anderes«, murmelte er versonnen. »Leider sind Ortsbürgermeister nicht so perfekt.«

»Wie läuft dein Geschäft?«

»Nicht schlecht.« Er sah nicht allzu intensiv einer kurzberockten, hüftschwenkenden Schönen nach. »Heute war es ausgesprochen komisch. Ach komm, ich erzähl dir die Geschichte, damit du mal was anderes hörst als nur den Stuß von dem vielen Geld. Da kommt ein Bauer und sagt: Ich möchte gern vier bis sechs Wochen Hawaii buchen! Nichts wie ran, dachte ich. Du weißt ja, wie die Bauern sind: Ab dem ersten Satz muß du für jedes Wort bezahlen. Er sagt, er wolle seiner Frau die Reise schenken. Erste Klasse. Ich denke, ich träume. Er sagt, sie würde auch einen Leihwagen brauchen. Ich kenne den Mann, ich weiß: Der hat Geld genug, bescheiden wie er lebt. Ich sitze also am Computer und rechne, und er sieht mir über die Schulter. Ich sage: Das macht knapp zweiunddreißigtausend, alles erste Klasse. Ich denke, jetzt fängt er an zu grinsen und sagt: April, April! Aber nichts da. Greift in seinen Blaumann, holt seine Brieftasche raus und legt die zweiunddreißigtausend auf den Tisch. Ich denke, mich laust der Affe, aber ich tue ganz cool und gebe ihm die Unterlagen, Rechnungen und Kataloge. Ich sage, was im Moment jeder sagt: Ist das Ihr Anteil am Geldklau? Und er sieht mich an und fängt an zu lachen, sagt: Schön wär's, schön wär's! Damit marschiert er raus. Ich saß da und dachte: Das darf eigentlich nicht wahr sein.«

»Ist doch ein schönes Geschäft«, sagte ich.

»Na ja«, erwiderte H. H., »wie man's nimmt. Heute mittag kommt der Kerl wieder, legt das Paket auf den Tisch und sagt: Gib mir mein Geld zurück, meine Frau will nicht fahren. Moment, sage ich, gekauft ist gekauft. Da sagt er: Wir werden nicht streiten, und marschiert raus und läßt die Tickets da.«

»Das ist die Eifel«, lachte ich. »Hör mal, H. H., kennst du eine Frau, die gut mit der Frau vom Schuhmacher konnte?«

»Ja, meine Frau. Aber ich weiß nicht, ob sie was sagt. Versuch's mal. Steckt was dahinter?«

»Ich glaube nicht«, log ich. »Aber ein Versuch kostet ja nichts.«

»Ich rufe an, sie macht dir einen Kaffee. Aber du mußt was versprechen: Sag niemandem, daß du irgendwas von uns hast.«

»Niemals nicht«, versicherte ich.

Ich holte den Jeep und fuhr gemächlich in Richtung Jünkerath, wo H. H. sein bescheidenes Zehn-Zimmer-Eigenheim gebaut hatte.

Marion stand in der Tür: »Kaffee ist fertig, aber ich weiß nicht, ob ich dir helfen kann.«

»Das werden wir sehen«, sagte ich.

Sie ging vor mir her und hockte sich auf die Sofakante. »Wenn dieses Geldauto wirklich über sechs Tonnen schwer war, dann kann es doch nicht spurlos verschwinden«, begann sie.

»Kann es nicht«, bestätigte ich. »Was weißt du von Frau Schuhmacher?«

»Stimmt das, was die Zeitungen schreiben, daß ihr Mann etwas damit zu tun hatte?«

Mit dieser Frage brachte sie mich in die Zwickmühle. Wenn Marion die Schuhmacher nicht mochte, konnte es gut sein, eine positive Andeutung in diese Richtung zu machen. Wenn sie eine solidarische Frau war und zur Frau des Bankers hielt, würde sie möglicherweise stumm wie eine Auster werden. Ich druckste herum und entschloß mich zu einem Mittelweg, wenngleich ich in solchen Fällen die Erfahrung gemacht habe, daß Kompromisse eine Niederlage vorbereiten.

»Das sieht so aus. Aber Genaues weiß eben kein Mensch. Schließlich ist er tot, nicht wahr?«

»Ich habe da was gehört«, murmelte sie undeutlich und bemühte sich, mich nicht anzusehen.

»Ich sage dir was.« Ich stopfte mir die 92er Jahrespfeife von Stanwell. »Wahrscheinlich hast du gehört, daß möglicherweise Schuhmacher von seiner eigenen Frau umgebracht wurde, nicht wahr?«

Sie knetete die Hände ineinander. »Ja.«

»Von wem hast du das?«

»Du weißt ja, wie das ist. Irgend jemand im Geschäft sagte, die Leute vom Bundeskriminalamt wären zu ihr ins Krankenhaus gefahren. Sie hat wohl erzählt, es wäre ein Mann im blauen Trainingsanzug gewesen. Hat sie es getan?«

»Vielleicht ja, vielleicht nein. Die Ehe muß die Hölle gewesen sein. Ich will etwas über diese Ehe hören.«

»Sie hat wenig geredet. Wenn man es genau nimmt, hat sie nichts erzählt. Man kann sich einiges zusammenreimen, das schon.«

»Dann reime mir etwas«, forderte ich sie auf.

»Schreibst du darüber?«

»Nein. Und dein Name wird sowieso nicht auftauchen. Also reime mir etwas.«

»Wo soll ich anfangen?«

»Am Anfang. Als du gehört hast, daß sie ihren Mann möglicherweise getötet hat, kam dir das verrückt vor?«

Sie schüttelte den Kopf. »Überhaupt nicht. Ich habe nur ›Aha!‹ gedacht, sonst nichts. Also, wundern würde mich das nicht.«

»Wie lange kennst du sie?«

»Schon ewig. Wir haben zusammen im Sandkasten gespielt, wir waren in der Volksschule zusammen, im Gymnasium in Gerolstein, immer eben.«

»Hat sie viel über sich gesprochen?«

»Eigentlich nie, oder selten. Sie heiratete Schuhmacher, weil das irgendwie zwischen den Eltern feststand. Von unserer Clique hat das keiner kapiert.«

»Warum nicht?«

»Weil Schuhmacher ein Arsch war, ein Bankarsch.« Marion spitzte den Mund, als wolle sie den Mann anspucken. »Er war immer der Beste, der Klassenbeste, der beste Lehrling und so weiter. Sie paßten nicht zusammen. Sie mochte Mozart und er die Hitparade der Volksmusik. Das war wie Feuer und Eis. Und er wollte kein Kind.«

»Sie hat ja auch keins gekriegt«, sagte ich spitz.

»Das ist der Punkt«, sagte sie energisch. »Das genau ist der Punkt! Uschi sagt, sie bekam ein Baby, und Uschi sagt: Sie hat es verloren, weil der Schuhmacher es nicht wollte.«

»Langsam, langsam«, unterbrach ich. »Wann war das?«

»Das war vor einem Jahr, ja, vor einem Jahr im Sommer. Uschi sagt ...«

»Wer ist Uschi?«

»Uschi ist eine aus der Clique, sie wohnt zwei Häuser hinter Schuhmachers. Uschi weiß soviel, weil sie die Schuhmachers öfter traf. Uschi weiß genau, daß Klara die Pille nahm. Sie mußte die Pille nehmen, das war so abgesprochen zwischen ihr und dem Ehemann.

Irgendwann im Frühjahr sagte sie zu Uschi, sie würde die Dinger jetzt nicht mehr nehmen. Angeblich hat sie gelacht und gesagt: Mal sehen, was passiert. Wenig später muß sie dann schwanger geworden sein, denn Uschi flog mit ihrem Mann in Urlaub, und als sie wiederkam, nahm Klara wieder die Pille. Dann hat Klara einmal erwähnt, daß irgend etwas mit ihrem Unterleib nicht stimmt, irgendeine Entzündung. Sie hat gesagt: Da ist was nicht in Ordnung, seit ich das Kind verloren habe.«

»Sie sagte einwandfrei: das Kind verloren?«

»Ja, ja, das weiß Uschi genau. Uschi hat gefragt, wie denn das passiert ist, aber Klara schwieg sich aus und sagte nichts mehr. Später hat Uschi der Klara gesagt, sie könnte es ja noch einmal versuchen, aber Klara hat nur irgendwie traurig gelächelt und geantwortet: Ich werde jedes Kind verlieren.«

»Ich brauche Fakten«, erklärte ich. »Bei wem war Klara in Behandlung, wer ist der Hausarzt?«

»Der alte Mendt. Wir gehen alle zu dem, weil der am nettesten ist. Aber wenn du meinst, daß der alte Mendt ihr ein Baby weggemacht hat, bist du auf dem Holzweg. Der alte Mendt? Niemals.«

»Das ist die Frage«, sagte ich nicht sonderlich klug. »Nehmen wir an, du willst eine Abtreibung. Zu wem gehst du?«

»Klinik in Amsterdam«, antwortete sie schnell.

»Kann man das Datum irgendwie einengen? Wann war sie in Hoffnung, und wann war das Baby nicht mehr da?«

»Das muß genau im Juli des vorigen Jahres gewesen sein. Als Uschi in Urlaub ging, war alles in Ordnung, als sie zurückkehrte, hatte Klara kein Baby mehr.«

»Wie war sonst die Stimmung in dieser Ehe?«

»Ich würde sagen, das war keine Stimmung. Da lebten zwei Fremde zusammen und arrangierten sich, so gut es ging.«

»War Klara unglücklich?«

»Ich würde das Resignation nennen. Du weißt doch, wie das ist, wenn man jung ist. Man träumt sich was zurecht. Bei ihr ist nichts davon geblieben.«

»Ob Mendt mit mir spricht?«

»Versuch es. Und noch etwas. Ich fühle mich dreckig, ich will eigentlich nicht über Klara reden. Ich finde Tratscherei schlimm.«

»Kenne ich. Ich habe mir mal in Gerolstein hundert Mark beim Metzger gepumpt. Und als ich nach Daun kam, um Kartoffeln zu kaufen, sagte jemand neben mir: Reicht es noch? Mach dir keine Sorgen, hier geht es um einen Mord, und ich war nicht hier. Ich riskiere das mit Mendt.«

Ich hockte mich einfach in Mendts Sprechstunde, und als ich an der Reihe war und er fragte: »Wo tut was weh?«, sagte ich: »Ich komme wegen Klara Schuhmacher.«

»Keine Auskunft«, gab er schnell zurück.

»Sie hat ein Baby verloren«, hakte ich ebenso schnell nach. »Ist es richtig, daß sie im vorigen Jahr schwanger war?«

»Das kann ich nicht beantworten.«

»Doktor Mendt, ich verstehe Sie verdammt gut, aber es kann passieren, daß sie wegen Mordes angeklagt wird. Ich sammle Punkte für sie. Also: War sie schwanger?«

»Ich habe erwartet, daß irgendwer in dieser Sache kommt. Ja, sie war schwanger.«

»Und? Was passierte dann?«

»Ich weiß es nicht.«

»Sie wissen es. Lassen Sie mich anders fragen: Halten Sie es für möglich, daß Klara Schuhmacher ihren Mann tötete?«

»Das weiß ich wirklich nicht. Kein Kommentar!« Er war wütend.

»Es war im Juli des vergangenen Jahres. Klara und ihr Mann verließen die Stadt für ein paar Tage. Als sie zurückkehrten, hatte Klara kein Baby mehr im Bauch.«

»Wenn Sie das wissen, warum fragen Sie mich?«

»Weil Sie wahrscheinlich wissen, was geschehen ist.«

Er drehte sich weg, stellte sich ans Fenster und starrte hinaus auf die Straße. »Die beiden erschienen bei einem Kollegen in Aachen. Sie behaupteten, die Frau habe heftige Unterleibsschmerzen. Der Kollege stellte die Standardfrage, ob die Frau schwanger sei. Die Frau machte einen blassen, fast schlafenden Eindruck. Der Ehemann antwortete: Sie ist nicht schwanger! Mein Kollege setzte eine Spritze, um dadurch die Menstruation zu beschleunigen. Ein paar Stunden später kam das Baby. So etwas passiert, niemand hat schuld.«

»Es geht nicht um Schuld, es geht darum, ob sie ein Baby erwartete.«

Er nickte. »Vielleicht wußte Schuhmacher ja gar nicht, daß sie schwanger war.«

»Ich denke, er wußte es.«

»Das ist vermutlich richtig«, sagte er tonlos. »Er wollte es nicht. Hat sie ihn … hat sie ihn umgebracht?«

»Ich weiß es nicht«, erwiderte ich und ging hinaus.

»Er ist ja nun endlich tot«, rief er hinter mir her.

Im Garten saßen Marker und Rodenstock und knabberten Bitterschokolade zu Cognac und Kaffee. Ich berichtete ihnen, was ich erfahren hatte, und Marker nickte betulich. »Das paßt, das paßt genau.«

»Woher stammen eigentlich die Kartoffelsäcke, die man den beiden Wachleuten über den Körper stülpte? Und woher die Ohrenschützer?«

»Es waren stinknormale Kartoffelsäcke, die jeder hier im Keller hat. Die Ohrenschützer sind Standardware, wie sie bei allen Holzfällerkolonnen benutzt werden. Diese Dinger bringen nicht die geringste Spur.« Marker seufzte.

»Gehen wir erneut auf das Auto los«, schlug Rodenstock etwas überschwenglich vor. »Das Auto muß irgendwo sein.«

»Na, sicher ist es irgendwo«, murmelte Marker. »Aber leer. Irgendwo zwischen Hillesheim und dem Kap der Guten Hoffnung.«

»Was machen eigentlich Menschen, die plötzlich achtzehneinhalb Millionen besitzen?« überlegte ich.

»Sie investieren«, vermutete Rodenstock mit einem feinen Lächeln.

»Aber sie können nur dreckig investieren«, sagte ich. »Sie haben keinen Nachweis über den Kies.«

»Müssen sie nicht haben«, sagte Marker. »Sie machen ein paar Tafelgeschäfte, und schon ist das ganze Moos legal.«

»Was, bitte, sind Tafelgeschäfte?«

Rodenstock sah Marker an, als sei ich nicht ganz bei Trost. »Also«, begann er gemütlich, »lassen Sie sich einweihen. Sie nehmen beispielsweise zwei bis drei Millionen in bar und marschieren in eine Bank. Am günstigsten ist eine Bank, in der man Sie vorher angekündigt hat als irgendeinen schwerreichen Menschen. Sie kaufen für Ihr Bares bestimmte Papiere, Kommunalobligationen, Bundesverschreibungen, Schatzbriefe oder so. Daran hängen Coupons, Zinsbescheinigungen, die Sie jedes Jahr einlösen können. Wieder gegen Bares.«

»Und was macht die Bank mit meiner Unterschrift?«

Marker lachte leise. »Die Bank will Ihre Unterschrift gar nicht. Sie bekommen die Papiere gegen Bares, das ist alles. Wenn Sie sich anstrengen, können Sie die ganzen achtzehneinhalb Millionen an einem Tag anlegen. Legal, mein Freund, legal.«

»Und wieso heißt das Tafelgeschäft?«

»Na ganz einfach. Weil früher in einer Bank der Tresen nicht Tresen oder Verkaufstisch hieß, sondern eben vornehm Tafel. Allerdings bezweifle ich, daß irgendein Banker, der Sie nicht kennt, Sie rausschmeißen wird, wenn Sie mit so viel Geld erscheinen. Selbst wenn Sie ein Penner sind, wird er Ihren Geruch in Kauf nehmen.«

»Gibt es denn eigentlich nicht inzwischen Hinweise aus der Bevölkerung?«

Marker nuckelte an seiner Zigarette wie ein Kind am Schnuller. »Na sicher kriegen wir Hinweise, noch und nöcher. Schließlich haben wir achthunderttausend Mark als Belohnung ausgesetzt. Aber die Hinweise sind so wirr und beschissen, daß sie nichts taugen, absolut nichts. Da hat sogar einer angerufen und behauptet, er wäre der Pilot von dem Lastenhubschrauber, der den Transporter entführt hat. Eine alte Frau meinte, wir könnten die Täter in ihrem Kartoffelkeller festnehmen. Eine Wahrsagerin sagte, sie sei ganz sicher, daß das Geld mitsamt dem Transporter im Bauch einer Hercules der Bundeswehr verschwunden ist und sich auf dem Flug in die Südsee befindet. Wir haben Bundesgrenzschutz angefordert. Ich jage den morgen früh durch die Wälder. Wir erhoffen nichts, aber selbst eine Kleinigkeit kann bekanntlich nützlich sein.«

Rodenstock räusperte sich: »Gebt dem Rentner eine Stimme. Darf ich noch einmal auf den Tatort kommen?«

»Nur zu«, sagte Marker.

»Da gibt es einen Punkt, der mich irritiert. Die beiden Wachleute hocken auf ihren Millionen und rollen an den Tatort. Sie sehen ein Motorrad und drei Männer herumliegen. Sie halten an, sie werden überrumpelt, an die Bäume gebunden. Als sie gefunden werden, ist der Transporter weg, spurlos verschwunden.

Nun wissen wir, daß die Täter sich in den Geldtransporter setzen konnten, um damit wegzufahren. Aber ich denke, das wäre höchst riskant gewesen. Wahrscheinlicher ist doch, daß der Geldtransporter nur um die Ecke in die Wälder gefahren wurde oder aber mit Hilfe eines anderes Fahrzeuges vom Tatort weggebracht worden ist. Der Geldtransporter ist sehr schwer. Also muß das Transportfahrzeug ein ziemliches Kaliber haben. Die Frage ist: Was haben die Wachleute im Geldtransporter außer dem Motorrad und den drei Männern auf der Straße gesehen?«

»Nichts«, antwortete Marker bestimmt, »absolut nichts. Ich denke, Sie sind an einem wichtigen Punkt der Überlegungen. Wir haben den Tatort aus Sicht der beiden ankommenden Wachmänner mit einer Videokamera gefilmt und diesen Streifen den beiden immer wieder vorgeführt. Dabei haben wir zum Beispiel einen Laster erst an den äußersten rechten und dann linken Bildrand gestellt. Sie sahen den Laster sofort, und sie versicherten sehr glaubwürdig, daß außer den drei Männern auf der Straße neben dem zerdepperten Motorrad nichts in ihrem Blickfeld war. Also auch kein Fahrzeug, in das man den Geldtransporter hätte hineinfahren können.«

»Wie hätte ich diesen Geldtransporter geklaut?« schaltete ich mich wieder ein. »Auf der Strecke zwischen Wiesbaum und Flesten gibt es drei bestens ausgebaute breite Waldwege, über die ich auch mit schwerem Gerät direkt an die Straße herankomme. Und einer dieser Waldwege, auf dem ich sowohl nach Norden wie nach Süden in die Wälder entkommen kann, liegt unmittelbar neben dem sogenannten Tatort. Wie mache ich es also? Ich fahre zum Beispiel einen Tieflader von Süden an die Straße heran und parke ihn an einem Punkt, an dem ich mit dem Fahrzeug nicht gesehen werden kann. Also etwa zweihundert Meter Entfernung von der Straße. Dann nehme ich den Transporter, fahre ihn direkt auf den Tieflader und verschwinde. Das heißt: Als die beiden Wachleute sich dem Tatort näherten, konnten sie den Tieflader nicht sehen. Das Ganze hätte einen zusätzlichen Vorteil: Seit dem großen Sturm wird hier immer noch pausenlos Holz abgefahren, vornehmlich von belgischen Firmen. Mit anderen Worten: Die großen, breiten Waldwege geben absolut keine Spur mehr her, mit der wir etwas anfangen können.«

»Was sagt uns das?« fragte Rodenstock.

»Das sagt uns, daß ich nur ein Gerät wie einen Tieflader brauche, sonst nichts. Ich fahre mit dem Tieflader und dem Geldtransporter, den ich meinetwegen mit einer Plane abdecke, etwa dreitausend bis fünftausend Meter über bestens ausgebaute Waldwege. Dann erreiche ich etwa bei Kerpen oder Nohn oder Walsdorf gut ausgebaute Straßen und kann Gas geben. Ich kann an Walsdorf vorbei Richtung Pelm und Gerolstein ziehen, ich kann aber auch nach Daun abhauen.«

Marker nickte: »Also reicht es, wenn hinter Gerolstein oder vor Daun oder wo auch immer in einem Waldstück ein Truck wartet, der den Geldtransporter übernehmen kann. Das dauert, wenn die Mannschaft gut ist, eine Minute. Muß ich Schwierigkeiten an den Grenzen erwarten?«

»Nicht die geringsten«, sagte ich. »Sie können nach Frankreich, nach Belgien, nach Luxemburg, nach Holland. Auch Holländer, Belgier, Franzosen oder Luxemburger fallen hier nicht auf. Viele von ihnen arbeiten hier. Sie müßten vom Bundeskriminalamt an die Leute heran, die für so einen perfekten Coup in Frage kommen.«

»Das ist aussichtslos«, grinste Marker. »Selbst wenn wir die Leute hätten, zu deren Denkweise so ein Stück gehört, dann hätten die ein mehr als wasserdichtes Alibi. Während ihre Leute das hier drehen, hocken die Logistiker auf den Bahamas oder Fuerteventura.«

»Kann man einen Tieflader leihen?« fragte Rodenstock.

»Kein Problem«, erklärte ich. »Aber so dämlich werden die Täter nicht gewesen sein.«

»Aber warum nicht?« erkundigte sich Rodenstock ganz

ruhig. »Wie will jemand hinterher beweisen, daß ein Geldtransporter transportiert wurde?«

»Trotzdem riskant«, gab ich zurück.

»Versteift euch nicht auf den Tieflader«, mahnte Marker. »Mit einem Vierzigtonner mit geschlossenem Verdeck transportiere ich gleichzeitig zwei Geldtransporter.«

Unger und Bettina bogen um die Ecke. Unger ging seltsam schräg, und Bettina hielt seinen Arm. Er blutete ziemlich wild aus der Nase, und offensichtlich hatte er Schmerzen.

»Hallo«, begrüßte uns Bettina zaghaft.

»Hat Wassi zugeschlagen?« fragte ich.

»So ein Schwein!« nuschelte Unger. »Ich habe ihm auf den Kopf zugesagt, daß er am Samstag was gesehen hat. Ich habe gesagt, er soll es mir erzählen. Er hat mich angeguckt und ganz freundlich erwidert, er hätte keine Lust, mir etwas zu erzählen ...«

»Und dann hat er zugeschlagen«, vollendete Marker.

Unger schniefte und schüttelte den Kopf. »Nee, Wassi hat sich nicht mal bewegt, aber einer seiner Kumpel, der hat ... Also, ich bin der Meinung, Sie sollten Wassi verhaften!«

»Blödsinn«, sagte Marker.

»Dummheit«, sagte Rodenstock.

»Kommt nicht in Frage«, sagte ich. »Im Eisschrank sind Eiswürfel.«

SECHSTES KAPITEL

Unger war ein sehr gründlicher und wohl auch etwas ängstlicher Mensch. Er meldete sich bei einem Zahnarzt an und entschwand – selbstverständlich in Begleitung von Bettina.

Ich schlenderte durch das Dorf und war in der Stimmung, Fußball mit einer Blechdose zu spielen. Aber da ich angeblich erwachsen bin, widerstand ich der Versuchung und lief hinaus zu Alfreds Hof, er mußte irgendwo auf den Wiesen bei den Kühen sein. Dann sah ich ihn jenseits der Straße nach Kerpen auf der großen Koppel. Sein Trecker ratterte und trieb die Melkmaschine an, die Kühe standen in Reih und Glied.

»Hat sich einer gemeldet, um dir Geld zu pumpen?«

Er grinste. »Noch nicht. Wenn aber doch, halte ich den Mund. Was spricht die Bullenschar?«

»Nichts. Sie ist hilflos. Nehmen wir mal an, wir beide wollen einen Geldtransporter klauen. Nehmen wir an, wir brauchen dazu einen Tieflader oder einen geschlossenen Vierzigtonner. Pumpen wir den, oder klauen wir den?«

»Weder klauen noch pumpen«, sagte er, nahm den Hut vom Kopf und kratzte sich die Stirn. »Wir besorgen uns so was kurzfristig.« Dann sah er mich an und meinte: »Gute Frage!«

»Tu nicht so geheimnisvoll. Wie würdest du so ein Gerät besorgen?«

Er schaute über meine Schulter hinweg irgendwohin. Alfred sieht immer gänzlich unschuldig irgendwohin, wenn er etwas Wichtiges mitzuteilen hat. »Also, du stehst vor einem Problem«, resümierte er. »Du braucht einen Tieflader oder Ähnliches. Also etwas, mit dem du einen Geldtransporter ganz schnell wegbringen kannst. Du willst so ein Ding nicht großartig leihen, weil ja dann gefragt wird: Weshalb leiht der sich das? Richtig?«

»Richtig.«

»Vielleicht hast du einen guten Kumpel, der dir das leiht, ohne nachzufragen. Aber wenn der Kumpel spitzkriegt, daß du mit seinem Tieflader fast zwanzig Millionen wegtransportiert hast, könnte es passieren, daß der Kumpel ein Problem wird. Richtig?«

»Richtig.«

»Na gut. Dann würde ich mal durch die Gegend fahren und mich umgucken.« Er grinste, seine Nase legte sich dabei in enorm adrette Falten.

»In welche Himmelsrichtung würdest du denn fahren?« fragte ich und guckte sicherheitshalber auch irgendwohin.

»Versuch's mal im Süden«, meinte er gutmütig. Dann trat er einer Kuh in den Hintern, die unbedingt die Tasche seines Arbeitskittels fressen wollte.

Ich trollte mich.

Über Walsdorf fuhr ich nach Daun. Es folgte Zilsdorf, dann der kleine Berg hoch zur Abfahrt nach Oberehe. Es sind nur lächerliche zweitausend Meter von Zilsdorf bis Oberehe und nur dreitausend Meter von Oberehe an der Nürburg-Quelle vorbei bis Dockweiler, aber auf dieser kurzen Strecke lag links die Lösung meines Rätsels: Ein Holzlagerplatz, auf dem Tausende von Fichtenstämmen ständig von Wasser berieselt werden mußten, um den Befall durch Borkenkäfer zu verhindern. Neben diesem naßglänzenden Riesenberg Holz standen drei Tieflader.

Ich ging auf die Bremsen und rollte den breiten Feldweg zu dem Gebirge aus Fichten, dann würgte ich den Jeep ab und blieb stehen.

Es waren drei Volvo-Intercooler mit belgischer Nummer, und wahrscheinlich waren sie seit mindestens vier Jahren hier im Einsatz, weil belgische Firmen das meiste Holz der beiden großen Stürme aufgekauft hatten: Material für die hungrige Möbelindustrie.

Ich stieg aus und schlenderte um die Zugmaschinen herum. Alle drei waren vollkommen kalt. Das heißt, sie waren an diesem Montag nicht gefahren worden. Das war, wie ich wußte, normal. Denn die Fahrer wurden in der Regel zum Wochenende von ihren Frauen abgeholt und tauchten erst wieder auf, wenn die zuständigen Forstämter die nächsten Stämme zum Abtransport freigaben. Sie ließen die Tieflader einfach stehen – niemand würde auf die Idee kommen, sich diese Monstren unter den Nagel zu reißen.

Alle drei waren abgeschlossen und standen so brav und unschuldig in der Gegend herum, daß ich mir ausgesprochen dämlich vorkam. Die Aufsätze der Tieflader hatten fünf Achsen, der mittlere war zuletzt gefahren worden, denn die zweite Achse von vorn trug einen Innenreifen, der durch nassen Lehm gerollt war. So weit, so gut. Bedeutete das, daß der Fahrer den Schlüssel verliehen hatte?

Ich habe mir im Laufe der Zeit angewöhnt, so zu tun, als hätte ich immens viel Zeit, als seien Hektik und Streß nicht für mich gemacht. Das lernt man in der Eifel. Auf jemanden, der mich beobachtete, mußte ich den Eindruck machen, als sei ich zum Pinkeln in die Felder abgebogen. Ich pinkelte also ausgiebig. Dann stopfte ich mir die Belvedere vom vornehmen Londoner Charatans Make und zündete sie, mächtig paffend, an. Gleichzeitig bewegte ich mich auf meinen Jeep zu, öffnete ihn, holte das Fernglas heraus und hockte mich dann ins tiefe sommerwarme Gras. Ich hatte vier Häuser von Oberehe im Blick, und ich wollte herausfinden, welches Haus auf den Parkplatz und die Tieflader aufpaßte.

Es war ein kleines, graues Haus mit einem großen, doppelflügeligen Fenster nach hinten heraus. Das Fenster stand auf Kippe, und jemand hatte die Gardine beiseite gezogen und starrte zu mir her. Mit einem Fernglas, versteht sich.

Ich schlenderte langsam umher, betrachtete die Berieselung der Stämme, wanderte abseits auf den Platz der Tieflader und bewegte mich hinter sie. Wer immer an dem Fernglas hockte, jetzt war ich für ihn unsichtbar. Ich kletterte auf die Ladefläche des mittleren Trucks und lief sie entlang, bis ich an die hölzerne Hinterwand zum Fahrerhaus kam. Ich hatte Glück, es gab ein kleines Fenster.

Ich bin kein Kfz-Spezialist, aber was ich sah, konnte sogar ich enträtseln: Die Zugmaschine war kurzgeschlossen.

Ich bewegte mich zurück, wußte nicht genau, was jetzt zu tun war. Also schlenderte ich auf den Jeep zu und zündete mir die ausgegangene Pfeife an, alles ganz langsam. Ich hockte mich hinter das Lenkrad und sah noch einmal zu dem kleinen Haus hin. Das Fernglas war noch immer auf mich gerichtet.

Ich fuhr gemächlich vom Holzplatz auf die Straße, dann nach links auf Dreis zu. Ich wußte, daß es dort eine Telefonzelle gab. Ich rief mich selbst an.

Rodenstock meldete sich: »Bei Baumeister.«

»Ich habe den Tieflader«, sagte ich. »Jetzt hören Sie mir bitte genau zu. Sie müssen es irgendwie mit Marker deichseln, daß hier nicht zwei Hundertschaften einfallen, bestenfalls zivile Autos, höchstens drei oder vier Leute.«

»Gut, ich arrangiere das mit Marker. Ihr Standort?«

»Haben Sie was zu schreiben? Gut. Hinter meinem Schreibtisch im Regal liegen Meßtischblätter. Nehmen Sie sich das von Kerpen heraus, plus Anschlußblätter Richtung

Loogh, Stroheich. Suchen Sie sich Waldwege zum südöstlichen Ausgang des Ortes Oberehe. Wenn Sie dort aus dem Wald kommen, sehen Sie einen Fichtenberieselungsplatz und drei Tieflader. Parken Sie im Wald, kommen Sie zu Fuß. Und noch etwas: Die Tieflader werden bewacht, aus ungefähr vierhundert Metern Entfernung. Ein kleines Haus, darin ein Mann mit einem Fernglas. Sie sollten diese Person vorher nageln.«

»Alles klar«, sagte er und hängte ein.

Ich fuhr langsam zurück nach Oberehe, dann auf den Holzlagerplatz. Ich parkte, stieg aus und hockte mich ins Gras. Sechs Minuten später kam ohne Sirene, aber mit Blaulicht ein Streifenwagen aus Daun. Er fuhr Höchstgeschwindigkeit. Ich sah, wie er in die Seitenstraße zu dem kleinen Haus einbog. Drei Minuten später fuhr er wieder ab, ohne Sirene, ohne Blaulicht. Gut und glatt gemacht, dachte ich. Ein Zitronenfalter taumelte herum, ein Bläuling setzte sich neben mir an den Stengel einer Wegwarte und ruhte sich aus. Zwei Meter entfernt kam eine Spitzmaus eifrig schnüffelnd einen Mäusetrampelpfad entlang, roch mich und wußte nicht recht, ob sie flüchten oder einfach abwarten sollte. Sie entschied sich fürs Warten und starrte mich gelassen an. »Dieser tiefe Frieden täuscht«, warnte ich sie.

Sie bewegte sich noch immer nicht.

»Gleich kommen die Bullen«, sagte ich eindringlich.

Da machte sie kehrt und verschwand.

Es dauerte dreißig Minuten, bis sie da waren.

»Wieso soll das der Tieflader sein?« fragte Marker.

»Der mittlere ist es. Er ist kurzgeschlossen. Komischerweise ist das Fahrerhaus aber abgeschlossen. Wenn Sie durch das hintere kleine Fenster ins Fahrerhaus gucken, werden Sie es sehen. Außerdem ist feuchte Erde an den Reifen.«

Marker stand da und starrte auf die Fahrzeuge. »Kann es denn nicht sein, daß der Fahrer die Schlüssel verloren und einfach selbst die Karre kurzgeschlossen hat?«

»Na sicher kann das sein«, sagte ich. »Aber etwas Besseres habe ich nicht zu bieten.«

»Mir kommt das irgendwie zu einfach vor«, seufzte er.

»Mir auch«, gab ich zu. »Haben Sie Leute mitgebracht?«

»Ja, natürlich.« Er hob die Hand, und kurz darauf kamen zwei Beamte in Zivil mit je einem Metallkoffer aus dem Wald.

»Der mittlere«, sagte Marker. »Beeilt euch. Ist feststellbar, wann das Gerät zum letzten Mal lief?«

»Wir messen die Materialtemperatur«, erwiderte einer der beiden. Dann betrachtete er das linke Türschloß der Fahrerkabine. »Das ist aufgebrochen worden. Ganz einfaches Schloß, da reicht ein Schraubenzieher. Können wir rein?«

»Machen Sie schnell!« wiederholte Marker. Dann sah er mich an, kam zu mir und hockte sich ins Gras. »Na gut, Sie schlauer Mensch. Was ist da passiert, wie haben die Leute das gedreht?«

»Wenn es so war, wie ich annehme, war es einfach. Sie holten mitten in der Nacht von hier den Tieflader, schlossen ihn kurz. Sie brauchten keine Straße zu benutzen, sie konnten direkt über die Wege gehen, über die Sie jetzt hierhergekommen sind. Dann plazierten sie den Tieflader in Deckung an der Straße zwischen Wiesbaum und Flesten. Sie drehten das Ding, fuhren den Geldtransporter auf den Tieflader, was schrecklich einfach ist, denn, wie Sie sehen, hängen da unten zwei stabile Schienen, die man einfach hinten einhängt. Dann ging es dorthin, wo der Geldtransporter von einem anderen Tieflader oder von einem geschlossenen großen Truck erwartet wurde. Anschließend brachten sie den Tieflader wieder hierher zurück.«

»Aber warum gerade dieser belgische Tieflader?« fragte er.

»Das fragen Sie? Schauen Sie sich die stark wulstige Bereifung an. Das Fahrzeug ist spezialgerüstet für diese Waldwege.«

»Das bedeutet aber auch, daß die das Ding sehr lange vorbereitet haben.«

»Na sicher«, meinte ich. »Die hatten alle Zeit der Welt. Sie konnten hier als Rucksacktouristen irgendwo ein Zimmer mieten und in aller Ruhe mit dem Dackel die Wege abgehen, so daß sie jede riskante Stelle kannten.«

»Okay«, nickte er. »Der Mann übrigens, den wir da vorn aus dem kleinen Haus herausgeholt haben, ist ein harmloser Rentner.«

»Ich bin gespannt, was der sagt.«

»Das weiß ich schon. Ich habe unterwegs telefoniert. Der Mann ist am Samstag morgen mit einem Bus nach Daun gefahren. Und zwar morgens um acht Uhr. Er hat nicht mehr zu diesen Tiefladern geschaut. Er schaut überhaupt nur danach, wenn irgendwelche Leute auftauchen, die er nicht kennt. Er kam gegen Mittag wieder und gibt an, er kann sich nicht erinnern, vor dem Abend nach den Fahrzeugen geguckt zu haben. Da standen sie alle drei fein aufgereiht hier, wie jetzt.« Marker seufzte.

»Wir haben nur eine Möglichkeit zu beweisen, daß es dieser Tieflader war«, stellte ich fest.

»Ihr Wort unters Mikroskop«, gab er mißmutig zurück.

Rodenstock kam herangeschlendert und erklärte: »Wenn die es mit diesem Wagen gemacht haben, weiß ich, wie sie es machten.«

»Wie denn?« fragten Marker und ich gleichzeitig.

»Die haben auf der Fläche des Tiefladers links und rechts ein paar massive Stämme übereinander festgebunden, wie eine Brustwehr: Sehen Sie die sechs Stämme da, die abseits liegen? Sehen Sie den Draht, mit dem die Stämme an den Seitenholmen festgebunden waren? Auf dem Tieflader entstand eine Gasse, in die fuhren sie den Transporter hinein. Sie brauchten ihn nur noch nach hinten mit einer Plane abzudecken oder ein paar dichte Tannenäste davorzustopfen. Mit anderen Worten: Wenn auf diesem Fahrzeug der Transporter stand, konnte niemand ihn sehen, denn die Stämme täuschten das vor, was hier Alltag ist: einen Holztransport.«

»Genial«, sagte ich.

»Nicht schlecht«, murrte Marker. »Ist denn herauszufinden, wieviel Leute zu diesem Coup notwendig waren?«

»Drei mit Sicherheit, denn drei Leute lagen neben dem zerdepperten Motorrad«, meinte Rodenstock. »Aber ich denke, das reicht nicht. Es waren mehr.«

»Warum denn mehr?« fragte ich.

»Jemand muß den Tieflader fahren, jemand muß das Motorrad wegbringen, jemand muß den vorgetäuschten Unfall säuberlichst auflösen, jemand muß den Transporter auf dem Tieflader in Empfang nehmen und wegbringen. Nein, nein, das waren mehr als drei.«

Einer der Spurenleute kam und informierte uns: »Der Tieflader ist am Samstag gefahren worden. Das ist ganz eindeutig. Er muß normale Betriebstemperatur gehabt haben. Die Werte im Motorblock sind drei bis sechs Grad höher als die der nebenstehenden Fahrzeuge. Kein Zweifel: Am Samstag war das Gerät eingesetzt.«

»Fingerspuren?«

»Keine. Das ist ein weiteres Indiz. Deutliche Wischspuren und Schlieren überall im Fahrerhaus. Es ist feststellbar, ohne ins Labor zu gehen, womit gewischt wurde: Arbeitshandschuhe vom üblichen Standard, ein Gemisch aus Baumwolle mit lederartiger Innenfläche. Man kann die Dinger zwischen sechs und acht Mark überall kaufen, in ganz Europa.«

»Die Erdproben?« fragte Marker.

»Da kann ich nichts Endgültiges sagen, das wird zwei Tage im Labor dauern. Aber eines ist sicher: Am Tatort hatten wir eine bestimmte Sorte Mergelton, ganz bestimmte Farbe. Und wir hatten eine ganz bestimmte Sorte feinkörnigen Kies, der vermutlich vom Straßenbau stammt. Beide sind auf den ersten Blick an drei Reifen zu finden. Es kann natürlich sein, daß der Tieflader Stämme in der Nähe des Tatortes geladen hatte, aber ...«

»Schon gut, schon gut. Nicht zwei Tage Labor; vier Stunden«, sagte Marker scharf.

»Sie sind ein ekelhafter Vorgesetzter«, grinste der Spurenmann.

»Zwei Tage Sonderurlaub, wenn du es schaffst.«

»Da ist noch eine private Sache«, murmelte Rodenstock neben mir. »Ich habe meiner Tochter gesagt, sie soll mich besuchen. Für zwei Stunden. Bei Ihnen, gleich um acht.«

»Das macht fast gar nichts«, sagte ich fröhlich. »Die Hauptsache ist, Sie verprügeln sie anständig.«

»Ich werde mich bemühen«, lächelte er.

»Wir sollten diesen Fahrer auftreiben«, riet ich.

Marker nickte. »Machen wir bereits. Es ist ein Kurier unterwegs, der den Mann holt. Es wird wieder mal eine betriebsame Nacht. Der Fall macht mich verrückt. Wir haben kaum einen Ansatz.«

»Wir haben wahrscheinlich den Tieflader«, wandte ich ein.

»Kann mich jemand zum Tatort fahren?« fragte einer der Spurenleute. »Ich möchte wegen des Drecks an den Reifen ganz sicher gehen.«

»Ich fahre«, seufzte Marker.

Ich ging zu dem zweiten Spurenmann, der nach wie vor im Fahrerhaus arbeitete. »Können Sie sagen, ob das Fahrzeug gezielt abgewischt wurde?«

»Einwandfrei«, entgegnete er schwitzend. Er war in einer merkwürdigen Position. Er hockte neben der Lenksäule im Fußraum und versuchte, mit beiden Armen auf den Sitzen zu arbeiten. »Bei Mikrospuren«, keuchte er, »passen die Brüder nie auf. Sie wischen alles ab, aber das, worauf sie mit dem Arsch gesessen haben, übersehen sie immer.« Er fummelte eine Plastiktüte in einen kleinen Handstaubsauger und fuhr damit über die Sitze. Das Ding heulte.

»Was ist hier mit dem Fußtritt?« schrie ich.

Er stellte den Sauger ab. »Den haben sie abgewischt.«

»Sie haben doch Erfahrung mit international arbeitenden Tätern. Deutet irgend etwas darauf hin, daß wir es mit ausgebufften Jungens zu tun haben?«

»O ja! Und wie! Ich wette, die haben eine Vorstrafenliste so lang wie die Reihe der Ehrendoktorhüte unseres Bundeskanzlers. Das waren Könner, sie haben nämlich nichts Spezielles eingesetzt, also zum Beispiel keine Baumwollhandschuhe. Keine speziellen Schuhe. Alles billigster Standard – und deshalb fast aussichtslos. Sie müssen sich verdammt sicher gefühlt haben: Das Radio haben sie auch laufen lassen.«

»Wie kann man das feststellen?«

»Ziemlich einfach. Aus Restspannung und Temperaturen in bestimmten Teilen.«

»Und welchen Sender haben sie gehört?«

»Radio RPR«, sagte er. Dann ließ er den Staubsauger erneut heulen.

»Haben sie auch geraucht?« schrie ich wieder.

»Ich vermute, ja«, schrie er zurück. »Beide Aschenbecher sind geleert.«

Am Himmel kreiste ein Roter Milan, dicht vor uns flog ein Kleiner Fuchs und glänzte in der Sonne.

»Wenn diese Leute sich auf ländliche Gegenden spezialisieren, in denen einmal die Woche Geldtransporte laufen, gehen wir miesen Zeiten entgegen. Man muß sich sowieso fragen, warum nicht eher jemand auf diese Idee kam«, sinnierte Rodenstock.

»Kamen sie doch«, erwiderte ich. »Sie haben im neuen deutschen Osten laufend Banken überfallen.«

»Aber dies hat eine andere Qualität. Fast zwanzig Millionen am hellichten Tag!«

»Hoch lebe das Spezialistentum. Lassen Sie uns fahren.«

Im Wagen fragte er: »Kann es denn sein, daß meine Frau unter mir gelitten hat?«

»Ich weiß es nicht. Sie sind kein Mensch, unter dem man leidet. Wenn sie unter irgendwas gelitten und nichts gesagt hat, war sie selbst schuld. De mortuis nihil nisi bene, aber die Verantwortung für das, was sie tun, bleibt bei den Toten. Vielleicht waren Sie beide zu schweigsam?«

»Ja, das denke ich zuweilen«, sagte er leise.

»Warum nehmen Sie keinen neuen Job an? Warum fragen Sie nicht im Innenministerium in Mainz, ob die etwas zu tun haben? Die Besetzung der Polizeikräfte in den Landkreisen hier ist eine Katastrophe. Da gibt es viel zu tun.«

»Das geht nicht«, murmelte er. Er stützte den Ellenbogen auf das offene Fenster und sah hinaus. »Ich bin krank.«

»Was heißt das schon? Arbeit tut gut, und Sie wissen das.«

»Ich habe Krebs.«

»... was für welchen?«

»Hodenkrebs.«

»Warum lassen Sie sich nicht operieren, wenn wir den Fall gelöst haben?«

Er wandte mir den Kopf zu. »Sie sind so hoffnungslos optimistisch.«

»Das muß ich auch sein bei den vielen Arschlöchern, die ich kenne.«

Bettina und Unger waren nach wie vor damit beschäftigt, sein lädiertes Antlitz mit Hilfe zweier Eisbeutel auf Normalmaß zu bringen. »Nichts gebrochen«, verkündete er fröhlich.

»Sie sollen eine Geschichte schreiben«, mahnte ich.

»Habe ich«, trompetete er. »Übrigens, es könnte sein, daß wir uns zusammentun, die Bettina und ich.«

»Nicht möglich«, murmelte Rodenstock.

»Wo ist der Text?« fragte ich.

»Auf Ihrem Schreibtisch«, sagte er. »Irgend etwas Neues?«

»Ja. Wir haben den Tieflader entdeckt, auf dem der Geldtransporter verschwand.«

»Und?« krähte er schrill.

»Nichts«, sagte ich. »Nur ein Verdacht, sonst nichts. Bettina, bist du bereit, etwas zum Abendessen zu machen?«

»Wie wäre es mit Kartoffelpüree und einem Haufen Rührei?« fragte sie nicht sonderlich bei der Sache.

»Das ist sehr gut«, lobte ich. »Wenn du dich innerhalb der nächsten drei Tage von diesem Macker lösen könntest, müßten wir nicht verhungern.«

»Du Neidhammel«, zischte sie.

Ich las Ungers Text und fragte mich, ob er nicht zu tief in die mythologische Kiste gegriffen hatte, aber wahrscheinlich hatte er alles in allem recht.

Er begann: *Normalerweise würde man sagen, daß der Raub von achtzehneinhalb Millionen barer D-Mark ein Coup ersten Ranges ist. Was allerdings den Coup in den Rang einer Heldensage hebt, noch ehe er kriminalistisch gelöst werden kann, ist die Tatsache, daß er in der Vulkaneifel stattfand. Wortkarge Menschen in endlosen, geheimnisvoll rauschenden Wäldern voller Rotwild und Wildschweinen. Nicht Asterix und Obelix haben gallisch zugeschlagen, sondern, weitaus eher erkennbar, das geheimnisvolle Internationale Organisierte Verbrechen.*

Vulgo: Wer klaute die Millionen am hellichten Tag unter der Eifelsonne? Zweifellos jemand mit Köpfchen. Erheblich blutiger und ungleich drastischer, daß der vielleicht beteiligte Chef einer Minibankfiliale ganz nebenbei in seinem eigenen Garten auf eine höchst brutale Weise um die Ecke gebracht worden ist.

Weil er zuviel wußte? Mag sein, aber gemach, der Reihe nach, immer schön Schritt für Schritt.

Eines steht jetzt schon fest: Die Dramaturgen haben sämtliche im deutschen Sprachraum tätige Fernsehspiel-Erfinder in die

Tasche gesteckt. Da ist ein Reinecker ebenso schlicht im Eimer wie die ekelhaften Versuche eifriger Nichtskönner, das alltägliche Grauen unter uns im sogenannten true-crime-Verfahren auf den Schirm zu zaubern. Vielleicht sollte man den Tätern raten, nach der Pensionierung einen Kurs an der Volkshochschule zu etablieren: Wie verblüffe ich Deutschland …

Kein Zweifel, Unger hatte Talent, aber möglicherweise hatte die Liebe ihn ein wenig geschwätzig gemacht. Wie auch immer, die Redaktion würde es zunächst danken, dann würde ein leitender Redakteur aus der coolen Periode kommen und sagen: »Ich brauche Fakten und keinen Essay!« So sehr Unger auch kämpfen würde: Sein Text war zum Tode verurteilt und damit ein Schritt zum Ausbau seines Talentes verhindert.

Draußen fuhr ein Wagen vor, jemand strich am Fenster vorbei, es schellte.

Die Frau vor der Tür war für die Eifel durchaus außergewöhnlich. Sie hatte sich in das kleine Schwarze gezwängt und ein jungfräulich weißes Satinband in das germanisch strohblonde Haar geflochten. Sie machte einen sehr zierlichen, gepflegten Eindruck und war von der Sorte, die jeden Augenblick sagen können: »Ja, meine Dritten? Ach Gott, da bin ich pingelig …«

Artig sagte sie: »Guten Abend. Mein Vater soll hier sein. Kriminalrat a. D. Rodenstock.« Sie sagte tatsächlich a. D.

»Erster Stock, erste Türe links«, murmelte ich im Abdrehen.

Sie stakste auf unendlich hohen Hacken den Flur entlang und dann meine schöne alte Holztreppe hinauf, und ich zuckte im Takt ihrer zierlichen Füßchen.

»Heiliger Strohsack!« Unger stand in der Küchentür. »Was war das denn?«

»Die Zukunft der deutschen Nation«, gab ich Bescheid.

»Du bist frauenfeindlich«, giftete Bettina.

»Ein bißchen«, sagte ich. »Dein Text ist gut, Junge. Wenn du ihn auf die Hälfte kürzt, wird er blendend sein.«

»Auf die Hälfte?« fragte er entsetzt. »Da steckt Herzblut drin!«

»Darf ja auch. Aber nicht gleich zehn Hektoliter.«

Marker kam auf den Hof und fragte noch in der Tür:

»Kriege ich hier etwas zu essen? Ich kann mich in kein Lokal setzen, ohne daß irgendein Journalist sich zu mir gesellt.«

»Es gibt Rührei«, bot ihm Bettina an.

»Was ist mit dem Tieflader?« fragte ich.

»Es war der Tieflader«, nickte er. »Ich frage mich nur, ob uns das weiterbringt. Wir haben den Fahrer aufgetrieben, er ist auf dem Weg hierher.«

»Das muß ich in meinen Text einfügen«, sagte Unger.

»Füge du, ich mache die Eier«, meinte seine Bettina.

Ich finde es gut, daß Leute mich mögen, ich habe den Verdacht, daß ich das sogar brauche. Aber wenn mein eigenes Haus mit diesen Leuten dermaßen gefüllt ist, so daß ich nicht mehr weiß, wohin ich mich zurückziehen soll, wird es brenzlig.

Ich dachte daran, mir einen Ohrensessel und ein Heißluftgebläse in den alten Gewölbekeller zu stellen. Dann hatte ich die Hoffnung, daß der Garten vielleicht unbenutzt sei, aber da hockte Marker im Gras und depressionierte vor sich hin. Rettung bot vielleicht mein Schlafzimmer. Aber das verbot sich, da war ich zu nahe bei der Auseinandersetzung zwischen Rodenstock und seiner Tochter. Vielleicht mein Arbeitszimmer? Ging nicht, da schrieb Unger. In der Küche lärmte die verliebte Bettina.

Wo war eigentlich meine Katze Krümel? Hatte sie am Ende einen Raum gefunden, in dem sich ungeniert atmen ließ? Natürlich: Alfreds Scheune nebenan mit einem Heuboden so groß wie mein ganzes Haus. Da war sie denn auch, meine geliebte Krümel. Sie lag wie ein nasser Sack auf einem Heuballen und blinzelte mir zu, als wollte sie sagen: »Wenn du mich nicht hättest ...«

Ich dachte sogar daran, aus Sicherheitsgründen die Leiter hochzuziehen, damit keiner auf die Idee kam, mich hier zu suchen. Aber das schien mir dann doch übertrieben.

Ich legte mich nahe an die Luke und konnte weit über das Land schauen, das im Sommer ertrank. Im Süden über der Mosel zogen Gewitterstürme hoch, es würde noch drei bis vier Stunden dauern, dann würde es regnen. Gabi kam aus Jakobs Haus und ging schnurstracks zu mir auf den Hof.

Ich räusperte mich, sie sah nach oben und begann zu grinsen. »Du hast das Haus voll«, stellte sie klug fest.

»Na und wie! Wie geht es dir?«

»Ganz gut. Hör mal, ich habe mir das mit dem Geldraub überlegt. Erinnerst du dich, daß zwei Männer auf Motorrädern eine Bank in Stadtkyll überfallen haben? Zweimal. Und beim zweiten Mal sagte einer von ihnen zu einer Bankangestellten, sie solle sich endlich auf den Boden legen wie im vorigen Jahr ...« Sie strahlte zu mir hoch. »Da dachte ich, das muß doch eigentlich ein witziger Kerl sein. Was ist, wenn es solche Leute waren?«

»Ich habe auch daran gedacht«, nickte ich, »aber solche Leute können es nicht gewesen sein. Die Logistik in diesem Fall ist komplizierter und mußte vorher genau durchdacht sein.«

»Ziemlich pfiffige Typen also, oder?«

»Das macht die Sache so schwierig.«

»Und was machen die mit soviel Geld?«

»Vermutlich Rechnungen bezahlen und im Lotto spielen. Kennst du denn jemanden, zu dem das Ding passen würde?«

Sie überlegte, sie sah zu Boden. »Eigentlich nicht. Oder eigentlich doch.«

Krümel wälzte sich mitten auf dem Hof im Sand. Eine Rauchschwalbe griff sie an. Sie kam von Osten und flog vorher eine elegante Kurve, um sich zu konzentrieren. Dann stürzte sie steil herunter und stieß einen wütenden Schrei aus. Krümel duckte sich, machte sich platt, die Schwalbe zog hoch, wendete und griff erneut an. Sie flog die Katze direkt an und war sicherlich nicht mehr als zehn Zentimeter von ihrem Kopf entfernt. War das wirklich ein Angriff oder reine Lebenslust?

»Das mußt du mir erklären«, sagte ich. »Wieso kennst du solche Leute?«

»Ich meine junge Männer. Nicht die, die dauernd in den Kneipen stehen. Ich meine die, die ziemlich witzige Ideen haben. Da denkt man immer: Okay, warum setzen die diese Ideen nicht um? Verstehst du?«

»Ein wenig. Nenn mir einen Namen.«

»Kann ich nicht. Es ist so ein Gefühl. Manche von denen –

aber so viele sind es ja nicht – könnten das gemacht haben. Nicht wegen des Geldes, nur wegen des ... nur einfach so.«

»Wegen des Vergnügens?«

»Na ja, warum eigentlich nicht? Es ist doch niemandem was passiert, oder?«

»Und der Banker?«

Sie nickte. »Es sind zwei Teile, denke ich. Der Geldtransporter und der Banker. Mach's gut.« Sie ging davon.

Krümel kam heran und legte sich quer über meine Beine. Sie schnurrte, fühlte sich wohl.

»Wir sollten vielleicht hier schlafen«, schlug ich vor.

Die Nacht kroch heran, die Landschaft war schon blau und violett, und weit im Westen kam Nebel durch die Täler gekrochen.

Dann geschah etwas Erstaunliches. Die Tochter von Rodenstock erschien in der Haustür und hatte nichts Adrettes mehr an sich. Sogar das weiße Band in ihrem Blondschopf wirkte verwelkt. Sie hatte Schwierigkeiten, die zwei Sandsteinstufen vor dem Haus auf den Hof zu schaffen. Sie stakste, als habe sie motorische Schwierigkeiten. Sie hatte ein sehr zerstörtes Gesicht, in dem nichts mehr stimmte und in dem der Lidstrich schwarze Striemen in das Make-up geschnitten hatte. Sie heulte laut und wußte nicht, wohin mit sich. Sie marschierte auf ihr Auto los, als wolle sie es verprügeln. Schließlich setzte sie sich hinein und verschwand mit viel zuviel Gas.

Dann kam Rodenstock heraus. Er stand in der Tür, blickte sich um, reckte beide Arme genüßlich, gähnte, schniefte in ein großes, weißes Taschentuch und fragte vergnügt über die Schulter zurück: »Wann gibt es denn das Rührei?«

Wahrscheinlich hatte er also seine Welt erfolgreich verteidigt. Wenig später traf ich ihn im Arbeitszimmer vor dem Fernseher und riskierte die Frage: »Na, wie war's?«

Er war aufgeräumt. »Ich habe ihr gesagt, daß ich sie ein Jahr nicht mehr sehen will.«

Marker hockte an meinem Schreibtisch und dachte laut nach. »Was ist, wenn ich versuche, diesen Wassi unter Druck zu setzen?«

»Nicht gut«, sagte Rodenstock schnell. »Er kennt Druck in

jeder Form aus Kasachstan. Er wird damit nicht zu öffnen sein.«

»Das sehe ich auch so«, nickte Marker. »Aber ich brauche eine Bewegung, irgend etwas, das irgend etwas auslöst.«

»Was erzählen Sie eigentlich meinen Kollegen?« fragte ich.

»Hoffnungsvolles«, grinste er matt. »Von Spuren, die ich aus verfahrenstechnischen Gründen nicht näher beschreiben kann. Das hätte ich allerdings besser nicht getan. Deswegen bleiben Ihre Kollegen hier.«

»Das ist gut so«, befand ich, »dann lernen sie eine der schönsten Landschaften Deutschlands kennen.«

»Hier ist doch absolut nichts los«, widersprach Unger empört.

»Sie haben hier etwas, was Sie woanders nicht haben«, erwiderte ich giftig. »Die Möglichkeit, zur Ruhe zu kommen, ohne daß Ihnen einer sagt, Sie könnten nur mit einer bestimmten Sorte Margarine glücklich werden!«

Marker und Rodenstock grinsten breit, Unger war verwirrt, Bettina strahlte, und ich wußte nicht, wie ich mich fühlte.

»Sind die Eifler eigentlich fatalistisch?« erkundigte sich Rodenstock hinterhältig.

»Ein bißchen schon. Sie haben über Jahrhunderte sämtliche besitzgeilen Europäer über sich ergehen lassen müssen. Dann waren sie ein Armenhaus, wie man das nannte. Das färbt ab. Die Jungen jetzt sind anders.«

»Explodieren eigentlich Eifler nie?« fragte Rodenstock. Dabei wirkte er so, als habe er sich die Frage selbst gestellt.

»Nur die Zugereisten«, murmelte ich. »Was ist mit dem verdammten Rührei?«

»Ach du mein lieber Vater«, hauchte Bettina.

»Der, der den Tieflader klaute, mußte wissen, daß der Fahrer aus Belgien stammt und am Wochenende nicht erscheinen würde«, meinte Rodenstock.

»Bei guter Planung ein Kinderspiel, das zu erfahren«, sagte Marker.

Das Telefon schellte, jemand wollte Marker sprechen. Der hörte kurz zu, seufzte und stand dann auf. »Der Fahrer aus Belgien ist in Daun. Ich seh ihn mir mal an.«

Niemand hatte Lust, mit ihm zu fahren. Der Rest der Truppe wartete ausgehungert auf Rührei mit Kartoffelbrei.

Wir mampften lustlos, nur Unger behauptete laut und fest, noch nie im Leben so hervorragenden Kartoffelbrei gegessen zu haben.

Dann schellte das Telefon erneut, und mein Bürgermeister meinte mit reichlich viel Schmalz, ich hätte der Witwe Bolte aber eine prima Gute-Nacht-Geschichte erzählt, ob ich das nicht wiederholen könnte.

Man soll Amtspersonen nicht fragen, ob sie vorübergehend im geistigen Abseits leben, aber ich fragte trotzdem: »Heißt das, daß ich eine Umschulung zum Altenpfleger machen soll?«

»Nein, nein, aber Kättchen hat eben gesagt, das hätte die alte Frau prima beruhigt. Kättchen macht ihr gerade eine Suppe, und sie war schon wieder auf dem Marsch zur Heiligen Jungfrau. Sie hat schon wieder dieses blaue Licht um Christian Dauns Scheune gesehen. Kättchen übrigens auch.«

»Na sicher, Christian schweißt seine Wender und Eggen und was weiß der Henker.«

»Kättchen fragt, ob du nicht kommen könntest. Dann hat sie es einfacher.«

»Also gut, ich gehe. Was hast du von dem verschwundenen Zaster gehört?«

»Nichts, rein gar nichts. – Aber Gitta hat ihren Kindergarten. Stell dir das vor!«

»Wie hat sie das gemacht?«

»Ich weiß es nicht. Sie rief heute mittag an und sagte, das Sozialministerium in Mainz könne sie mal kreuzweise. Sie baut aus und fängt mit zwei Kindergruppen und einer Krabbelgruppe an. Weiß der Henker, wie sie das geschafft hat.«

»Wahrscheinlich wütend«, sagte ich, und er lachte. Die Regierenden in diesem Landstrich behaupten, es seien reichlich Kindergartenplätze vorhanden, was ihnen niemand glaubt. Gitta war eine junge Kindergärtnerin, die sich seit Jahren vergeblich um Zuschüsse für eine private Einrichtung bemühte und dabei im wesentlichen gegen die Regierenden rannte, aber auch gegen die mächtige Caritas, die behauptete, alle sozialen Dienste der Eifel seien nicht nur ausreichend, sondern geradezu himmlisch gut, was ich für leicht übertrieben halte.

Das kleine Gehöft der Witwe Bolte wirkte im blauen Nachthimmel wie ein freundliches Hexenhäuschen, alle Fenster standen offen. Ich konnte in der Küche die beiden Frauen sehen. Kättchen stand am Herd und rührte in einem Topf, die Witwe Bolte stellte Teller auf den Tisch und sah in ihrem weißen Nachthemd wie ein umfangreiches Gespenst aus. Sie sangen »Meerstern, ich dich grüße ...«

Ich lehnte mich an das offene Fenster und wartete brav, bis sie ausgesungen hatten.

»Da ist dein Märchenonkel«, sagte Kättchen lächelnd.

»Ihr seid aber spät dran«, stellte ich fest.

»Das kommt daher, weil ich heute vier Andachten gemacht habe«, erwiderte die Witwe Bolte ernsthaft. »Abends hat die Heilige Maria mich erhört, ihr wunderbares Licht kam wieder.«

»Das ist recht«, meinte Kättchen. »Aber jetzt wird erst mal gegessen. Gebete brauchen Kraft.«

»Hat sie ihre Tabletten genommen?« fragte ich.

»Das weiß ich nicht«, antwortete Kättchen. »Sie kriegt sechs Tabletten und Pillen. Aber sie hat damit auf dem Küchentisch gespielt. Jetzt ist in jeder Dose irgendeine Mischung, und kein Mensch weiß mehr, was eigentlich was ist.«

»Vielleicht kann man das rauskriegen«, sagte ich.

»Ich kann die wieder sortieren«, erklärte die Witwe Bolte gutmütig, als seien wir die unartigen Kinder, die ihre Hausapotheke durcheinandergeworfen hatten.

»Das ist prima«, meinte das praktische Kättchen. »Aber erst ißt du!«

Ich ging um das Haus herum und hinein. »Gibt es denn irgendwo die Verpackungen der Medikamente und das Rezept?«

»Vielleicht im Küchenschrank«, murmelte Kättchen. »Man muß eventuell ein neues Rezept vom Doktor holen. Das ist das Sicherste. Sonst futtert sie irgendwas gegen Durchfall, und es ist für die Lunge, oder so.«

»Das weiß ich doch alles«, flötete die Witwe Bolte.

»Setz dich hin und laß das mal den Siggi machen«, befahl

Kättchen. »Jetzt steht das Essen auf dem Tisch, jetzt wird gegessen.«

»Ich bin ja ganz brav«, versicherte die Witwe Bolte.

Die Medikamentenverpackungen waren nicht im Küchenschrank, das Rezept auch nicht. Auch im Schlafzimmer fand ich nichts, und die gute Stube war blankgefegt wie eine Tenne.

»Dann fahre ich früh zum Doktor und lasse mir ein neues Rezept ausstellen.«

»Das kostet wieder Geld«, meinte Kättchen.

Die Witwe Bolte strahlte. »Aber das macht doch nichts. Maria, die Jungfrau, hat mir Geld gegeben. Warte mal, wo ist denn das?« Sie stand auf, sie legte einen Zeigefinger theatralisch auf die Stirn. »Ach, ach, ach, ich weiß es wieder. Ich habe es da in die Vase getan.« Sie ging an den Küchenschrank und holte eine große, scheußliche, bauchige Vase heraus. Sie griff hinein, und ihre Hand kam mit einer guten Handvoll Hundertmarkscheine wieder hinaus. Sie legte das Knäuel auf den Küchentisch und sagte entzückt: »Da!«

Kättchen wurde um einiges bleicher. »Wenn Willi das erfährt, kriegt er einen Anfall. Du hast versprochen, du hast kein Bargeld im Haus!«

»Aber die Jungfrau ...«, murmelte die Witwe Bolte verschüchtert.

»Quatsch Jungfrau«, sagte Kättchen. »Du hast gemogelt. Wieviel ist das denn?«

Die Kostbarkeit war zusammengeknüllt, als habe jemand Heringe drin transportiert. Ich nahm die Scheine und strich sie Stück um Stück glatt. »Es müssen so an die viertausend Mark sein, und ein paar haben im Dreck gelegen oder in einer Pfütze. Das stinkt nach Öl.«

Die Witwe Bolte blickte an die Küchendecke.

»Das hat sie schon ein paarmal gemacht«, erklärte Kättchen halblaut. »Das muß vor fünf Jahren gewesen sein. Da hat sie ein ganzes Bündel von dem Zeug in der Kirche hinter die Heilige Maria gestopft. Jetzt hat sie ja die Maria drüben an der Scheune stehen. Sie steckt das Geld dahinter und sagt, Maria hätte es ihr gegeben.«

»Die Jungfrau hilft mir Armen«, sagte die Witwe Bolte.

»Es sind viertausendzweihundert Mark«, sagte ich. »Wie kommt sie daran?«

»Du weißt doch, wie das hier ist«, erwiderte Kättchen. »Die Alten trauen den Banken nicht. Die haben alles bar zu Hause. Sag mal, wieviel hast du denn noch davon?«

»Nichts«, behauptete die Witwe Bolte. »Das ist von der Jungfrau Maria. Sie warf es ... es lag vor ihr, und sie sagte ... sie hat es mir gegeben.«

»Ich nehme es mit nach Hause«, entschied Kättchen. »Willi kann es auf ihr Konto einzahlen. Man müßte hier mal alles durchsuchen. Der olle Hammes aus Niederehe hat im letzten Frühling sechstausend Mark im Ofen versteckt und vergessen. Es fiel ihm erst im Herbst ein, als er den Ofen anzünden mußte, weil es so kalt war.«

»Ich bin satt«, verkündete die Witwe Bolte. »Seht mal, der Erzengel sendet Zeichen.«

Über Christian Dauns Scheune stand der blaue Schein, und Kättchen fragte: »Findest du nicht auch, daß der es übertreibt? Arbeitet dauernd in der Nacht. Der macht sich doch kaputt.«

»Was soll er machen? Er verkauft sein Heu an die Holländer. Das bedeutet ein paar Wochen fast ohne Schlaf, aber auch, daß er verdammt gut verdient.«

»Ja«, murmelte sie, »sicher, so ist es auch richtig.«

»Er sollte heiraten«, sagte ich.

»Heiraten? Der Christian? Hm. Würde der schon, aber wer heiratet heutzutage einen Bauern?«

»Das alte Elend«, meinte die Witwe Bolte weise. »Was kriege ich denn für eine Gute-Nacht-Geschichte? Irgend etwas mit einem Engel?« Jetzt war sie wieder das kleine Kind, das den Papa überreden wollte.

»Irgendwas mit einem Engel«, bestätigte ich.

Kättchen nahm mit den ihr eigenen resoluten Bewegungen die Teller und Bestecke vom Tisch und spülte sie ab. »Hast du gehört, daß Mirbach ein neues Geläut bekommt? Und Walsdorf auch?« erzählte sie mir dabei. »Ich weiß nicht, ob das sein muß, fast zweihunderttausend jeweils. Erst geht es nicht, weil jahrelang kein Geld da ist, dann geht es doch ... na ja, die müssen es wissen. So viel Kredit.«

»Ab ins Bett«, befahl ich der Witwe Bolte. »Und schön einkuscheln.«

»Und schön einkuscheln«, trällerte sie.

Ich erinnerte mich an eine Kurzgeschichte von O'Henry, in der eine junge Frau in New York ihr Haar verkauft, um ihrem Mann ein kleines Weihnachtsgeschenk machen zu können. Ich machte aus der jungen Frau einen Engel, der durch die Straßenschluchten New Yorks schwebt und dem armen, jungen Mann sein Haar schenkt. Irgendwann schlief die Witwe Bolte mit einem seligen Lächeln auf dem Gesicht ein.

Kättchen und ich schlossen die Fenster und machten uns auf den Weg.

»Sie hat ihre Gipsmadonna an Christian Dauns Scheune gestellt«, sagte Kättchen. »Sollten wir nicht besser gucken, ob sie da noch eine Handvoll Geld hingetan hat?«

»Sollten wir vielleicht«, bestätigte ich.

Also marschierten wir über die zweihundert Meter Feldweg zur Scheune, und die ganze Zeit über waberte der blaue Schein, durchzuckt von Blitzen, in den Nachthimmel.

»Das mit dem neuen Geläut«, nahm Kättchen die Unterhaltung wieder auf, »das ist schon merkwürdig.«

»Das kannst du laut sagen«, erwiderte ich. »Vielleicht kaufen die Gemeinden neue Glocken, weil es der Wirtschaft immer mieser geht und weil sie in zwei Jahren gar nichts mehr tun können.«

»Das kann sein«, entgegnete sie. »Hier ist viel los, was Pleiten angeht. Aber darüber redet man nicht.«

»Eine schweigsame Landschaft«, murmelte ich. »Wie bei dem Geldraub. Steckt die Witwe Bolte mit ihrer Spinnerei eigentlich andere an?«

»Ja, ja, ein bißchen schon. Aber noch ist es harmlos. Der Pfarrer hat allerdings gesagt, so fängt es an den Wallfahrtsorten immer an. Und er ist nicht glücklich darüber.«

Wir hatten den monströsen Haufen Feldsteine erreicht, auf dem die Gipsmadonna thronte.

Kättchen kniete sich hin und langte hinter den Haufen. »Hier sind die Belüftungslöcher für das Heu. Da steckt sie das Geld rein. Aber jetzt ist keins da. Rührend, nicht wahr?«

»Das ist großer Glaube«, sagte ich. »Das ist wohl das, was wir Gnade nennen.«

»Guck mal, ein ganzes Bündel Kerzen. So ist das hier mit dem Glauben. Weißt du, hier ist ja so viel kaputtgegangen. Du mußt dir mal vorstellen: Nach dem Krieg hatten wir hier weit über sechzig Vollerwerbsbetriebe, jetzt sind es nur noch drei, und zwei davon geben auch auf. Die Frauen, die das erleben, sind ... sie sind einfach voller Trauer. Sie verstehen das nicht. Der ganze Bauernstand ist kaputt. Die Frauen waren ja schon immer für die Gebete zuständig.«

»Gebete sind wichtig, auch wenn man es manchmal anders nennt. So, ich gehe noch was mit Christian schwätzen. Grüß deinen Mann.«

»Ist gut. Bis morgen abend.« Sie ging nach Hause, und ich stand da vor der Gipsmadonna und fühlte mich fehl am Platz. Christian Daun schweißte zwei kurze T-Träger zusammen. Er grinste mich an. »Da steht ein Bier.«

»Kein Alkohol.« Ich stopfte mir die gebogene Punto oro von Savinelli. »Wieviel Tonnen hast du hier drin?«

»Weiß ich nicht genau. Ich schätze mal zweihundert. Es sind rund fünfzehn Laster mit Hängern voll.«

»Ich habe eben mit Kättchen gesprochen. Wieso heiratet ein Mann wie du nicht?« Ich war jemand, der diese Frage stellen durfte, und ich war stolz darauf.

»Welche junge Frau will morgens um fünf Uhr aufstehen, in den Stall zum Melken und so weiter und so fort? Wer will das?« Er hämmerte auf der Schweißnaht herum und klopfte Schlacke ab. »Anfangs sind sie begeistert, da ist das etwas Besonderes. Aber wenn es Alltag wird, gehen sie alle.« Er wurde sehr ironisch und dann zynisch. »Kennst du die Fernsehserie *Das Erbe der Guldenburgs*, kennst du die? Also, das ist die gequirlte Kacke von so einem Gutshof, der gleichzeitig Brauerei ist. Und immer geht es um Millionen und immer um Weiber, die den Lack kilometerdick auf die Fresse schmieren. Und alle reiten und gehen ins Kasino und schnüffeln in der Post des Mannes. Und wenn sie nicht gerade mit dem Tennislehrer bumsen, unterschreiben sie Schecks. Ich weiß nicht, was die Weiber sich vorstellen. Morgens bringt der Butler das Frühstück, und anschließend sattelt er den Zossen, damit die Gnädige durch die eigenen Felder reiten kann. Ich hatte mal eine hier. Die rannte morgens zwei Stunden lang zu den süßen kleinen Kälbchen, zu den süßen kleinen Kätzchen, zu den süßen kleinen Hündchen. Ich habe sie dann gebeten, ein bißchen Streu wegzugabeln, und sie hat gefragt, wo der Spaten steht.«

»Wie lange wird das gehen? Ich meine, wie lange kannst du dich halten?«

Er hielt inne, er sah zu Boden. »Vielleicht reicht es für mein Leben. Vielleicht muß ich in zehn Jahren Ökologiewirt spielen und nachsehen, ob die Büsche wachsen. Vielleicht gehe ich dann Schmetterlinge zählen und Mistkäfer sammeln. Ich weiß es nicht. Mein Vater sagt, die Politiker haben uns beschissen. Und weil das stimmt, warte ich ab und sage lieber nichts. Gibst du mir mal Feuer?«

»Ich frage mich, wieso wir keinen Bauernaufstand haben?«

Er lachte. »Wir sind zu brav«, murmelte er, »viel zu brav.«

»Was hat euch eigentlich das Genick gebrochen?«

»Die EG«, erklärte er. »Sie haben erst gesagt, zehn Kühe lohnen nicht, du brauchst dreißig. Also hat man sie angeschafft und neue Ställe dazu. Dann waren wieder zehn Kühe gefragt, also hat man abgespeckt. Dann waren sechzig Kühe das mindeste, was du brauchtest, und die Kredite waren billig. Also hast du gebaut und angeschafft. Dann gab es zuviel Milch, dann hast du abgebaut, dann war die Milch gut, dann hast du sie in den Gully geschüttet. Das letzte war die DDR. Als die Wiedervereinigung kam, haben die da drüben ganze Staatsgüter von Vieh geleert. Zu Hunderttausenden abgefahren. Die Preise waren so im Keller, daß du für ein Rind weniger gekriegt hast, als du für das Kalb bezahlen mußtest.«

»Was, verdammt noch mal, sagt denn euer Bundestagsabgeordneter dazu?«

»Er schwafelt rum und behauptet, es tue ihm in der Seele weh, zuzuschauen. Aber ich glaube, es ist ihm scheißegal.« Er warf die Zigarette in eine Pfütze öligen Wassers. »Mein Berufsstand ist im Eimer, und seit Adenauer haben sie alles getan, um das möglichst perfekt hinzukriegen. Sie haben nichts ausgelassen.«

»Du brauchtest jetzt den Geldtransporter.«

Er lachte laut heraus. »Das Geld würde ich nicht anrühren. Verschenken ja, aber nicht anrühren.«

»Und dein Vater? Kriegt der eigentlich später eine Rente?«

»Ja, kriegt er. Aber es ist nicht so, daß er bequem damit leben kann. Er muß schon aufpassen, bei jedem Bier. Hast du die Witwe Bolte ins Bett gebracht?«

»Ja. Paß auf, daß sie deine Scheune nicht anzündet mit ihren Kerzen.«

»Ich gucke jedes Mal nach«, meinte er. »Das fehlt mir noch, daß die mein Heu in die Luft bläst.«

»Kannst du eigentlich nicht umsatteln? Auf Müllwerker oder so was?«

Er sah mich an und schüttelte dann bedächtig den Kopf. »Ich brauche die Zugmaschinen unterm Arsch und die Erde. Das geht nicht.«

»Na denn, ich gehe jetzt. Mach's gut.«

»Mach's besser.«

Ich marschierte schnurstracks nach Hause, ich war müde.

Rodenstock hockte in einem Liegestuhl im Garten, und bei ihm saß eine Frau. Anfangs dachte ich, seine Tochter sei zurückgekehrt, aber dann sagte die Frau: »Hallo, Baumeister.«

Es war Elsa.

»Wo kommst du her?«

»Aus Hamburg.«

»Ich war es«, gestand Rodenstock.

»Freust du dich nicht?« fragte Elsa.

Ich stand stocksteif da und murmelte: »Weiß ich nicht.«

SIEBTES KAPITEL

Es herrschte eine Weile peinliches Schweigen. Ich dachte darüber nach, was ich zu meiner Entschuldigung sagen konnte.

Rodenstock räusperte sich verlegen. »Sehen Sie, Baumeister. Ich erinnerte mich daran, wie gut wir damals zusammengearbeitet haben und wie gut die Zusammenarbeit mit Elsa war. Ich, na ja, ich hatte irgendwie das Gefühl, das zurückholen zu müssen.« Er wedelte verzweifelt mit den Händen. »Ich habe sie angerufen und sie gebeten zu kommen.«

»Ich kann mich wieder ins Auto setzen und gehen«, sagte Elsa tonlos. Sie sah mich nicht an, sie hockte da schmal und verloren auf ihrem Gartenstuhl und kam sich schrecklich überflüssig vor.

»Wo ist denn dein Auto?« fragte ich.

»Um die Ecke. Ich wollte dich überraschen.«

»Hol es her und pack es aus«, sagte ich. »Ich bin so gottverdammt versunken in diesen Fall, ich bin … ich bin so überrascht. Es … es tut gut, dich zu sehen. Wie geht es dir?«

»Das weiß ich nicht«, meinte sie und sah mich noch immer nicht an.

»Ich habe noch Rührei«, rief Bettina hinter mir.

»Kollegin!« kam auch noch Unger an und verbeugte sich tief. »Ich habe einen Rosé, der dich entzücken wird.« Er hielt ihr ein Glas hin. »Du mußt Baumeister nicht so ernst nehmen. Er ist ein Einsiedler, und wir haben seine Insel besetzt.«

»Und das kriegt er nicht geregelt«, murmelte Rodenstock.

»Trink einen Schluck«, sagte Unger. »Die Bauern hier sind stur und mies und irgendwie abweisend. Aber Baumeister ist okay, der Geldklau auch, und die Leiche ist prima.«

»Meine Bauern sind nicht stur, mies und abweisend«, widersprach ich.

»Magst du ein Rührei? Bettina macht prima Rührei.«

Elsa schniefte, bevor sie erklärte: »Ich mag kein Rührei mitten in der Nacht, und ich will erst mal dieses Glas Rosé austrinken und meine Karre holen.« Sie trank und fragte dann: »Ist hier alles beim alten?«

»Ja. Fritz der Frosch lebt immer noch zwei Meter hinter dir in der Mauer. Wahrscheinlich ist es bereits der zehnte Fritz. Dann haben sich zwei Glockenunken dazugesellt, die ich Castor und Pollux nenne, weil ich nicht auseinanderhalten kann, wer das Weibchen und wer das Männchen ist. Über dem Küchenfenster vor dem Rhabarber hat im Frühling eine Starenfamilie genistet. Und Krümel wird dich wiedererkennen.«

»Lebst du immer noch allein?«

»Natürlich. Ich hab's schon schwer genug mit mir selbst. Das muß ich nicht jemandem anders antun.«

»Und Sie, Rodenstock?« Sie hob den Kopf, und sie war schön und wild wie immer.

»Etwas hat sich verändert«, murmelte er. »Ich bin Witwer.«

»Scheiße.«

»Richtig«, nickte er.

»Und man hat wirklich über achtzehn Millionen geklaut?« Sie blickte uns der Reihe nach an.

»Ja«, strahlte Bettina. »Und stellen Sie sich vor: Keiner von diesen klugen Menschen hat auch nur einen Schimmer, wer der Dieb war.«

Elsa biß sich auf die Lippen. »Wirklich keinen Schimmer?«

»Keinen Schimmer«, bestätigte ich.

»Wir haben einen starken Hinweis darauf, daß der Bankfritze beteiligt war«, sagte Unger schnell, als gehe es ihm auf die Nerven, so gänzlich erfolglos zu sein.

»Ich mache Ihnen ein Bett auf dem Sofa im Arbeitszimmer«, bot Bettina an.

»Ich weiß noch gar nicht, ob ich eines brauche«, erwiderte Elsa. »Ich kann mir irgendwo ein Bett kaufen. Ich habe den redaktionellen Auftrag, über diese Sache zu schreiben. Aus Frauensicht.«

»Fotografierst du nicht mehr?«

»Doch, doch, aber ich lerne jetzt auch schreiben. Heh, Krümel!«

Krümel kam um die Ecke geschürt, betrachtete uns und ließ den Schwanz peitschen. Soviel Betriebsamkeit tagein, tagaus machte sie nervös. Sie kam herangetänzelt, Elsa hielt ihr die Hand hin, und Krümel legte ihren Kopf hinein und begann zu schnurren.

Rodenstock fragte sehr direkt: »Sind Sie sauer, Baumeister?«

»Nein, bin ich nicht. Aber man kann alte Zeiten nicht aufwärmen.«

»Das wollte ich nicht«, meinte er. »Ich bin ein Egoist.«

»Ist schon in Ordnung«, sagte ich. »Komm, wir holen deine Karre. Du kannst das Sofa nehmen. Die Geschichte hat etwas für Frauen: Männerspiele und eine sehr wahrscheinliche Mörderin.«

Bevor wir gingen, mahnte ich Unger: »Lieber Unger, Sie sollten vielleicht Ihre große Liebesfähigkeit einschränken, weil Marker gleich im Morgengrauen den Bundesgrenzschutz durch die Wälder hetzen will.«

»Sie sind ein Chauvi«, stellt Unger fest.

»Ja, ja, mag sein. Aber immerhin ein Chauvi, mit dessen Hilfe Sie eine Geschichte machen, oder?«

»Ich gehe mit dir«, tröstete ihn Bettina.

Elsa und ich schlenderten durch die Nacht und sprachen anfangs nicht, bis Krümel zwischen uns auftauchte und maunzte.

»Hat sie noch einmal Kinder bekommen?« fragte Elsa.

»Nein, ich habe sie sterilisieren lassen. Es war zu riskant. Wie geht es dir wirklich?«

»Ganz ehrlich, ich weiß es nicht. Ich war froh, als Rodenstock anrief und fragte, ob ich nicht Lust hätte, den größten Geldraub nach dem Krieg zu beschreiben.«

»Normalerweise machst du doch Mode?«

»Ja, immer noch. Aber das geht mir schon seit Jahren auf die Nerven. Ich habe dich vor einem halben Jahr angerufen, du hast dich nicht gemeldet.«

»War irgendwas?«

»Ich saß in der Tinte. Das hat sich inzwischen geklärt.«

»Wie lebst du so?«

»Wie lebt man so?« fragte sie mit einem schnellen Lächeln zurück.

»Ich verlange keine teutonische Nabelschau«, sagte ich. »Ich will einfach wissen, wie du dich fühlst.« Wir waren an ihrem Auto angelangt, das enthob sie einer Antwort. Wir fuhren die paar Meter auf meinen Hof, und ehe sie den Motor abstellte, knurrte sie wie eine wütende Katze: »Ich bin zwischendurch verheiratet gewesen.«

»Keine Nabelschau«, warnte ich. »So was kann schiefgehen. Ist es schiefgegangen?«

»Darauf antworte ich nicht.«

Wir schleppten ihre Taschen in mein Schlafzimmer, und sie erklärte, sie wolle duschen. Ich ging in mein Arbeitszimmer und hockte mich in einen Sessel. Als sie hinunterkam, trug sie einen wildbunten Hausanzug, warf sich auf das Sofa und forderte: »Erzähl mir alles von dem geklauten Geld.«

Ich berichtete ihr, was es Berichtenswertes gab. »Wie du siehst, wurde das Geld geklaut, und die Täter sind nicht einmal vage in Sicht. Wir haben einfach nichts.«

»Es hört sich so an, als denkt ihr in einer Einbahnstraße.« Sie klopfte den Tabak einer Zigarette fest.

»Wieso das?«

Sie lächelte leicht, ohne mich anzusehen. »Da wird Geld fast genial geklaut, und ihr habt nur eine Idee: Nämlich geniale Logistik, also organisierte Kriminalität auf hohem Niveau.«

»Aber was sonst?« fragte ich verblüfft.

»Die Lust am Klauen«, meinte sie leichthin. »Du redest unentwegt von einer genial perfekten Sache. Vielleicht war das alles Zufall?«

»Zufall? Fast neunzehn Millionen in bar samt dem Laster spurlos verschwinden lassen?«

Sie sagte trocken: »Das ist genauso wahrscheinlich wie eure Mär von einer hochorganisierten Bande. – Und dir? Wie geht es dir?«

»Eigentlich gut.«

»Ich habe ein paar deiner Geschichten gelesen, sie klangen resignativ.«

»Das bleibt nicht aus in dieser Scheißzeit. Im Grunde kriegen wir doch nichts mehr auf die Reihe, wir verpflastern unsere Sünden, wir heilen sie nicht. Wir denken bis zur Erschöpfung in alten Bahnen und wissen, daß wir auf dem falschen Zug sitzen. Bonn brilliert durch Rücktritte statt durch politische Lösungen, und noch immer wird uns eingeredet, ein Mann ohne Funktelefon sei ein Verlierer ...«

»Du lieber Himmel, ein Baumeisterscher Rundschlag. Und was sollte man tun?«

»Das weiß ich auch nicht. Geh schlafen.«

»Und du?«

»Ich schlafe hier.«

»Es war wohl nicht so gut, herzukommen.«

»Doch, doch, es war gut. Rodenstock hat Angst, weißt du. Nicht nur seine Frau ist tot, er selbst hat Krebs. Schlaf dich aus, wir können reden, wenn es ruhiger wird.«

Sie stand auf, dehnte sich, gähnte herzhaft und verschwand. Krümel lief hinter ihr her. Dann erschien Elsa erneut in der Tür und erklärte: »Ich bin hier, um die Geschichte zu schreiben, nicht um dir auf den Wecker zu gehen.«

»Du gehst mir nicht auf den Wecker, ich selbst gehe mir auf den Wecker.«

»Kannst du das erklären?«

»Sicherlich ... Ich lebe hier in holder Einsamkeit und arrangiere mich mit der Welt, indem ich sie verachte. Dann klaut irgendwer ein bißchen Kleingeld, ich kriege Besuch, und mein Seelchen wimmert, als sei es dem Teufel verschrieben. Jetzt weiß ich, was die katholische Kirche ihren Einsiedlern verdankt: Arroganz und lebensfremde Spielregeln. Ach Scheiße, ich bin sauer.«

»Das war aber eine schöne Rede«, sagte sie ironisch und entschwand ein zweites Mal. Doch sie steckte noch einmal den Kopf durch die Tür und lächelte. »Mir ist eben aufgefallen, daß der beste Rat, den ich dir geben kann, so lautet: Du solltest genausoviel Lust am Leben haben, wie die Leute, die den Geldlaster klauten.«

»Lust am Leben«, erwiderte ich theatralisch. »Hah!«

Als ich mich am nächsten Morgen rasieren wollte, mußte ich fast eine Stunde warten, weil meine Besucher sich geeinigt hatten, in welcher Reihenfolge sie ins Badezimmer durften. Ich war der letzte.

Rodenstock stellte neue Überlegungen an. »Wir sollten erst einmal Möglichkeiten ausschließen«, nörgelte er. »Wahrscheinlich ist das Fell des Bären längst verteilt. Von Lockenwicklern bis Eigenheimbau und Kauf von Bundesschatzbriefen. Also, wen können wir ausschließen?«

Ich starrte ihn an und faßte es nicht. »Wen können wir

ausschließen? Wir haben nicht einmal einen einzigen stramm Verdächtigen.«

»Doch«, widersprach er. »Wassi. Und weil Unger und Bettina mit dem Bundesgrenzschutz die Wälder pflügen, wäre es gut, wir würden Wassi jetzt erledigen.«

»Wassi arbeitet irgendwo im Wald.«

»Wir werden ihn auftreiben.« Er ließ sich nicht davon abbringen.

»Wenn wir ihn im Wald nageln, ist er erledigt. Seine Kollegen werden denken, daß irgendwas mit ihm nicht stimmt. Das wäre nicht fair.«

Rodenstock sah mich an, und sein Blick war sehr weit weg. »Das ist richtig«, murmelte er. »Was berichtet Elsa? Wie geht es ihr?«

»Ich weiß es noch nicht«, erwiderte ich. »Wo ist sie eigentlich?«

»Sie liegt auf dem Rücken in der Sonne und hat Krümel auf dem Bauch. Sie sagte mir eben, die Eifel habe ihr sehr gefehlt.«

»Das ist merkwürdig, diese Landschaft fehlt allen, die einmal hier waren. Den meisten. Sie bringt dich auf sich selbst zurück. Hier steht noch kein Spielautomat unter jedem dicken Baum.«

»Merken die Leute hier den wirtschaftlichen Abschwung?«

»Oh ja, und wie. Er wird bloß versteckt. Aber sie sind nicht gut im Verstecken, die Eifler. Sie lügen und werden rot.«

»Und wen erwischt es?«

»Zunächst einmal alle Subunternehmer der großen Industrie. Die Zulieferer, die sich hier gegründet haben. Sie geben ums Verrecken nicht zu, daß sie sterben, sie kaufen das nächstgrößere Auto mit Telefon und können ihr Grinsen nicht mehr abstellen.«

»Phantastische Täter«, sinnierte Rodenstock.

»Phantastische Täter«, gab ich zu. »Aber ob sie so viel Mumm haben, weiß ich nicht. Ich glaube nicht, daß diese Leute hingehen und einen ganzen Geldtransporter klauen. Das ist eine Nummer zu groß.«

»Hm«, nickte er vage.

»Glauben Sie eigentlich, daß das BKA einen Verdacht hat?« fragte ich.

Er schüttelte den Kopf. »Marker ist relativ offen, er hätte das gesagt. Ich habe übrigens einen Kaffee gemacht.«

»Danke. Ich möchte Wassi gegen Abend in die Mangel nehmen.«

»Meinetwegen«, gab er zurück.

Mit meinem Becher Kaffee marschierte ich in den Garten und hockte mich neben Elsa, die in einem winzigen Bikini auf einer Decke in der Sonne hockte.

»Du solltest Schatten suchen. Das Ozonloch dräut.«

»Na gut.« Sie nahm ihre Decke und schleppte sie ein paar Meter abseits unter den Weißdorn. »Erzählst du mir von dieser Frau, die ihren Mann umgebracht haben soll?«

»Ich weiß nicht viel von ihr, ich weiß eigentlich gar nichts. Außer, daß sie irgendwie schrecklich kaputt ist.«

»Was heißt denn schrecklich kaputt?« Sie zündete sich eine Zigarette an und streichelte die Blüte eines verspäteten Seifenkrauts.

»Sie wollte ein Kind, er wollte keines, sie bekam trotzdem eines, und er sorgte dafür, daß es nicht geboren wurde.«

Sie hockte sich hin, stellte sich dann aufrecht, bog den Rücken durch. »Kommst du mit zum Kerpener Steinbruch? Ich will die Farben sehen und den Tümpel riechen.«

»Sicher komme ich mit. Das ist eine gute Idee, das ist eine sehr gute Idee. Ich bin ohnehin vernagelt. Aber zieh dir etwas an, sonst fallen die Bauern vom Trecker.«

»Und Rodenstock?«

»Lassen wir hier, soll das Telefon hüten.«

»Ist er suizi… ist er müde?«

»Ja, ich glaube. Aber langsam kommt er wieder.«

»Er ist zu schade für den Tod«, murmelte sie. »Ich zieh mir etwas an.«

Sie kam in Jeans und einem grellroten Shirt wieder und hatte sich ein leuchtend rotes Band in die rote Löwenmähne geflochten, und wir stiefelten los.

»Hat sich hier etwas verändert?«

»Nein. Das Leben fließt gleichmäßig.«

»Sind die Roten Milane noch da?«

»Ja. Wieso hast du die Idee mit der Ehe gehabt? Für so was braucht man einen Waffenschein.«

Sie lachte. »Vielleicht hätte ich dich um Rat fragen sollen. Ich habe es aber nicht.«

»Was war denn das für ein Vogel?«

»Ein ganz netter«, meinte sie nachdenklich. »Eigentlich ein ganz netter.«

»Wie kam es dazu?«

»Sei doch nicht lebensfremd, Baumeister. Wir hatten uns verliebt. Wir hatten beide das Gefühl, etwas schrecklich Normales, Bürgerliches machen zu müssen.«

»Vielleicht hat er dich nicht wirklich geliebt?«

»Oh doch! Er hat mich so sehr geliebt, daß er sein Gehirn an der Garderobe abgab und mich für ihn denken ließ.«

»Und dein Gehirn reagierte wie ein Schweizer Käse?«

»Nein, durchaus nicht. Aber das Vakuum in seinem Kopf machte ihn träge. Seine Karriere funktionierte nicht mehr, und schließlich kam er auf die Idee, mir alles abzunehmen, was mich irgendwie beeinträchtigen könnte. Er machte die Wäsche, er spülte, er bügelte sich seine Hemden, er putzte meine Schuhe, er staubsaugte, er ...«

»Das ist ja furchtbar.«

»Richtig. Das war es auch. Schließlich wollte er Hausmann sein und schlug mir ein Kind vor.«

»Und du bist geflüchtet.«

»Nein, noch nicht. Ich flüchtete erst, als er versuchte, mein ganzes wunderschönes Wohnzimmer mit Nut und Federbrettern auszulegen. Da kam ich mir vor wie bei Mama Ikea persönlich. Erst dann flüchtete ich.«

»Was macht er jetzt?«

»Das weiß ich nicht. Er wollte in eine Therapie gehen, und er wollte sogar, daß ich sicherheitshalber mitgehe.«

»Und wie lange leidest du schon?«

»Das ist ein halbes Jahr her. Jetzt kann ich hin und wieder schon wieder lächeln.«

»Wie schön. – Sieh mal, da tanzt eine Heidelerche«, zeigte ich ihr.

»Du lieber Gott, schlägt die einen Lärm.«

»Ja. Und sie fliegt dabei mit hohem Flügelschlag. Gemessen an menschlichen Kräften, könnten wir diese Leistung nicht einmal zwanzig Sekunden bringen, sie bringt sie stundenlang. Lateinisch heißt das kleine Wunder Lululla arborea. Sie nistet zweimal im Jahr, und gewöhnlich fliegt sie zum Überwintern in den Mittelmeerraum. Aber immer häufiger bleiben sie über den Winter hier. – Was hast du beruflich erlebt?«

»Ich war zwei Monate in Bosnien-Herzegowina.«

»Schlimm?«

»Ein Alptraum. Was ist das da? Dieser violettblühende Strauch?«

»Das ist ein Seidelbast. Aber er blüht nicht. Das ist eine Mogelei. Da hat sich eine Vogelwicke an ihm hochgerankt.«

»Du bist ein guter Biologielehrer«, lächelte sie. »Ist niemand aufgetaucht, der dich haben wollte?«

»Doch schon, aber ich wollte nicht. Es waren Typen, die eher hausfrauliche Beschwerden hatten und so etwas wie eine unverbindliche Abwechslung suchten. Du kennst das ja: Anrufe, bei denen jemand beziehungsvoll seufzt und dann auflegt, um das Schicksal sprechen zu lassen. Bei einem IQ von zehn.«

Eine Weile schwiegen wir.

Dann schlug Elsa vor: »Du kannst das Geld finden und die Belohnung kassieren. Dann pumpst du mir was, und ich mache mich selbständig.«

»Bist du denn pleite?«

»Und wie, Baumeister, und wie! Aus irgendeinem Grund habe ich ihn an mein Sparbuch gelassen. Weißt du, was er angeschafft hat?« Sie lachte strahlend. »Ein Wohnmobil, sechzehn Meter lang, zwillingsbereift mit einer Inneneinrichtung wie für den Schah von Persien.«

»Ach du lieber Gott. War er ein Campingfreund?«

»Nein. Wir haben es uns nur so schön vorgestellt, mit dem Ding durch die Welt zu fahren. Wir waren sehr verrückt, glaube ich.«

»Wie schön«, meinte ich. »Wer von euch kam denn auf die Idee, daß die Konstruktion faul ist?«

»Ich natürlich.«

»Und er?«

»Na ja, er macht seine Therapie und versucht dauernd, mich zu überreden, zurückzukehren.«

»Das darf nicht wahr sein. Morgen steht er auf meinem Hof!«

»Er hat doch keine Ahnung«, sagte sie leichthin. »Und ich liebe ihn nicht mehr.«

»Und was machen wir, wenn er es nicht glaubt?«

Sie lachte nur.

Wir schlenderten in den Wald junger Buchen hinein und kamen auf der obersten Sohle des Steinbruches an.

»Ist der Uhu noch hier?« fragte sie.

»Ja, aber er hat seinen Stammsitz ungefähr vierhundert Meter nach Süden verlegt. Irgend etwas gefällt ihm dort besser. Wirst du Hamburg verlassen?«

»Kann sein, ich weiß es nicht.« Sie starrte hinunter auf den Teich, der sich im Laufe der letzten zehn Jahre auf dem Boden der untersten Sohle gebildet hatte. »Gibt es Molche?«

»Scharenweise. Sieh an, wir sind nicht allein, die Gitta hockt dort. Ich wußte gar nicht, daß die etwas für Natur übrig hat.«

»Wer ist sie?«

»Eine nette junge Frau mit Haaren auf den Zähnen. Macht einen privaten Kindergarten auf, zeigt der Caritas die Zähne. Komm.«

Gitta blieb auf dem großen Stein am Teich hocken und schaute uns lächelnd entgegen. »Ich sage, das ist kein Zufall. Ich wollte auf dem Rückweg zu dir reinkommen, Baumeister.«

»Das ist Elsa, das ist Gitta. Gebt euch die Hand. Mein Bürgermeister sagte mir, du willst den Kindergarten jetzt allein bauen.«

»Ich weiß nicht, ob ich das heute noch will«, erklärte Gitta. Sie trug ein blauschwarzkariertes Cowboyhemd über der Jeans, und sie hatte eine Zigarettenschachtel mit einem Feuerzeug neben sich liegen. Den Kippen nach zu urteilen, rauchte sie Kette.

»Mein Bürgermeister sagte, du hast das Geld aufgetrieben.«

»Das habe ich auch. Aber ich weiß nicht, ob ich es nehmen

soll.« Sie hatte ein breites, gutmütig hübsches Gesicht, und ihre Augen waren eisblau und wirkten sehr lebendig.

»Was haben Sie vor?« fragte Elsa.

Gitta sah Elsa an und entschied dann, daß sie reden wollte. Sie sagte mit einer weit ausholenden Bewegung: »Anfangs war das eine verrückte Idee. Ich bin jetzt 28, damals war ich 23. Wir hatten in den Dörfern hier immer schon Schwierigkeiten mit Kindergartenplätzen; vornehmlich mit ganz kleinen Kindern, also Krabbelgruppen. Die Caritas hat auf diese Dinge hier ein totales Monopol. Natürlich habe ich nichts dagegen, solange keine Schwierigkeiten entstehen. Aber es entstehen immer Schwierigkeiten. Die Unterrichtung der jungen Kindergärtnerinnen ist natürlich katholisch, katholisch, katholisch. Mit den Kindern durch das Kirchenjahr. Ich halte das für gefährlich. Also hat eine Gruppe von uns eine private Planung ins Auge gefaßt.

Wir waren sechs junge Frauen. Vier davon sind mittlerweile reuig abgesprungen, weil sie Jobs brauchten, um Geld zu verdienen. Eine wurde geschieden, und geschiedene Frauen beschäftigt die Caritas nicht gerne. Bleiben zwei, meine Freundin Edda in Blankenheim und ich. Natürlich bekamen wir keine Gelder, natürlich hieß es anfangs immer von seiten der Banken: Wir finanzieren euch. Aber dann bekamen die Banken einen Anruf und waren plötzlich nicht mehr so spendabel.«

Sie zuckte die Achseln. »Ich hatte schon aufgegeben. Ich konnte in Köln in einen freien Kindergarten einsteigen. Doch dann ist mein Vater gestorben, meine Mutter hockt allein auf dem Hof und langweilt sich zu Tode. Da fragte sie mich, ob ich den gesamten Hof haben wollte: Für meinen Kindergarten ...«

»Hatten Sie denn genug Anmeldungen?« fragte Elsa.

»Aber ja. Jede Menge, kein Problem. Jetzt hatte ich also einen Bau, denn wir haben eine massive, riesige Scheune, die man nur umbauen muß, um einen erstklassigen Kindergarten zu kriegen. Aber ich bekam kein Geld, ich ...«

»Wieviel hättest du denn gebraucht?« unterbrach ich sie.

»Also, ich habe sparsam gerechnet, aber ich habe alles von Fachleuten machen lassen, weil ich genau weiß: Wenn ich es riskiere, muß jeder Wasserhahn stimmen und jeder Lokus die genaue Kinderhöhe haben, sonst dreht mir einer einen Strick. Wir sind genau auf einhundertzweiunddreißigtausend Mark gekommen.«

»Und das Geld hat Ihnen eine Bank gegeben?« fragte Elsa.

Sie schüttelte den Kopf, stand auf und stieg von dem Stein herunter. Sie stellte sich an das Wasser, und vor ihren Füßen flohen die dicken Quappen der Glockenunken in Scharen.

»Deswegen wollte ich zu dir, Baumeister. Am Sonntag morgen stehe ich auf, gehe mit Mama in die Kirche, und wir kommen zurück. Da sehe ich hinten im Blumengarten hinter dem Haus ein Paket liegen. Es war Zeitungspapier mit einem Gummiband drum herum. Ich mache das Ding auf und denke, ich falle in Ohnmacht. Das war bündelweise Geld, Baumeister. Es waren genau ...«

»Einhundertzweiunddreißigtausend Mark«, rief Elsa und schlug vor Begeisterung ihre Hände auf die Knie.

»Ist das so?« fragte ich.

Gitta nickte.

»Was hast du damit gemacht?«

»In der ersten Begeisterung habe ich laut verkündet: Jetzt baue ich den Kindergarten auf! Ich habe keinem gesagt, daß ich das Geld bar im Haus habe. Ich bin Montag morgen zur Bank und habe ein Bankfach gemietet. Da liegt es jetzt. Aber ich kann das nicht nehmen, das geht doch nicht.«

»Langsam«, sagte ich nervös, »bitte, ganz langsam. Du hast also das Geld im Garten gefunden. In Zeitungspapier eingewickelt. Was für ein Zeitungspapier?«

»Es war der Trierische Volksfreund, Ausgabe vom vergangenen Donnerstag.«

»Hast du deiner Mutter etwas gesagt?«

»Kein Wort. Natürlich hat sie gemerkt, daß irgend etwas los ist, aber sie ist sicher nicht auf die Idee gekommen, daß ich Geld geschenkt bekommen habe.«

»Was passierte dann? Wann haben Sie verkündet, Sie würden den Kindergarten bauen?« mischte sich Elsa ein.

»Abends, am Sonntag abend. Die Clique hockte bei Mechthild – wie immer.«

»Hast du irgend etwas angedeutet?«

Sie schüttelte den Kopf und brach einen kleinen Weidenast ab. Dann kniete sie sich an das Wasser und schlug damit leicht auf die Oberfläche. »Ich habe nichts angedeutet, kein Wort. Ich habe zu verstehen gegeben, daß die Bank mich jetzt doch finanziert.«

»Wer hat denn gewußt, daß der Umbau ziemlich genau einhundertzweiunddreißigtausend Mark kosten würde?«

»Alle wußten das«, erklärte Gitta. »Jeder aus der Clique, einfach jeder, der mich kennt. Das sind verdammt viele.« Sie starrte vor sich in das Wasser, in dem eine Alge gelbblühende Teppiche gewirkt hatte. Ein Kammolch kam aus der Tiefe geschossen, schnappte Luft, senkte sich und verschwand.

»Das ist doch nicht alles«, sagte Elsa hellsichtig.

»Das ist nicht alles«, bestätigte Gitta. »Das ist längst nicht alles.« Sie hockte sich auf die Fersen. »Als ich das Geld hatte, rief ich sofort Edda in Blankenheim an. Die setzte sich ins Auto und kam zu mir. Wir haben dann gesponnen, und abends war sie mit in Mechthilds Kneipe. Dann fuhr sie nach Hause. Ich wollte gerade ins Bett gehen, da schellt das Telefon, das war nachts um zwei. Edda war dran. Es ist so, daß sie es etwas leichter hat als ich. Ihre Eltern hatten früher mal einen Landhandel, und die große Lagerhalle von denen ist beinahe ein perfekter Kindergarten. Sie brauchte rund siebzigtausend, um es durchzuziehen.« Gitta lachte wirr. »Es war schon irgendwie verrückt: hundertzweiunddreißigtausend für mich, siebzigtausend für Edda. Sie konnte kaum sprechen, sie stotterte. Sie hat vor ihrem Fenster einen Riesenpott mit Fuchsien stehen. Da hatte ihr jemand ein Paket mit Zeitungspapier reingesteckt, siebzigtausend in bar.«

»Wo ist das Geld?« erkundigte ich mich.

»Auch in meinem Bankfach«, antwortete Gitta.

»Hast du mit irgend jemandem außer mit dieser Edda gesprochen?«

»Wir zittern nur noch, wir haben niemandem was gesagt.«

»Aber Sie müssen damit zur Polizei«, sagte Elsa sanft.

»Deswegen wollten wir mit Baumeister sprechen. Das darf keiner erfahren, daß darf wirklich keiner erfahren.« Sie hielt sich die rechte Hand vor den Mund.

»Wieso das?« fragte Elsa.

»Weil es dann unvermeidlich ist, daß die Leute denken, die beiden Frauen hängen in dem Coup drin«, erklärte ich. »So ist das Leben. – Sag mal, Gitta, habt ihr mal versucht, die Runden zu rekonstruieren, die genau wußten, wieviel Geld ihr braucht?«

»Wir haben die Namen aufgeschrieben«, entgegnete sie eifrig. »Aber das ist verdammt aussichtslos. Bei mir sind das circa dreißig Leute, davon gut und gerne zwanzig Männer. Bei Edda sind es genausoviel.«

»Sind es bei Ihnen und Ihrer Freundin dieselben Menschen, oder andere?« fragte Elsa.

»Das haben wir auch überlegt. Bei ihr und mir zusammen sind es ungefähr zwanzig Männer und zwanzig Frauen.«

»Wir haben also in eurer Umgebung rund vierzig Leute, die genau wissen, wieviel Geld ihr braucht«, stellte ich fest. »Richtig?«

»Richtig.«

»Und diese vierzig wissen von beiden, also von dir und Edda?«

»Ja«, nickte sie. »Aber es kann sein, daß wir in der verkehrten Richtung suchen. Daß zum Beispiel jemand durch unsere Eltern davon erfahren hat. Oder durch die Leute bei den Banken. Wir haben eine Riesenauswahl.«

»Moment mal, bitte.« Ich mußte sie unterbrechen, weil ich plötzlich eine Möglichkeit sah. »Also wußte der tote Banker Wolfgang Schuhmacher genau, wieviel Geld du brauchst? Ist es vorstellbar, daß er mit dir verbunden ist? Irgendwie?«

Gitta lächelte. »Nein. Auf keinen Fall. Er wußte natürlich, wieviel Geld ich brauche. Er hat sich anfangs sogar für mich stark machen wollen. Aber sonst war da nichts.«

»Hat er dich angehimmelt oder irgend etwas in der Art?«

»Der? Um Gottes willen, nicht die Spur. Doch auch der Boß der anderen Bank wußte genau, wieviel Geld ich brauche. Schließlich habe ich den auch um Hilfe gebeten. Die wußten auch, wieviel Geld Edda braucht. Denn die hat auch beide gefragt. Wir haben eine Riesenauswahl von Leuten, die unsere Finanzwünsche genau kannten.«

»Wem trauen Sie es denn zu?« erkundigte sich Elsa.

»Das haben wir uns anfangs nicht zu überlegen getraut. Aber eigentlich denken wir beide, daß wir keinen kennen, der das Ding gedreht hat.«

»Was willst du jetzt von mir?« fragte ich.

»Kannst du mit diesen Leuten vom Bundeskriminalamt reden, daß jetzt nichts bekannt wird?«

»Das mache ich.«

»Und schreibst du, bitte, erst einmal nichts?«

»Er schreibt eh nichts, solange nichts klar ist«, lächelte Elsa.

»Okay«, stimmte Gitta zu. »Was ist mit Edda?«

»Sag ihr einfach, sie soll dich besuchen. Sofort. Und wir verschwinden jetzt.«

»Und noch was, Baumeister. Ruf mich bitte nicht zu Hause an. Meine Mutter riecht schon, daß irgendwas faul ist.«

»Sie sollten überlegen, Ihrer Mutter einfach reinen Wein einzuschenken«, riet Elsa. »Das ist einfacher.«

»In diesem Fall nicht«, sagte Gitta bestimmt.

Die Sonne stach, die Luft wurde zunehmend feuchter, es würde ein Gewitter geben.

»Du mußt vollkommen umdenken, nicht wahr?« stellte Elsa fest.

»Ehe wir umdenken, sollte ich vielleicht das mit Wassi erledigen«, entgegnete ich.

»Wenn ich dich richtig verstanden habe, ist Wassi ein sympathisches Schlitzohr«, murmelte sie.

»So isses. Er weiß irgend etwas, aber ich ahne nicht einmal, was es ist. Außerdem müssen wir versuchen, Unger auszuquartieren.«

»Wer hat ihn geschickt?«

»Die Hamburger. Sie verlangen von ihm, daß er mir ständig auf den Fersen ist. Und dafür bezahlen sie mich gut. – Laß uns einen Schritt zulegen. Wir müssen jetzt schnell sein. Immer einen Schritt schneller als das Bundeskriminalamt.«

»Das schaffen wir nie.«

»Oh, doch. Wir haben zehn Schritte Vorsprung.«

»Wer ist denn das da drüben? Da auf der Weide? Die drei Trecker?«

»Das sind die drei Musketiere. Wir nennen sie so, weil sie

immer zusammenhängen. Nikolaus und Christian Daun, Vater und Sohn, beide bewirtschaften je einen Hof. Und Peter Blankenheim, der Freund, im Alter des Vaters Daun, Mitte Fünfzig.« Ich winkte ihnen zu, und sie winkten zurück. Sie schwätzten miteinander in der mittäglichen Hitze im Schatten ihrer tuckernden Traktoren.

»Könnten denn nicht solche Leute dieses Ding gedreht haben?« fragte Elsa.

»Wie denn?« fragte ich zurück. »Bauern, die einen Geldtransporter klauen und dabei zwei Wachleute mattsetzen, ohne sie anzurühren? Das hört sich nicht nur unglaublich an, das ist es auch.«

»Aber jemand geht mit segnender Hand über die Eifel und verschenkt Bares!« mahnte sie. »Du kannst nichts ausschließen, absolut nichts.«

Sie machte mich wütend mit dieser sanften Besserwisserei. »Ich führe sie dir vor, verdammt noch mal«, erwiderte ich heftig. »Komm mit.« Ich bog vom Weg ab in die Wiese und marschierte auf die drei Musketiere los, als wolle ich ihre Burg stürmen.

»Heh«, gluckste sie hinter mir, »nicht so schnell.« Sie war hörbar erheitert, sie hörte nicht mehr auf zu glucksen.

»Sieh an, sieh an«, knurrte Vater Daun äußerst freundlich und mit süffisantem Grinsen, »so sieht das also aus, wenn Journalisten arbeiten.«

Er und sein Sohn waren sich sehr ähnlich, irgendwann würde der Zeitpunkt kommen, an dem es unmöglich war, die beiden auseinanderzuhalten. Wie Christian war er ein Schrank von Mann, wie Christian hatte er ein sehr gesundes, rotes Gesicht, das merkwürdigerweise nicht im geringsten dick wirkte. Wie Christian hatte er helle Augen mit einer Unmasse an Lachfältchen. Und wie Christian trug er eine modern geschnittene Brille, die ihn so klug aussehen ließ, wie er wirklich war.

»Das ist Elsa, eine Kollegin«, stellte ich vor. »Also, das ist Nikolaus Daun, der Vater, dann Christian Daun, der Sohn. Der links außen ist Peter Blankenheim. Zusammen ergeben sie ein Trio, das die drei Musketiere genannt wird und wegen seiner beleidigenden Gedankenschärfe berühmt ist.«

»Wieso drei Musketiere?« fragte Elsa und gab ihnen die Hand.

Peter Blankenheim grinste. Er war ein kleiner, viereckiger Mann, dessen Schultern viel Kraft verrieten und dessen Gesicht sehr schmal geschnitten war und wie eine hölzerne Maske wirken konnte, wenn ihm etwas nicht paßte. »Das hat mit Karneval zu tun«, erklärte er. »Wir sind da mal aufgetreten und haben als drei Musketiere Witze gemacht und so. Und Sie wollen den Geldraub aufklären?«

»Warum nicht?« fragte Elsa zurück.

Sie grinsten alle drei, sie hatten harte wettergegerbte Gesichter, und sie waren nicht eine Spur verlegen.

»Wir kommen vorbei«, verkündete ich großartig, »um euch zu fragen, ob ihr zufällig den Geldtransporter geklaut habt.«

Elsa prustete, Christian Daun schaute die älteren Männer an und fragte: »Also, was ist? Waren wir es nun, oder nicht? Ich meine, wir müßten uns einigen, verdammt noch mal.«

Vater Daun dachte intensiv nach, schüttelte dann den Kopf und erklärte: »Also, ich leugne.«

»Was ist mit dir?« fragte ich Peter Blankenheim. Er hob beide Hände verschreckt abwehrend gegen das Gesicht. »Ich war es auch nicht, meine Frau hat mir mein Taschengeld schon Anfang der Woche gegeben.«

»Und du Verbrecher?« schnauzte ich Christian an. »Gestehe!«

»Bist du bei zehn Prozent ruhig?« fragte er ernsthaft.

»Fünfzehn!«

»Zehn! Mein letztes Wort.«

»Ach hört auf«, kicherte Elsa. »Das ist einfach zu blöd. Aber im Ernst: Wer kann es denn gewesen sein?«

Alle drei sahen sie mitleidig an. Vater Daun murmelte: »Wenn ich es wüßte, würde ich es wohl nicht sagen.«

»Warum nicht?« fragte sie sehr scharf.

»Weil ich nicht weiß, warum diese Leute es geklaut haben«, entgegnete er offen.

Sie meinte etwas übereilt: »Unrecht bleibt Unrecht.«

»Na ja«, murmelte Christian Daun gutmütig.

»Oder gibt es einen Grund, einen wirklichen Grund, neunzehn Millionen zu klauen?« erkundigte sie sich angriffslustig.

Peter Blankenheim grinste. »Also, mein Kontostand wäre schon einer.«

»Und dieser Mord?« Sie provozierte.

»Der ist komisch«, urteilte Vater Daun. »Das stimmt, der ist wirklich komisch. Man weiß ja nicht, was da abgelaufen ist.«

»Wie ich sehe, wißt ihr auch nichts«, stellte ich fest. »Komm, wir marschieren heim, ich will einen Kaffee.«

Die drei lächelten und sahen hinter uns her, wobei Elsas hübsche Figur sicher mehr Grund bot als meine krummen Beine.

»Wenn es Leute aus der Eifel waren, bekommt der Mord an diesem Banker einen ganz anderen Stellenwert«, überlegte sie. »Oder? Oder ist das nicht so?«

»Doch, doch«, nickte ich. »Aber ich denke, es war die Ehefrau. Übrigens Ehefrau: Ist die Scheidung schon vollzogen?«

»Das läuft. Wieso lebst du noch alleine?«

»Mir gefällt das so.«

»Und wenn du mal die Grippe hast?«

»Warum hörst du nicht mit dem verdammten Dünnbrettbohren auf?«

Sie blieb stehen, sie hielt den Kopf geneigt.

»Verdammt noch mal, ich hasse diese blödsinnigen, nichtssagenden Unterhaltungen zwischen Leuten, die sich eigentlich verstehen. Also, was ist: Wo liegt dein Kummer?«

»Ich hasse die deutsch-mythologische Nabelschau. Aber gut: Ich wollte ein Baby. Das ging schief.« Sie ging langsam weiter, sah dabei auf den Boden und hielt den Rücken so, als habe sie einen Buckel.

»Was war mit dem Baby?«

»Es war nicht lebensfähig, sie mußten es mir wegnehmen.«

»Das tut weh, das tut mir leid.« Ich war mit zwei Schritten bei ihr und nahm sie in die Arme. Sie lehnte sich ganz eng an mich und schluchzte: »So eine Scheiße, verdammt noch mal!«

»Du kannst hierbleiben und dich ausruhen«, bot ich ihr an.

»Das geht nicht, verdammt noch mal, ich brauche meinen Job.«

»Dann schreiben wir die Geschichte für dich, und du pumpst mir einen Heiermann.« Mir fallen in derartigen Situationen sehr selten einfühlsame Dinge ein.

Sie lachte unter Weinen und prustete: »Du bist ein unmöglicher Mensch. Aber irgendwie liebe ich dich.«

Wir schlenderten nach Hause und sahen Rodenstock vor meiner Garage stehen, wie er wütend, bekleidet mit meinem Lieblings-T-Shirt, mit der Axt auf einen Holzkloben eindrosch. »Das tut so gut«, keuchte er. »Ich bin gerade dabei, die ganze Welt zu verprügeln.«

»Ihre Faust ist nicht gefordert«, lächelte Elsa. »Wir brauchen Ihr Hirn.«

»Heißt das, ihr habt etwas ausgegraben?«

»Ja«, bestätigte ich. »Wir müssen Abschied nehmen von groß und international arbeitenden Gangstern. Scheinbar war es eine einheimische Gruppe.«

»Wieso das?« fragte er nun ganz ruhig.

»Weil sie den Zaster verschenken«, sagte Elsa hell.

ACHTES KAPITEL

Damit wurde es hektisch. Rodenstock ließ sich den Stand der Dinge erzählen, und als ich endete, wandte er sich ruckartig Elsa zu und sagte scharf: »Das Ganze von vorn. Diesmal von Ihnen!«

Unger und Bettina rollten auf den Hof, stiegen aus und berichteten unisono: »Im Wald war nichts, es war gar nichts.«

»Wo ist Marker?« fragte Rodenstock schrill.

»Irgendwo, was weiß ich?« antwortete Unger. »Die haben mit dreihundert Mann den Wald gepflügt. Das einzige, was sie fanden, waren ein paar Haufen illegal deponierten Hausmülls und ungefähr zweihundert alte Autoreifen. Wieso Marker? Was soll mit Marker sein? Vielleicht schläft er jetzt den Fehlschlag aus, was weiß ich.«

»Soll er kommen?« fragte Bettina knapp. »Ich rufe sein Hotel an.«

»Das ist eine gute Idee«, lobte Rodenstock.

»Was ist denn?« erkundigte sich Unger.

»Etwas Neues«, sagte Elsa mit einer Stimme, die ich genau kannte. Sie klang so, als wollte sie sagen: Kaum ist die Fachfrau angekommen, verzeichnen wir Erfolge!

»Was ist denn neu?«

»Jemand verschenkt Geld«, erklärte ich.

»Oh weia«, meinte Unger. »Dann kann ich meinen Text schon wieder umschreiben. Und wie! Sagen Sie mal, können wir uns nicht endlich duzen? Oder muß ich erst die Nahkampfspange erwerben?«

»Können wir«, grinste ich. »Und noch etwas an alle: Ich möchte euch bitten, so zu tun, als wißt ihr absolut nichts. Von dieser Entwicklung darf nichts durchdringen.«

»Wieso bist du denn so feierlich?«

»Feierlich!« echote Rodenstock. »Was soll das, feierlich? Baumeister hat recht. Solange die Allgemeinheit glaubt, wir suchen immer noch in Richtung organisiertes Verbrechen, solange können wir einigermaßen sicher recherchieren. Ich vermute ...«

»Wenn die Vulkaneifel riecht, was da abläuft, macht sie dicht, und kein Mensch wird ein Sterbenswörtchen erfahren«, unterbrach ich.

»Endlich Geld in einem armen Land«, murmelte Bettina.

»Du wolltest Marker rufen!« erinnerte ich sie. »Elsa, kannst du runterschlendern zu Gitta? Sag ihr: Wenn Edda bei ihr eintrifft, sollen sie hierherkommen. Langsam, wie bei einem Spaziergang. Verdammt noch mal, Bettina, ruf endlich den Marker her. Sag aber nichts.«

»Wieso? Wird das Telefon abgehört?«

»Nein. Oder doch, oder ich weiß nicht. Los jetzt!«

Elsa murmelte: »Auf in den Kampf!«

Rodenstock wischte sich mit einem großen weißen Taschentuch den Holzhackerschweiß von der Stirn und erklärte grinsend: »Et nunc reges intelligite erudimini, audi judicatis terram!« Er strahlte, er war unzweideutig von unschuldiger Heiterkeit erfüllt.

»Können Sie das mal für den zweiten Bildungsweg übersetzen?« bat Unger.

»Du lieber Himmel!« strahlte Elsa. »Wie schön!«

»Er versucht, eine breitgestreute humanistische Bildung

vorzutäuschen«, entschied ich. »Wahrscheinlich hat er aber bloß Asterix gelesen.«

Rodenstock lächelte weise. »Der Spruch heißt übersetzt: So seid nun verständig, Ihr Könige, laßt Euch warnen, Ihr Richter auf Erden! Und das macht jetzt besonderen Sinn, nicht wahr?«

»Wieso?« fragte Unger.

»Na ja«, meinte er, »es könnte sein, daß jemand achtzehn Millionen geklaut hat und daß das Geld ihn gar nicht interessiert.«

Es herrschte Schweigen.

»Es ist wohl besser, Sie sprechen allein mit diesem Wassi.«

»Das denke ich auch«, sagte ich. »Übrigens – es war gut, die Elsa heranzupfeifen.«

»Hm. Eine Sünde weniger.«

Es war jetzt 16 Uhr, ich schwang mich auf den Jeep und fuhr nach Kerpen zum Übergangswohnheim. Die Landschaft duckte sich unter der Hitze, ich sah niemanden auf den Wiesen, nur vom Steinbruch her kamen zwei Schwertransporter und fuhren Gipsgestein zur Mühle nach Ahütte.

Das Heim lag in gleißendem Licht. Wassi hockte auf einer niedrigen Basaltmauer, als habe er auf mich gewartet. Er trug Jeans, schwere Arbeitsschuhe und ein vollkommen durchgeschwitztes graues T-Shirt. Er rauchte eine selbstgedrehte Zigarette und wirkte sanft und friedlich.

»Geldräuber gefunden?« rief er über zwanzig Meter.

Ich schüttelte den Kopf und erinnerte mich an ein Geschenk, das mir eine Fotografin gemacht hatte, die einen Sommer lang in Theresienstadt versucht hatte, die Greuel zu fotografieren, die fünfzig Jahre vorher geschehen waren. Sie hatte mir eine Pappschachtel tschechoslowakischen Tabaks mitgebracht, der *Taras Bulba* hieß. Ich holte den Tabak aus dem Handschuhfach, gab ihn Wassi und sagte: »Das ist wie eine Erinnerung, oder?«

Er starrte auf das Päckchen und begann zu lachen. »Schlimmer Tabak«, strahlte er. »Holt dir Lunge aus dem Körper. Ganz schlimmer Tabak. Aber gut! Danke.«

»Machorka?« fragte ich.

»So ähnlich. Aber viel schlimmer.« Er lachte und roch an dem Päckchen. »Ist nur gut, wenn du an der frischen Luft bist. Sonst du kannst nicht atmen. Wir sagen immer: Wenn du diesen Tabak rauchst, mußt du unheimlich gesund sein.«

»Können wir einen Spaziergang machen?«

»Können wir. Aber ich muß mich etwas waschen. Komm mit, ich mach schnell.« Er stand auf und lief vor mir her in das Heim. Es ging durch die Eingangshalle, dann eine Pendeltür zu einer Treppe in den ersten Stock. Es roch, als habe jemand das ganze Haus mit einer Desinfektionslösung abgewaschen. Im ersten Stock ging es nach links, dann in einen großen Raum, der vollkommen zugebaut war mit Bergen voller alter Koffer, Kisten und Bündel. Über diese Berge waren bunte Decken und Wachstücher gebreitet. Dazwischen ein zweistöckiges Feldbett und zwei einzelne Betten. Vor dem Fenster ein Tisch mit einer Zimmerantenne und einem Fernseher. Ein Stuhl. Auf dem Stuhl eine breitgesichtige, ungeheuer freundlich wirkende junge Frau.

»Meine Frau«, stellte Wassi vor. Er drehte sich nach rechts. Ein Waschbecken, Mengen von Zahnbürsten, Seifen, Tuben. »Ich wasche mich schnell.«

Die Frau reichte mir die Hand und lächelte.

»Ich bin der Baumeister.«

Sie nickte, sie sagte nichts.

»Wir leben in diesem einen Zimmer«, erklärte Wassi und drehte den Wasserhahn auf. »Es ist nicht gut, aber es geht. Die Gilles, die Maria Gilles, ist Heimleiterin. Ist sehr gut. Tut alles für uns, jeden Tag, egal ob Samstag oder Sonntag.« Er schaufelte kaltes Wasser in das Gesicht und gegen die Brust. Seltsamerweise stellte ich mir vor, daß die öde Waschgelegenheit eine Quelle im Wald war, seltsamerweise stellte ich mir sogar vor, daß irgendein Eichhörnchen dem Wassi bei der Säuberung zuschaute.

Ich wußte, daß es eine Ehre war, in sein Zimmer mitgenommen zu werden. »Habt ihr Hoffnung auf eine Wohnung?«

»Oh ja, haben wir«, prustete er. »Mußt du Geduld haben. Wir sind Deutsche, wir wollen hier leben. Die Eifel ist gut.«

»War es nicht gut in Kasachstan?«

Die Frau schüttelte schnell den Kopf, und Wassi meinte: »Es war nicht gut, weißt du. Es war so, daß die Politiker in Bonn sagten, wir Deutschen bekommen einen deutschen Staat dort. Aber in Wirklichkeit, sie haben gelogen, denn die Russen wollen gar keinen deutschen Staat oder deutsche Gebiete dort. Wir arbeiten hart, wir arbeiten besser als die Russen, und so werden sie unsere Feinde. Ich glaube, Feinde ist nicht gut, ich glaube, es ist mehr so, daß wir arbeiten und sie sehen zu. Und so haben wir gesagt, wir gehen nach Deutschland, dort sind unsere Leute hergekommen. Unter den Zaren, du weißt schon, sie wollten uns damals haben, weil wir gut arbeiten. Jetzt sind wir wieder hier.«

Er trocknete sich das Gesicht mit einem Handtuch ab und zog sich ein Hemd über. »Jetzt spazierengehen.« Er sagte irgend etwas auf Russisch und erklärte: »Sie spricht noch nicht gut Deutsch. Aber das wird schon.«

Ich nickte der Frau zu, und wir gingen hinaus in den dunklen Flur. »Sie will lieber heim nach Rußland«, sagte ich.

»Ja«, bestätigte er einfach. »Sie ist Russin, verstehst du? Das ist etwas ganz anderes. – Wo gehen wir spazieren?«

»Laß uns dorthin gehen, wo das Geld geklaut wurde.«

»Ah, ja«, grinste er und nahm den ersten Feldweg nach rechts, den einzig direkten Weg. »Glaubst du, es war so was wie die Moskau-Mafia, Tirana-Mafia oder Sizilien-Mafia?«

»Das weiß ich nicht. Es sieht so aus. Aber vielleicht soll es so aussehen.«

»Kann sein. Wenn es so aussieht, haben sie Zeit, nicht wahr?«

»Ja, dann haben sie Zeit«, nickte ich.

»Polizei hat mich gefragt. Und meine Freunde aus anderen Heimen. Sie haben jeden gefragt: Wo warst du am Samstag mittag gegen 11 Uhr, gegen 12 Uhr? Wo warst du genau? Wir sind alle gefragt worden.« Sein Ton ließ darauf schließen, daß er leicht beleidigt war.

»Sie müssen fragen, das ist Routine.«

»Haben sie dich auch gefragt?« Er lächelte leicht. »Sie haben dich nicht gefragt. Du bist großer Mann, du bist nicht in Verdacht. Weil du großer Mann bist, kein Verdacht.«

»Da ist was dran. Was würdest du mit dem Geld machen?«

»Einen Bauernhof kaufen. Hier gibt es viele Bauernhöfe zu kaufen. Alle kaputtgemacht. Das waren auch Lügen in Bonn. Haben die ganze bäuerliche Mittelschicht kaputtgemacht. Kühlfabriken haben Subventionen bekommen. Nicht gut für Bauern. Würde ich Bauernhof kaufen, genug für die ganze Familie. Würde ich nachkommen lassen.«

»Wieviel Leute seid ihr denn?«

»Dreißig, vierzig Leute mit Kindern. Ponies und Zimmer für Gäste. Ein paar Schweine, ein paar Kühe. Und viel Weidewirtschaft für Heu und so. Vielleicht Teiche mit Fischen, vielleicht Hühner, vielleicht Gemüse. Wir arbeiten viel. In Kasachstan ist noch anders. Junge Bauern können gut verdienen.« Er grinste. »Und sie kriegen auch Frauen. Hier will keine Frau viel arbeiten. Nur Sonnenbaden und Mallorca fahren.«

»Heh, heh, jetzt übertreibst du!«

Er lachte. »Ein bißchen ist schon so. Frau riecht immer gut bei euch, riecht nie nach Kuhscheiße, will gut riechen und gut eingeölt sein und immer Lippenstift. Ist komisch.«

»Das ist der Fluch des Kapitalismus: Du darfst keinen Eigengeruch mehr entwickeln.«

Wir kamen jetzt leicht aufwärts in eine Schonung, in der zwischen Erlen und Birken das Gras meterhoch stand.

»Viel Karnickel hier«, sagte Wassi träumerisch.

»Jagst du sie?«

»Manchmal ich finde ein altes, krankes Tier und nehme es mit für den Braten.«

»Warum haben sie dich in Rußland bestraft?«

Er war einen Schritt vor mir. Er blieb stehen und drehte sich herum. »Du weißt das, eh? Wir haben uns manchmal geholt, was wir brauchten. Einmal dreißig Tonnen Briketts!« Er lachte.

»Dreißig Tonnen Briketts?«

»Ein Bonze, weißt du. Normalerweise in meinem Dorf brauchst du keine Kohle, hast du Holz, jede Menge Eichenholz. Gut und hart. Aber der Bonze wollte Briketts und hat erfunden eine Fabrik, die Briketts braucht.

Es gab die Fabrik nicht, aber er bekam Briketts. Da haben wir dreißig Tonnen geholt, und jeder bekam etwas. Briketts ist gut. Wenn du Papier drumwickelst, kannst du zwei Briketts 24 Stunden lang brennen. Der Ofen geht nicht aus, verstehst du? Andere Sachen. Einmal Geld, ein bißchen Geld.«

»Wieviel?«

»Nicht so viel. Sechstausend Dollar.«

»Sechstausend Dollar? In Kasachstan? Bist du verrückt?«

»War ein Vermögen, stimmt. Aber war nur die Hälfte von dem, was gekommen ist. War einfach. Ein Bonze in Moskau hat gekriegt von uns Kartoffeln und Weizenmehl, verstehst du? Wir haben viel geliefert über unseren Bonzen. Unser Bonze hat gut kassiert. In Dollar. Hat uns aber nichts gesagt, heimlich kassiert. Wir haben die Hälfte genommen. Waren sechstausend. Wir haben gekauft drei Traktoren. War gut, war verdammt gut.«

Eine Weile schwiegen wir. Dann wies er auf zwei Bläulinge hin und murmelte: »In Kasachstan gibt es diese Schmetterlinge auch. Aber ihre Flügel sind doppelt so groß, und wir nennen sie Schöner Traum.«

»Wenn ich fragen darf: Wo lagen denn die sechstausend Dollar herum?«

Er hockte sich auf einen modernden Baumstamm und drehte sich eine Zigarette. »War in einem Tresor, Geldschrank. Nicht groß. Zwei mal zwei mal zwei. Wir haben ganzen Tresor mitgenommen. Auf Pferdewagen. Dann in Wald und aufgemacht.«

»Aufgemacht?«

»Ein Kollege von uns aus den Steinbrüchen hat mitgehen lassen vier Stangen Dynamit. Heißt Dynamit?«

»Wer hat dich verpfiffen?«

»Niemand«, sagte er schnell. »Niemand hat mich verpfiffen. Sie haben Polizei eingesetzt und Geheimpolizei, verstehst du. Es wurde immer schlimmer, immer … so eng wie Schnur um Hals, verstehst du? Dann habe ich eine Spur gelegt. Eine Spur zu mir. Sie hatten mich und gaben Ruhe.«

»Was hat deine Frau gesagt?«

»Sie war böse, aber es war eine Männersache.«

»Was ist aus dem Bonzen bei euch geworden?«

»Ich weiß es nicht, vielleicht ist er weggezogen«, meinte er, und sein Gesicht war verschlossen.

»Es gibt ihn nicht mehr?«

»Nein, es gibt ihn nicht mehr. Aber es gibt andere, und es ist kein Unterschied.«

»Nichts mit Marx.«

Er lächelte. »Du mußt sagen: nichts mit Lenin. Aber er hat schon gewußt, daß es nichts würde.«

Ein Karnickelbock schoß hoch und war mit zwei Sätzen im Unterholz, ein Eichelhäher stob davon.

»Da ist jemand«, sagte Wassi ruhig. »Sonst ist nie jemand hier.«

»Das kann Bundesgrenzschutz sein«, vermutete ich. »Sie suchen den Geldtransporter.«

»Dumme Leute«, kommentierte er. Aber wir sahen niemanden und trafen niemanden, nur einmal drehte der Motor eines Wagens hoch, dann war es wieder still und heiß.

»Also, du glaubst, es waren Leute aus der Eifel«, stellte er fest.

»Das weiß ich nicht, aber es kann sein«, sagte ich vorsichtig.

»Kein internationaler Gangster«, meinte er. »Die sind anders, verstehst du? Sie legen Lunte, die machen peng, wumm, wow, und es ist passiert. Nicht so leise.«

»Was hast du gesehen, Wassi?«

Er zog es vor, nicht zu antworten, pflückte einen langen Grashalm und kaute darauf herum. Schließlich ging er weiter und murmelte: »Nicht wichtig, was ich gesehen. Nicht wichtig für dich.«

»Es kann aber verdammt wichtig sein.«

»Ist nicht wichtig«, wiederholte er. »Gleich, da oben zwischen den Buchen, kannst du Tatort sehen. Tatort, hah!« Er kicherte.

»Vielleicht ist es sehr wichtig für die Wachmänner«, sagte ich. »Sie denken noch immer, es können die Wachmänner gewesen sein.«

»Wachmänner? Ach so, die Männer im Auto. Die Männer im Auto waren es nicht: Ich kann beschwören.«

»Verdammt noch mal, du mußt mit den Bullen reden, wenn du das weißt.«

Er drehte sich zu mir und fragte ganz sanft: »Aber sie

doch nicht in Verdacht, oder? Kein Mensch denkt, daß sie es waren. Nicht die Wachmänner.«

»Es bleibt immer ein Rest von Zweifel«, beharrte ich wütend. Dann setzte ich hinzu: »Entschuldigung, es ist ja auch nicht wichtig!«

Wie hatte Le Carrés wunderbarer Old Craw in *Eine Art Held* gesagt? Geht niemals zu weit, Ehrwürdens, geht niemals zu weit!

Wir kamen zwischen den hohen Stämmen der Buchen an und sahen das dunkelgraue Band der Straße.

»Du hast also hier gestanden«, stellte ich fest. »Und behaupte nicht, es sei nicht wahr, verdammt noch mal!«

»Ich stand nicht hier«, widersprach er ruhig. »Siehst du da unten die Schonung? Die Weißtannen? Gut. Da ist ein Bach. Ich habe Bärenmoos gesucht. Wir nennen es Bärenmoos in Kasachstan. Es ist dick und lang und dunkelgrün, und ich weiß nicht, wie es deutsch heißt. Ich habe Bärenmoos geholt.«

»Na gut, dann warst du dichter dran, als wir hier. Was ist passiert?«

»Was ist passiert? Erst habe ich nicht geachtet. Also, ich habe nicht geguckt. Dann kam Geldtransporter, und irgend etwas lag auf der Straße. Motorrad, Menschen, ich weiß nicht genau. Transporter hielt an. Das war alles.«

»Das war alles?« Ich schrie fast. Scheiß auf Le Carré, scheiß auf seinen Old Craw! »Jetzt hör mir mal gut zu, Wassi. Und merk dir genau, was ich sage. Es mag ja sein, daß du dir durch deine Scheiß-gelassenheit in Kasachstan einen immensen Ruf verschafft hast, aber hier ist nicht Kasachstan. Verstehst du das? Du sagst: Irgend etwas lag auf der Straße, Motorrad, Menschen. Verdammt, Junge, das ist doch nicht irgend etwas. Du weißt, daß die Wachmänner nicht verhaftet wurden, und das macht dich naiv. Trotzdem werden sie überwacht, sie können nicht mal furzen, ohne daß das preußisch genau protokolliert wird. Sie werden überwacht, und das werden sie auch noch in sechs Monaten. Jeder, der irgendwie damit zu tun haben könnte, wird überwacht. Du merkst es nicht, aber auch du wirst überwacht. Also, der Transporter hielt an. Und dann?«

»Dann waren Männer da, und sie banden die Wachleute an die Buchen, einen rechts, einen links. Dann kam der Tieflader. Er kam da unten aus dem Dreckweg, wo wir im Winter die Stämme gezogen haben. Er kam rückwärts. Verdammt schnell. Dann fuhr der Geldtransporter darauf, und alles paletti.«

»Und dann?«

»Dann fuhr der Tieflader weg. Auf dem Dreckweg. Schwuppdiwupp, weg. So war das.«

»Hast du kapiert, was da lief?«

»Schon«, meinte er sanft. »Aber man muß weggucken, verstehst du? Was andere tun, geht mich nichts an.«

»Die Täter, wie sahen die aus?«

»Weiß ich nicht.« Das kam zu schnell.

»Aber du hast sie gesehen.«

»Ja, ja. Sie trugen Mützen. So wie Motorradfahrer. Nichts zu sehen.«

»Wirklich nichts?«

»Nichts«, sagte er endgültig und breitete die Arme segnend aus.

Geht niemals zu weit, Ehrwürdens, geht niemals zu weit! »Du hast noch etwas gesehen, nicht wahr? War es ein belgischer Tieflader?«

»Na sicher. Das weißt du doch. Du hast doch den Tieflader gefunden, oder? In Oberehe, oder?« Er lächelte mich an.

»Woher weißt du das?«

»Oh, ich bin ein Kasache, ich bin viel im Wald. War ein belgischer Tieflader. Hast du gut gemacht.«

»Wieviel Männer waren es? Wieviel Täter?«

»Weiß ich nicht. Zwei oder drei.«

»Oder vier oder fünf?«

»Nein, nein, nicht fünf. Eher drei. Sie waren verdammt schnell.«

»Du hast noch etwas gesehen, nicht wahr?«

»Ja. Alfred. Das ist der Bauer, dem das Haus gehört, in dem du wohnst. Er war hier, wo wir stehen. Da drüben. Er hat drei Eichenstämme rausgezogen. Ich habe ihn gesehen. Sonst nichts.«

»Du mußt die Bullen benachrichtigen«, sagte ich.

»Ja, ja«, entgegnete er vage. »Kannst du für mich machen. Sie sollen nicht ins Heim kommen. Ist nicht gut. Für meine Frau und die anderen.«

»Das kann ich mir denken«, meinte ich bissig. »Laß uns zurückgehen.«

Wir gingen im Gänsemarsch, er vorneweg, ich hinterher, und wir sprachen kein Wort miteinander, bis wir auf den Hof des Heims kamen. Dann drehte er sich herum, mußte in die Sonne sehen, blinzelte und bemerkte tonlos: »Du wirst gleich fragen, wieso Wassi Bärenmoos braucht. Nicht wahr?«

»Ja«, bestätigte ich.

»Ich zeige es dir«, sagte er. Er führte mich um den Bau herum in einen Garten, in dem eine alte, unbenutzte Garage aus Wellblech stand. Er schloß auf und befahl: »Noch nicht gucken. Es ist eine Überraschung ...« Er verschwand im Innern.

Man soll wichtigen Zeugen jeden Gefallen tun, und dämlicherweise schloß ich sogar die Augen, als ginge es darum, mir ein Osterei aus dem Hut zu zaubern. Dann plätscherte Wasser, und Wassi rief: »Du kannst jetzt reinkommen!«

Die Anlage war fünf mal fünf Meter groß und tischhoch. Es war eine komplette Landschaft mit Fluß. Der Fluß lief wirklich, eine leise summende Pumpe trieb das Wasser. In der Mitte ein Dorf, Haus für Haus aus Holz aufgebaut, mit Kirche und Rathaus. Das Rathaus hatte eine Uhr, die Uhr tickte. Es gab Wiesen und Felder, Hügel und Feldwege, einzeln stehende Bäume und Baumgruppen, ganze Wälder. Es gab eine Straße, es gab Schienen, auf denen ein leibhaftiger Zug fuhr.

»Das ist ja märchenhaft.« Ich war sprachlos.

»Das ist mein Dorf in Kasachstan«, erklärte er mit ganz wackliger Stimme. »Unser Dorf. Ich habe es nachgebaut. Es stimmt alles, weißt du. Nur der Löschteich ist etwas zu groß geraten, aber das mache ich noch einmal. Im Oktober hat sie Geburtstag. Sieh mal, das ist mein Geburtshaus, und hier in dem Haus habe ich gewohnt. Und sieht du hier die Eiche in der Senke. Da habe ich meine Frau ... da haben wir uns zum erstenmal geliebt. Das war vor sechzehn Jahren.« Er stand da, und die Tränen strömten über sein Gesicht.

»Scheiße«, sagte ich. »Paß auf, Wassi. Polizei kommt hier nicht her. Du kommst zu mir. Heute abend, spät. Um zehn?«

Er nickte, und ich ließ ihn allein und fuhr heim.

Ich fand meine Besucher in der Stube vor der weißen Wand, sie hatten Packpapier an die Wand geschlagen.

Marker sagte gerade: »Edda, Gitta, konzentrieren Sie sich jetzt bitte. Wie war das am Sonntag in der Kneipe? Wo saßen Sie? Und wo saßen die anderen? Wir schreiben die Namen auf jeden Stuhl.« Dann bemerkte er mich. »Und? Was haben Sie?«

»Ich habe einen Tatzeugen«, berichtete ich. »Er kommt freiwillig um zehn Uhr.«

»Wassi!« vermutete Unger. Es klang wie eine Explosion.

»Richtig«, nickte ich.

»Ich wußte es!« triumphierte er.

»Sie wußten gar nichts. Das macht den Unterschied«, sagte Rodenstock bissig.

»Was hat er gesehen?« fragte Marker.

»Alles und nichts«, sagte ich. »Es waren wohl drei.«

»Weiter im Text«, forderte Rodenstock. »Also, Sie saßen hier auf dieser Bank, ich bezeichne das mit 1 und 2. Wer saß noch an diesem Tisch? Langsam, langsam. Name für Name. Bei jedem Namen, der auch in Blankenheim bei Edda auftaucht, machen wir ein Sternchen. Also los, wer saß neben Ihnen, Edda? Und neben Ihnen, Gitta?«

»Noch etwas vorneweg«, unterbrach Marker noch einmal. »Das hier ist kein Verhör. Wir versuchen nur sehr schnell herauszufinden, wer den Geldbedarf kannte.«

»Weiß Ihre Truppe eigentlich Bescheid?«

Er schüttelte den Kopf. »Noch nicht, aber ich muß den engen Kreis heute abend informieren, sonst gerate ich in Teufels Küche.«

»Also los«, wiederholte Rodenstock fröhlich.

Ich ging hinaus, Marker kam hinter mir her: »Halten Sie nichts von dieser Methode?«

»Oh, doch. Es ist nur so, daß es eigentlich jeder weiß, wenn der Stammtisch es weiß.«

»Das heißt: nicht nur die Stammtische, auch die alten Leute zu Hause?«

»Auch die alten Leute zu Hause, richtig.«

»Aber wir haben keine Wahl.« Er wirkte mutlos. »Wahrscheinlich ist das der Fall, vor dem wir alle Angst haben: Jemand klaut einen Irrsinnshaufen Geld und hat es eigentlich nicht darauf abgesehen. Das habe ich gefürchtet, das habe ich mein ganzes Leben lang gefürchtet.«

»Können Sie mir einen Gefallen tun? Rufen Sie meinen Bürgermeister an. Sagen Sie ihm, er soll um Mitternacht hier sein. Ohne Aufsehen.«

»Was soll das?« fragte er irritiert.

»Ich habe da eine noch unklare Idee. Falls sie sich als richtig erweist, gut, falls sie falsch ist, auch gut. Dann haben wir den Mann im Haus, der vermutlich am meisten weiß.«

Selbstverständlich konnte ich nicht traumverloren in meinen Garten schlendern, ohne daß Krümel auftauchte und beschwerend maunzte, weil ich mich stundenweise nicht um sie gekümmert hatte. Ich machte das, was ich immer tue, wenn ich die Gefühlswelt meiner Katze im Drang der Ereignisse vernachlässige. Ich legte mich lang auf den Bauch im Schatten der Birke, und sie bestieg meinen Rücken, leckte sich angelegentlich die Pfoten und sah dabei über die hitzeflimmernde Wiese, als wollte sie sagen: Ätsch!

Ich döste ein, und sie tat das gleiche auf meinem Rücken, bis Elsa mich sanft stupste und mir das Telefon in die Hand drückte: »Dein Bürgermeister.«

»Was will die Obrigkeit?«

Die Stimme am anderen Ende lachte. »Kättchen hat heute abend keine Zeit. Kannst du dich um Klärchen kümmern?«

»Mache ich. Hast du mittlerweile einen Platz für sie gefunden?«

»Wir können eventuell in vier Wochen einen Pflegeplatz in einem Alten- und Pflegeheim kriegen. Gern gebe ich sie ja nicht her.«

»Aber das ist doch schon mal was.«

»Und, warte mal, nicht einhängen: Was soll ich um Mitternacht bei dir?«

»Ganz einfach«, antwortete ich. »Du bist der Mann, der am meisten Ahnung hat. Also wollen wir mit dir reden.«

»Gut. Ich zittere etwas, aber ich komme.«

»Nix zittern, erinnern!«

Ich legte auf und reichte Elsa das Telefon. »Wie weit seid ihr?« fragte ich sie.

»Wir haben die Kneipenrunde rekonstruiert. Am Samstag waren siebenundzwanzig Männer und vier Frauen dort. Das sind die hiesigen Verbindungen, die ziemlich genau Bescheid wußten. Kommen von Edda in Blankenheim ungefähr sechzehn bis dreiundzwanzig hinzu. Mit anderen Worten: Wir haben es mit einer Gruppe von mindestens siebenundvierzig bis vierundfünfzig Personen zu tun.«

»Man muß die Runde ausdehnen, denn beide Ratsgremien wußten Bescheid, kannten den genauen Finanzbedarf. Schließlich ist es die Planungshoheit der Gemeinde, einen Kindergarten zuzulassen, oder nicht?«

»Also nahezu aussichtslos.«

»Hast du Gitta schon gefragt, wer aus dieser Runde sie anbetet?«

»Wieso?«

»Na ja, wenn siebenundzwanzig Männer da sind, dann ist doch vermutlich einer darunter, der sie heiraten will, immer schon heiraten wollte. Vielleicht hat er das Geld geklaut, um seine Mitgift einzubringen.«

»Du bist erstaunlich, Baumeister. Ich gehe sie fragen. – Liebe als Motiv ... – daß ich nicht lache.«

»So etwas gibt es wirklich«, sagte ich und sah ihr nach, wie sie um die Ecke des Hauses verschwand.

Ich war gerade wieder eingedöst und spürte, wie Krümel es sich in meiner Armbeuge gemütlich machte, als Elsa mit Gitta kam und erklärte: »Von den siebenundzwanzig Jungens haben rund elf versucht, etwas mit ihr anzufangen. Von den elf wollten etwa acht einfach nur mit ihr ins Heu. Bleiben drei. Von diesen dreien hat einer inzwischen geheiratet, der zweite will ewig Junggeselle bleiben, und der dritte ist Christian Daun, und Gitta sagt, er wolle sie eigentlich nur als dritte Wahl, nachdem er bei zwei anderen Damen seines Herzens auf die Nase gefallen ist.«

»Wie viele Verehrer hat Edda?«

»So viele wie ich«, antwortete Gitta und hockte sich ins

Gras. »Glaubst du ernsthaft, daß jemand versuchen kann, sich auf diese Weise einzukaufen?«

»Na sicher«, gab ich zurück. »Also, geliebte Gitta: Kann der Christian Daun dir den Zaster geklaut haben?«

»Nie und nimmer!« Sie schüttelte den Kopf. »Er ist witzig, und er ist sicher trickreich, aber sein einziges Vergehen wird darin bestehen, gelegentlich in einer Einbahnstraße zu rauchen.«

»Na gut, er ist ja nur einer von siebenundzwanzig. Denk mal nach. Wer von denen will dich wirklich und ernsthaft. Und wem traust du so ein Ding zu?«

Elsa zuckte zusammen. »Moment mal. Und wenn es zwei waren? Der eine will Edda, der andere will Gitta?«

»Es waren mindestens drei«, sagte ich. »Das wissen wir sicher. Also müßten wir nach einer weiteren beschenkten Frau Ausschau halten. Gitta-Kind, wer könnte diese Frau sein?«

»Ich weiß es nicht«, meinte sie vage. »Monika vielleicht. Die sucht Kapital, um zwischen Daun und Gerolstein ein Bistro aufzumachen.«

»Wieviel braucht sie denn?«

»Nicht viel. So um die vierzigtausend.«

»Dann geht und ruft sie an. Und fragt munter drauf los, nur keine Hemmungen.«

»Du bist verrückt«, hauchte Elsa.

»Na sicher«, bestätigte ich. »Wie soll ich anders in der Eifel überleben?«

Sie verschwanden. Krümel versuchte erneut, neben mir einzuschlafen, ich versuchte erneut einzudösen. Aber wenn man das Haus so voll Besuch hat, ist man ein gefragter Mensch. Rodenstock kam nachdenklich des Weges, hockte sich ins Gras und trompetete entmutigt: »Ich glaube, man müßte mindestens einhundert Leute verhaften, um festzustellen, wo sie zur Tatzeit waren.«

»Wir haben kein Untersuchungsgefängnis dieser Größenordnung, aber wir könnten sie für die Zeit in der eingegangenen Schweinezüchterei vom Matthes unterbringen. Was sagt die Nase des Kriminalisten?«

Er kicherte. »Wenn die Täter besonders geschickt sind,

dann bringen sie uns erfolgreich auf die Idee, darüber nachzusinnen, daß es ein paar frustrierte Jugendliche aus diesem aufmüpfigen Bergvolk hier waren. Damit hängen wir dermaßen in den Seilen, daß wir etwas anderes gar nicht mehr sehen.«

»Also Ablenkung?«

»Warum denn nicht Ablenkung?« fragte er strahlend. Er hielt einen Augenblick lang inne, spielte mit den Blättern eines Löwenzahns und fuhr dann fort: »Der Coup, da sind wir uns einig, ist hervorragend durchgezogen worden. Egal, wer es war, ob irgendeine einheimische Gruppe oder international arbeitende Leute. Stellen Sie sich vor: Die beschließen, einen ganz geringen Teil der Beute schlicht zu verschenken. Baumeister, ganz ehrlich, ich habe den Verdacht: Hinter diesen Bergen hier herrscht ein großes Gekicher.«

Kaum hatte er seine Ansprache beendet, tanzten Gitta und Elsa um die Ecke und wirkten wie fröhlich verspielte kleine Mädchen. Gitta berichtete: »Also, Baumeister, es war ganz einfach. Monika hat ihre vierzigtausend gekriegt. Auch in Zeitungspapier, aber nicht am Sonntag morgen, sondern nachmittags, als sie in den Garten ging, der ein paar hundert Meter vom Haus entfernt ist. Da lag das Zeug auf Gartenhandschuhen und Samentüten.«

»Wir sollten einen Saal mieten«, sagte ich. »Und? Mit wem hat sie darüber gesprochen?«

»Noch mit keinem, aber sie ist auf dem Weg hierher«, antwortete Elsa. »Wieso Saal mieten?«

»Das ist doch ganz einfach. Gitta hat hundertdreißigtausend, Edda siebzigtausend, diese Monika vierzigtausend. Das macht magere zweihundertvierzigtausend. Die Kameraden haben aber mehr als achtzehn Millionen kassiert. Da kann man vielen eine Freude machen. Deshalb ein Saal. Ich geh jetzt die Witwe Bolte ins Bett bringen«, entschied ich. »Und du, holde Elsa, wirst mich begleiten. Wir sollten unsere Pflichten als Nachbarn nicht versäumen.«

Elsa schlenderte neben mir her und sagte gedehnt: »Immer, wenn du so ein Gesicht machst, hast du irgend etwas im Hinterkopf. Was ist es, Baumeister?«

»Ich überlege, welche Gute-Nacht-Geschichte ich der Witwe Bolte erzählen werde.«

»Sag mal, willst du mich verscheißern?«

»Nein«, erwiderte ich und erzählte ihr von Klärchen, die das ganze Dorf Witwe Bolte nannte.

Sie bereitete uns einen großartigen Empfang. Sie hatte alle auftreibbaren Teelichter angezündet und in sorgsam bemessenem Bogen um eine Gipsmadonna in der Küche aufgestellt. Sie stand gegen die Flut des gelben Lichtes, breitete die Arme aus, trug irgendwas nahezu Durchsichtiges und Feierliches und sagte wie ein kleines Mädchen: »Herr Baumeister bringt mir meine Gute-Nacht-Geschichte.« Dann sah sie Elsa und strahlte noch ein wenig heller. »Ich wußte doch, daß irgendwo hinter den Bergen eine Liebe lebt. Das ist also Baumeisters Mädchen. Willkommen!«

»Mädchen, na ja«, murmelte Elsa trocken.

»Hast du deine Pillen genommen, Klärchen?« fragte ich in gespielter Strenge.

»Alle genommen. Und du brauchst mir auch keine Geschichte erzählen. Du hast ja jetzt Besuch.«

»Hast du auch gegessen?«

»Habe ich.«

»Was?«

»Na ja, eine Milchsuppe. Auf dem Herd steht der Rest.«

»Hast du mit der Jungfrau gesprochen?«

»Oh ja«, seufzte sie. »Und sie hat mir wieder Geld geschenkt.«

»Ach du lieber Gott«, kam es von Elsa.

»Wieviel denn?«

»Das weiß ich nicht«, antwortete sie mit piepsiger Stimme. »Ich habe es irgendwo hingetan, ich weiß es nicht mehr genau. Baumeister, kannst du es suchen?«

»Ich suche ja schon«, stöhnte ich.

»Das ist ein Land voller Irrer!« hauchte Elsa.

»Ja, toll, nicht wahr?« hauchte ich zurück. Um dann laut zu fragen: »War es die Madonna an Christians Scheune?«

»Na sicher«, bestätigte die Witwe Bolte glasklar.

Im Küchenschrank war nichts, im Ofen auch nichts, in der Schublade bei den Bestecken ebenfalls Fehlanzeige.

»Hast du es vielleicht im Bett?«

»Im Bett? O nein, nicht doch.« Die Alte kicherte.

Da fiel mein Blick auf eine sehr schöne Emailleschale an der Wand, auf der *SALZ* stand. Sie hatte das Geld dort hinein getan. Es war wiederum zerknüllt, und es waren diesmal sechzehn Hunderter und drei Tausender.

»Und diesmal riechen sie wieder nach Motoröl«, stellte ich fest.

»Mein Gott, woher hat sie das Geld?« fragte Elsa.

»Gespart. Sie traut Banken nicht«, gab ich Auskunft. »Sie hat denen noch nie getraut.«

»Wie schön!« strahlte Elsa.

Ich befahl: »Husch, husch ins Körbchen. Was hat denn die Jungfrau dir heute erzählt?«

»Sie gab mir nur das Geld und sagte, ich solle brav auf das Dorf aufpassen, auf alle Menschen hier, jung und alt. Habe ich nicht ein schönes Nachthemd?«

»Bezaubernd!« trompetete Elsa.

»Wunderschön!« Ich war entzückt. »Nun hinlegen, Decke drüber und schlafen.«

»Mach ich«, sagte sie zufrieden.

Wir ließen das Licht an ihrem Bett brennen, alle anderen Lampen knipsten wir aus und gingen langsam den Weg zurück.

»Was möchtest du jetzt, wenn du einen Wunsch frei hättest?« fragte mich Elsa.

»Das Rosenberg-Trio mit Zigeuner Jazz, am liebsten mit ›Nuages‹. Und du?«

»Ich möchte, daß du mich fest in den Arm nimmst und mir sagst, daß ich eigentlich ganz gut bin.«

Ich nahm sie in den Arm und sagte: »Du bist verdammt gut.«

»Können wir nicht ein paar Tage abhauen?«

»Das geht nicht. In einer Viertelstunde kommt Wassi und dann mein Bürgermeister.«

»Du bist so ekelhaft beruflich.«

NEUNTES KAPITEL

Wassi trudelte ein, kam verlegen aus der Nacht, stand vor der Haustür, wußte nicht, wohin mit den Händen und atmete tief durch, als ich hinter Elsa auftauchte. Er sagte: »Da bin ich!«

»Gut«, sagte ich und leitete ihn in die Stube. Dort saßen Marker und Rodenstock. Zum Ärger Ungers hatten wir beschlossen, daß nur die beiden mit ihm sprechen durften. »Zu viele werden ihn unsicher machen, sie werden ihn schweigen lassen. Nur Marker und Rodenstock. Bitte langsam und wie Kumpel. Niemals von oben herab. Er haßt die, die von Geburt an nach was Besserem stinken!«

»Ich rieche nach nichts«, sagte Rodenstock obenhin.

»Ihr fangt an, mich dauernd auszuschließen«, moserte Unger.

Beim Hinausgehen riet ich dem Rußlanddeutschen: »Wassi, sag ihnen, was du gesehen hast, erzähl ihnen das, was du mir gesagt hast. Sie werden nichts auf Tonband nehmen, und die Leute in deinem Haus werden nichts erfahren, und ich verspreche dir ...«

Er sah mich ganz ruhig an, er wußte genau, wohin die Reise gehen würde. Er sagte: »Bleib hier, Baumeister. Ohne dich rede ich nicht.«

Ich setzte mich also dazu. Wenn Rodenstock oder Marker ihn etwas fragten, tat er so, als habe ich ihn gefragt. Seine Erzählung war punktgenau die gleiche wie im Wald, er wich an keiner Stelle ab, obwohl ich darauf wartete, daß er an diesem oder jenem Punkt Unsicherheiten zeigte. Er zeigte keine. Als er zu dem Punkt der Geschichte kam, an dem er mit mir den Wald verlassen hatte und wir zum Heim zurückgekehrt waren, gab es keine Fortsetzung. Die Garage mit dem Dorf für seine Frau sollte sein Geheimnis bleiben. Er war dankbar für mein Schweigen und versuchte, mir zuzublinzeln, was ihm elend mißlang.

Er schloß: »Bitte, entschuldigen Sie, aber ich habe nur flüchtig gesehen, ich habe zuerst, na ja, ich habe zuerst nicht verstanden, was da war. Deshalb ich kann nicht sagen, waren es drei Männer oder vier oder fünf oder ...«

»Schließen Sie die Augen«, bat Rodenstock eindringlich. »Schließen Sie die Augen, und hören Sie zu. Sie sind im Wald. Es ist gegen Mittag, es ist heiß, die Sonne steht hoch. Stehen Sie dort, wo dieses Bärenmoos ist, im Schatten oder in der Sonne?«

Wassi hielt die Augen geschlossen und lächelte leicht. »Halb. Halb Schatten, halb Sonne. Sehr grell.«

»Gut. Also Halbschatten. Dann sehen Sie auf die Straße, wo sich dieser Überfall abspielt. Achten Sie jetzt bitte – halten die Augen geschlossen! – nicht auf das Licht, nicht auf das Bild. Achten Sie auf Geräusche. Was hören Sie? Langsam, langsam. Was hören Sie?«

Wassi ließ sich darauf ein, er fühlte sich sicher. »Entfernung ist, na ja, zweihundert, zweihundertfünfzig Meter. Stimmt so, Baumeister?«

»Haut hin. Weiter.«

»Ich höre ein Auto, nein, ich höre zwei Autos. Moment. Überfall ist passiert, oder?«

»Nein, noch nicht«, widersprach Rodenstock ganz ruhig und gelassen. »Ist noch nicht passiert. Was hören Sie?«

»Da ist ein Kreisch. Sagt man so? Kreischen, ja Kreischen. Sie ziehen das Motorrad über die Straße und legen es hin. Mitten auf Straße. Dann das Auto, das mit dem Geld. Es kommt. Die Männer, nein, halt. Es kommt, und die Bremsen quietschen leicht. Nicht schlimm, nicht wie im Film. Dann höre ich, wie sie die Türen aufmachen. Nein, sie machen sie nicht auf, sie schieben sie auf. Sind Schiebetüren. Geht wie ein Rollen, nicht laut. Dann ... dann höre ich nichts, nein, gar nichts. Die beiden Wachmänner gehen zu den Männern auf der Straße. Und dann ist kein Geräusch. Ich ... ich habe bis dahin überhaupt nicht an Überfall gedacht, verstehst du?«

»Na sicher. Warum denn auch? Helle Sonne, grüner Wald, warm ...«

Er lächelte. »Du verstehst. Gut. Komisch. Jetzt kein Geräusch mehr, überhaupt kein Geräusch, verstehst du? Ich sehe ... ich höre nichts. Die Wachmänner kriegen was um die Köpfe, also diese Ohrenschützer, wie wir sie beim Fällen und Sägen tragen müssen. Dann etwas über den Mund, dann diese Säcke. Geht alles schnell, geht so schnell, wie ... na ja, sie haben das geübt, denke ich. Dann die Wachmänner an die Bäume. Kein Geräusch, versteht ihr, kein Geräusch, nichts. Und ich höre gut.«

»Wann kommt jetzt ein Geräusch?« fragte Rodenstock.

»Sind zwei Geräusche. Kommen laut und schnell. Zwei Autos. Auto mit Geld und der Intercooler, der rückwärts rankommt. Sehr schnell.«

»Was dann?«

»Dann wieder schrill. So ein Kreischen. Sie ziehen zwei Schienen hinten raus. Der Geldwagen fährt hoch. Alles sehr schnell. Dann wieder nur ein Auto, weil der Geldtransporter abgestellt. Schluß damit. Volvo gibt Gas und ist schnell weg.«

»Moment, Moment«, rief Marker hastig. »Da fehlt doch was!«

»Fehlt nichts«, sagte Wassi bestimmt.

»Doch«, beharrte Marker. »Da fehlt etwas. Sie fahren den Geldtransporter auf den Tieflader. Okay? Gut. Dann muß der, der im Geldtransporter sitzt, doch aussteigen, oder?«

»Verdammt gut«, meinte ich. »Stieg er aus, Wassi?«

»Nein. Er stieg nicht aus. Weiß ich sicher. Keine Autotür.«

»Kann nicht sein«, überlegte Marker. »Wassi, bitte denken Sie nach: Bis jetzt stimmt alles. Der, der den Volvo fährt, sitzt im Volvo. Der, der den Geldtransporter auf den Tieflader gefahren hat, bleibt drin sitzen. Auch okay. Aber der dritte Mann? Der muß doch in den Volvo, oder? Oder wenn er nicht in den Volvo steigt, steigt er dann in den Geldtransporter? Irgendwo muß er bleiben, verdammt noch mal.«

»Kapiere ich«, sagte Wassi. Er hielt die Augen noch immer geschlossen. »Kapiere ich verdammt gut, Chef. Aber da war nichts. Keine Autotür. Langsam noch mal. Halt, wir haben vergessen das Motorrad, die Plane. Haben sie vorher auf den Tieflader gehoben – zu dritt«, erklärte er sehr bestimmt.

»Gut, also noch mal«, sagte ich. »Einer geht den Tieflader holen. Der steht hinter einem Erdwall, rund hundertfünfzig

Meter weg, und ist nicht sichtbar. Währenddessen setzt sich der zweite Mann in den Geldtransporter. Als der Tieflader herangebracht ist, fährt er auf die Ladefläche. Okay?«

»Okay«, bestätigte Wassi. »Dritter Mann. Muß einsteigen, muß eine Tür zu hören sein. Ist aber nicht. Ist still.«

»Also keine Tür klappt. Also bleibt der dritte Mann am Tatort. Ist das so richtig?« Rodenstock hatte die milde Stimme eines Mannes, der niemandem weh tun kann.

»Ist richtig«, nickte Wassi.

»Weiter«, sagte Marker. »Das Geräusch von dem Volvo wird immer leiser. Er fährt weg, er taucht in die Wälder. Da muß ein weiteres Geräusch sein. Irgendein Geräusch. Läuft der dritte Mann? Krachen Äste? Irgendein helleres Geräusch, weil er auf der Straße läuft?«

»Nein«, lächelte Wassi. »Gute Methode. Nein, er rennt nicht. Da ist wieder ein Motor. Aber Trecker.«

»Ganz sicher ein Trecker?« fragte Rodenstock.

»Ganz sicher«, sagte Wassi. »Leichter Trecker, nicht schwer. Ich denken, vierzig bis sechzig PS. Ziemlich ... wie sagt man? ... helles Geräusch. Leichter Trecker. Klingt wie International.«

»Phantastisch!« seufzte Marker. »Das ist wirklich phantastisch. Es hilft uns nicht die Spur weiter, hat aber das Flair einer spiritistischen Sitzung.«

»Verdammt noch mal, das ist nicht wahr«, widersprach ich. »Ich verlasse mich darauf, daß Wassi einen Trecker gehört hat. Und er hört einen leichten Trecker der Marke International. So was hört man hier. Vierzig PS ungefähr. Aber Sie übersehen die Tatsache, *daß* es ein Trecker ist, mein Bester. Wenn wir von einer international arbeitenden Gruppe ausgehen, dabei aber ein Trecker tuckert, dann stimmt etwas nicht, denn solche Gruppen benutzen niemals einen Trecker.«

»Das könnte sein«, sagte Marker. »Aber mehr auch nicht. Dann brauche ich diesen Trecker.«

»Ja, ja«, murmelte Rodenstock trübsinnig. »Sie waren gut, Wassiliew. Vielen Dank.«

»Und nichts im Heim?« fragte Wassi. »Wirklich nicht, Chef?«

»Ich verspreche es«, nickte Marker. »Nichts im Heim.«

»Dann gehe ich.« Er stand auf, stand linkisch herum, wußte wieder nicht, wohin mit den Händen. Da tauchte Elsa hinter ihm aus dem Nichts auf und befahl: »Einen dreifachen Schnaps für die Arbeit.«

Wassi strahlte, nahm das Glas, trank es aus und warf es hinter sich auf die Fliesen. »Gutes Haus«, sagte er dann und ging.

Elsa flüsterte mir zu: »Er liebt dich.«

»Das kann schon sein«, meinte ich. »Er sieht im Wald dieselben Sachen wie ich, und er kann genauso gut die Schnauze halten wie ich. Aber er ist im Gegensatz zu mir knallhart.«

Dann kam mir eine Idee. Ich rannte hinter ihm her und schrie: »Heh, Wassi, komm noch mal zurück. Wir haben etwas vergessen.«

»Meine Frau ...«, widersetzte er sich matt.

»Es dauert nicht lange«, versicherte ich.

Rodenstock und Marker waren in ein Gespräch vertieft. Sie waren erstaunt, aber sie griffen nicht ein. Wassi setzte sich wieder.

»Hör zu, Wassi. Mir ist noch etwas eingefallen. Wenn du im Wald bist: Kannst du, ohne die Erde zu fühlen, sagen, ob es dort feucht ist oder trocken?«

»Na sicher«, lächelte er. »Du weißt doch. Es sind Gräser dort und Pflanzen. Und bestimmte Gräser wachsen nur, wo feucht ist oder wo trocken ist, und deshalb weiß ich das.«

»Gut. Du hast die Augen zugemacht und in dir nachgehört, was dort für Geräusche gewesen sind. Wir wissen jetzt mehr. Aber du hast auch gute Augen, nicht wahr?«

»Sehr gute Augen«, nickte er. »In Kasachstan sagten die Leute, ich könnte besser sehen als ein Luchs.«

»Wenn du Tiere im Wald siehst, kannst du unterscheiden, wie alt sie sind? Kannst du ihr Alter erkennen?«

»Sicher«, bestätigte er sofort. »Weißt du, es ist wie bei Menschen: Junge Tiere bewegen sich anders als alte Tiere. Junge Tiere haben sehr viel Kraft und machen viel unnütze Schritte. Es ist so, als hätten sie zuviel Kraft. Junge Tiere tollen, alte nicht. Wenn du siehst eine Fuchsfamilie, dann geht die Mutter immer vorn. Und die Kleinen hinter ihr her im Gänsemarsch. Aber die Kleinen gehen nicht genau im Gänsemarsch. Sie machen mal hier einen Schritt mehr, mal dort. Und sie spielen mit dem Schwanz vom Fuchs, der vor ihnen geht. Sie sind eben Kinder.«

Er hockte da und war verliebt in seinen Wald. Rodenstock und Marker starrten ihn ergriffen an.

»Das ist sehr gut. Du sagst, es waren wahrscheinlich drei Männer. Mach noch einmal die Augen zu. Okay. Und jetzt erinnere dich an ihre Bewegungen. Du konntest sie nicht erkennen, weil sie diese Motorradhauben trugen. Aber du hast sie gesehen. Wie bewegten sie sich? Schnell, geschmeidig, schwerfällig, wie dicke Menschen, wie dünne Menschen?«

»Ach so«, hauchte Marker.

»Einer war jung«, sagte Wassi. »Ja, einer war jung.«

»Was machte der?«

»Der fuhr nicht den Tieflader. Auch nicht den Geldtransporter. Das war der, der blieb.«

»Der mit dem Trecker?«

»Ja, ja, ich denke.«

»Und die anderen beiden?«

»Bewegten sich anders. Irgendwie schwerer.«

»Älter?«

»Älter«, kam es bestimmt zurück.

»Danke, Wassi«, sagte ich. »Sag mal, bist du eigentlich katholisch?«

»Ja«, nickte er etwas verwundert.

Ich ging hinüber in mein Arbeitszimmer und nahm die alte hölzerne Madonna von ihrer Unterlage, die irgendwer aus meiner Familie vor Urzeiten in den Wirren des Krieges irgendwo gegen eine Stange Zigaretten eingetauscht hatte. Das Gesicht dieser Maria war mädchenhaft, irgendwie gänzlich unglaublich. Ich reichte sie ihm und sagte: »Vielleicht ist das auch etwas für deine Frau.«

»Ja, ja«, bedankte er sich. Er nahm sie wie ein Baby in die Armbeuge und verschwand in der Nacht. Sein Gesicht war verwirrt.

»Was sagt uns das?« fragte Marker hinter mir.

»Ich weiß es nicht genau.«

»Es waren also drei Männer mit einem Tieflader und einem leichteren Trecker«, murmelte er.

»Es kann auch eine Frau dabeigewesen sein«, rief Rodenstock irgendwo hinter uns im Dunkel des Flurs. »Lieber Himmel, ich brauche einen Kaffee.«

»Wir haben noch zehn Minuten bis zum Bürgermeister«, stellte ich fest.

Wir hatten diese zehn Minuten nicht, denn die Frau meines Bürgermeisters rief an und sagte empört: »Also, Klärchen ist doch wieder losgerannt und steht splitterfasernackt vor der Madonna an Christians Scheune. Kann man dem denn nicht verbieten, nachts zu schweißen?«

»Ich sause hin«, beruhigte ich sie, dann informierte ich meine Besucher. »Ich bin sofort wieder da.«

»Ist es die unsägliche Witwe Bolte?« fragte Unger.

»Sie ist nicht unsäglich«, wies ich ihn zurecht.

»Beeilen Sie sich«, mahnte Marker.

Elsa kam hinter mir her und setzte sich in den Jeep. »Ich will sehen, wie sie ausflippt.«

»Sie flippt gar nicht aus, sie ist einfach nur auf eine angenehme, nicht aufdringliche Weise verrückt. Früher durften diese Typen im Dorf bleiben, bekamen ihr Essen und wurden gepflegt. Heute pflegt sie der Staat und macht sie arm.«

»Unsere Gesellschaft hat sich eben verändert.«

»Vermutlich willst du sagen, zum Besseren.«

Sie antwortete nicht mehr, sie murmelte: »Das gibt es doch gar nicht!«

Inzwischen waren wir am Ziel, und an der Ecke der großen Scheune, an der auf einem Haufen aus Bruchsteinen die Gipsmadonna stand, brannten sicherlich mehr als dreißig Teelichter in der stillen, heißen Nacht. Davor erhob sich wie ein kleiner Hügel die Gestalt der knienden Witwe Bolte. Sie hatte sich eine alte Pferdedecke übergehängt, es wirkte gespenstisch.

Christian Daun, sein Vater und Peter Blankenheim standen einige Meter abseits zusammen, waren sehr ruhig und gelassen und rauchten.

»Heh, Klärchen«, rief ich munter. »Du gehörst ins Bett!«

»Die ist völlig weg«, meinte Christian Daun.

»Die hört dich gar nicht«, sagte Peter Blankenheim.

»Das muß doch mal ein Ende haben«, knurrte Nikolaus Daun.

Die Witwe Bolte betete, ihre Lippen bewegten sich schnell, ihre Züge waren vollkommen glatt und verklärt, und die Augen hielt sie geschlossen. Sie drehte sich um, und dabei rutschte die alte Decke von ihr herunter. Sie war auf eine unnahbare Weise nackt, sie war vollkommen unberührbar. »Wollt ihr nicht lieber mitbeten?« fragte sie im Mama-Ton.

»Du erkältest dich, Klärchen«, sagte Elsa freundlich und legte ihr die Decke über.

»Danke, mein Kind«, flüsterte Klärchen.

»Warum gehst du nicht zum Schweißen auf den Hof deines Vaters?« fragte ich Christian Daun.

Er zuckte die Achseln. »Hör mal, Siggi, wir haben alle Maschinen von mir, von meinem Vater und vom Blankenheim-Hof hierhergefahren. Wir arbeiten wie die Sklaven, ich muß die Dinger nachts reparieren. Mir ist eine Wellenhalterung im Mähdrescher gebrochen. Verdammt, ich kann doch nicht das ganze Gerät auf meinen Elternhof schaffen. Jedesmal, wenn ich hier schweiße, kommt sie an und betet. Wieso kriegt der Bürgermeister keinen Heimplatz für sie?«

Es war augenblicklich still, Klärchens Lied erstarb, sie stand auf, die Decke rutschte herunter, sie stand da und sagte: »Wenn mir einer das hier nimmt, lege ich mich zum Sterben hin.«

»Scheiße!« fluchte Christian Daun. »Das wollte ich nicht.«

»Das will doch kein Mensch«, sagte sein Vater.

»Beruhige dich«, meinte Blankenheim. »Ich sage Erna, sie soll dich heute nachmittag mit Kaffee und Kuchen besuchen. Vielleicht kannst du ja mal zu uns hochkommen? So alt bist du doch nicht, daß du das nicht schaffst.«

»Das wäre schön«, flüsterte Klärchen gläsern. »Jetzt gehe ich schlafen.« Sie griff nach der Decke, hängte sie sich über und ging langsam die zweihundert Meter zu ihrem Haus.

»Sie ist wirklich wunderbar«, sagte Elsa versonnen.

»Sie war immer ein guter Typ«, murmelte Peter Blankenheim.

Der alte Daun setzte hinzu: »Wunderlich, immer etwas wunderlich, aber sie hat uns Kinder sehr gemocht, nie angebrüllt.«

»Wir müssen das durchstehen«, stellte ich fest und blies die Teelichter aus.

»Geht klar«, sagte Christian einfach und zündete sich eine Zigarette an. »Wollt ihr ein Bier?«

»Keine Zeit«, lehnte Elsa ab.

»Habt ihr die Geldräuber?« Peter Blankenheim fragte das augenzwinkernd.

»Nicht die Spur«, gab ich Auskunft. »Mich würde es nicht wundern, wenn jemand für den Zaster längst Waffen oder Heroin gekauft hat.«

Auf der kurzen Rückfahrt redeten wir nicht. Mein Bürgermeister hockte in der Stube in einem Sessel und war unsicher, denn Marker, Rodenstock, Unger und Bettina hockten um ihn herum wie ein Tribunal.

»Ich mache erst mal einen Kaffee«, sagte Elsa und nickte ihm zu.

»Grüß dich, Obrigkeit«, sagte ich. »Was spricht der Volksmund, wer hat den Zaster?«

»Das weiß ich nicht.« Er lachte und lockerte sich etwas.

»Das ist ein informatives Gespräch«, erklärte Marker vorsichtig. »Es hat keinen offiziellen Charakter. Es ist ein Plausch, würde ich sagen.«

»Also plauschen wir«, meinte Unger munter.

Sehr wahrscheinlich glaubte mein Bürgermeister, es gehe bei mir nicht wesentlich anders zu als bei einer Ausschußsitzung unter Ausschluß der Öffentlichkeit: Man tastet sich ab. Er begann: »Ja, es wäre schön, wenn Sie mich einmal informieren, wie weit die Nachforschungen gediehen sind.«

»Sehr gut gemacht«, lächelte Rodenstock, und mein Bürgermeister grinste.

»Hör zu«, sagte ich, »es geht nicht darum, jetzt herauszufinden, wer es war. Wir wollen wissen, wie die Stimmung ist und was so alles erzählt wird. Wir erfahren das nicht, aber du.«

»Du kennst ja die Eifler«, gab er zu bedenken. »Geredet

wird viel, aber was davon stimmt, muß jeder selbst herausfinden.«

»Wir sind dabei«, sagte Marker freundlich.

»Fangen wir gleich mal an«, meinte ich. »Was sagt man zum Mord an dem Banker, dem Schuhmacher?«

Er bewegte sich vor, trank einen Schluck Bier, zündete sich eine Zigarette an. »Also, wenn's die Frau war, dann ist das natürlich furchtbar. Aber die meisten, vor allem die Frauen, sagen: Die war das niemals! Ich weiß ja nicht, aber angeblich ist die Frau sehr sanft.« Er wedelte mit den Händen. »So ein Pflanzstock ist schwer und aus Stahl und rund zwanzig Zentimeter lang. Stell dir vor, so ein Ding rammst du einem Menschen in den Mund ... näh, näh, das ist ja unheimlich brutal. Die meisten glauben eben, daß er irgendwie in der Geldsache drinsteckte und umgebracht wurde. Oder vielleicht hat er ja durch Zufall irgendwas mitbekommen, durch Zufall erfahren, wer es war. Da mußte er sterben.«

»Ist es denn nicht vorstellbar, daß die Frau ausflippte?« fragte Rodenstock sanft.

»Na sicher«, nickte er. »Aber das ist etwas, das ... na ja, wenn einer durchdreht, macht das den Menschen angst. Da ist man lieber handfest und sagt sich: Das waren Gangster.«

»Richtig«, bestätigte Marker. »Und wahrscheinlich wollen Sie von uns wissen, ob wir irgend etwas Endgültiges wissen. Momentan sieht es tatsächlich sehr danach aus, daß die Frau es war. Der Mann hat sie halt ziemlich schweinisch behandelt.«

»Oh Mann!« hauchte Willi. Dann gab er sich einen Ruck: »Also ich erinnere mich an einen Professor, der mal gesagt hat: Ein Mensch kann Läuse und Flöhe haben. Kann es nicht sein, daß sie ihn umbrachte, und er trotzdem etwas mit dem Ding zu tun hatte?«

»Kann sein«, nickte Marker, »das kann durchaus sein. Was sagen die Leute: Wieviel Täter waren es?«

»Ja, das ist merkwürdig! Niemand vermutet, das war eine Gruppe oder ein Haufen oder so. Sie sagen alle, es waren drei Männer.«

»Nicht zwei Männer und eine Frau?« fragte ich.

»Es waren drei Männer«, wiederholte er. »Und sie haben einen Tieflader in Oberehe geklaut und das Ding benutzt, den Transporter wegzuschaffen.«

»Woher kommt das mit dem Tieflader?« erkundigte sich Rodenstock.

Wenn mein Bürgermeister grinste, sah er augenblicklich zehn Jahre jünger aus. »Das ist ganz einfach. Die Belgier hatten diesen alten Mann in Oberehe gebeten, auf die Tieflader aufzupassen. Der hat wie wild in der Gegend rumtelefoniert, daß mit einem der Tieflader das Ding gedreht wurde. Stimmt das?«

»Das stimmt«, nickte Marker. »Nun habe ich, Herr Bürgermeister, noch eine Frage. Es wird ja viel geredet, und eigentlich weiß niemand etwas Genaues. Aber es wird im Zusammenhang mit solchen Fällen immer über Gruppen geredet, denen es beschissen geht, wirtschaftlich beschissen. Denen traut man doch zu, so ein Ding zu drehen, oder? Also, meine Frage: Wird so eine Gruppe erwähnt?«

»Da rede ich nicht gern drüber«, erwiderte er schnell. »Wissen Sie, das ist ja so: Als Bürgermeister hört man viel, und das meiste davon ist reiner Blödsinn. Da rede ich nicht gern drüber. Läuft hier eigentlich ein Tonband?«

»Wir machen keine linken Dinger!« verneinte Marker scharf. »Herr Bürgermeister, das hier ist vertraulich, niemand wird erzählen, daß Sie überhaupt hier waren.«

Mein Bürgermeister wurde wiederum zehn Jahre jünger. »Ach wissen Sie, Herr Hauptkommissar, das braucht auch niemand erzählen. Das Dorf weiß sowieso, daß ich hier bin. Jeder hat heute Telefon.«

»Willi, paß auf«, sagte ich. »Du hast wahrscheinlich von dem Wassiliew im Kerpener Heim gehört?«

»Na sicher. Der soll mitgemacht haben.«

»Hat er einwandfrei nicht«, widersprach Rodenstock.

»Wassi hat nichts damit zu tun«, erklärte ich. »Und seine Kumpane auch nicht. Von welchen Gruppen hast du gehört?«

Es war ihm unangenehm, er wollte nichts sagen. Er wiegte den Kopf hin und her.

»Niemand zitiert Sie«, mahnte Rodenstock.

»Na ja, es ist nicht meine Gemeinde«, murmelte er. »Das

geht meinen Kollegen an. Also, es ist so, daß wir in Daun eine Witwe haben, hoch in die Siebzig. Die hat drei Kinder. Alle drei irgendwie schief, also sozusagen mißraten. Die Tochter geht angeblich in Frankfurt anschaffen, ist aber am Wochenende dauernd hier. Die beiden Söhne leben bei der Mutter, und wir nennen sie hinter der Hand die Heroin-Boys. Also, ich will sagen, die sind süchtig. An dem Samstag, an dem der Geldraub passierte, da haben die beiden in Hillesheim in der kleinen Kneipe nebenan eine Currywurst gegessen. Dann waren sie plötzlich weg. So ungefähr eine Stunde, bevor der Geldtransporter Hillesheim verließ. Seitdem sind sie weg, spurlos verschwunden.«

»Sind die beiden vorbestraft?« fragte Marker.

»Ja«, nickte mein Bürgermeister. »Sie hatten versucht, in Insul unten an der Ahr eine Bank zu überfallen. Also, raffiniert sind sie allemal.«

»Was sagt der Wirt, hatten sie einen Wagen dabei?«

»Nein, das nicht. Aber einen kleinen Trecker. Der ist ihnen wohl von ihrem Vater geblieben.«

»Sieh an, sieh an«, grollte Marker.

»Hat irgend jemand sie gesehen?« fragte Rodenstock. »Ich meine, auf dem Weg von Hillesheim nach Wiesbaum und dann auch rüber nach Flesten.«

»Ein Bauer hat sie auf dem Weg von Hillesheim nach Wiesbaum gesehen, also in der Richtung, in der es passierte.«

Marker schlug wütend mit der flachen Hand auf die Tischplatte. »Verdammt noch mal, warum erfahre ich das erst jetzt?«

»Ich weiß das auch erst seit gestern. Die Witwe in Daun hat Lärm geschlagen. Sie sagt, die beiden Söhne haben ihr das letzte Geld geklaut an dem Samstag morgen. Ich denke mal, die haben sich irgend etwas gekauft und genommen oder gespritzt. Vielleicht sind sie ja auf die Wahnsinnsidee gekommen, den Geldtransporter zu klauen und ...«

»Niemals«, widersprach Elsa scharf. »Woher haben sie das Motorrad, woher die Plane, woher die Säcke? Und dann den Tieflader klauen? Leute, die herionsüchtig sind!«

»Weiß der Kuckuck«, seufzte Marker. »Es kann trotzdem sein, wenn sie irgendwelche Helfershelfer hatten.«

»Sämtliche Umstände kamen ihnen entgegen«, sinnierte Rodenstock.

»Was sagt der Volksmund«, fragte ich weiter, »wohin können sie verschwunden sein?«

»Frankfurt oder Köln«, antwortete mein Bürgermeister. »Sie haben in beiden Städten ihre Drogen gekauft, sie haben dort Bekannte.«

»Ich lasse sie suchen«, sagte Marker. Er verschwand, wahrscheinlich um die Rauschgiftdezernate um dringliche Fahndung zu bitten.

»Jetzt kommt erst mal Kaffee«, sagte Elsa mütterlich.

Wir tranken also dankbar Kaffee und schwätzten über Alltägliches, bis Marker zurückkehrte, sich auf seinen Stuhl setzte und die Befragung fortsetzte: »Ist außer diesen Heroin-Brüdern noch eine andere Gruppe im Gespräch?«

»Ich weiß wirklich nichts weiter«, wiederholte mein Bürgermeister.

»Erörtert denn die Bevölkerung nicht noch ganz andere Möglichkeiten?« fragte Marker.

Es war klar, er wollte meinen Bürgermeister aufs Glatteis locken und gleichzeitig nichts preisgeben. Ich sah, wie Rodenstocks Gesicht sich unter einem schnellen Lächeln verzog und wie Elsa hastig die Hand zum Mund nahm.

»Na ja«, antwortete Willi gedehnt. »Es werden vor allem viel Witze gemacht.« Er lachte. »Vor allem der: Was kaufst du denn als erstes: Weltreise, Haus oder Auto?«

»Auf wen kommst du denn selbst, was fällt dir denn dazu ein?« bohrte ich weiter.

Er ist ein gewiefter Politiker, mein Bürgermeister. Er sagte im Brustton der Überzeugung: »Na ja, erst mal das organisierte Verbrechen. Das Ding ist doch so perfekt gelaufen, das müssen doch sozusagen erstklassige Profis gewesen sein, oder?«

»Das könnte sein«, bestätigte Marker mit sehr breitem Mund. »Aber wir wollen auch hören, falls in der Bevölkerung andere Gruppen genannt werden.«

»O ja, die gibt es natürlich«, erwiderte er schlicht. »Die verrückteste, die ich bisher gehört habe, ist diese: Es war die Polizei.« Er hatte vor Belustigung ganz schmale Augen.

Eine Weile herrschte eisiges Schweigen, dann sagte Rodenstock sichtlich konsterniert: »Das ist aber doch Unsinn!«

»Also, so ein großer Unsinn ist das durchaus nicht.« Willi breitete beschwichtigend die Hände aus. »Da steckt durchaus Köpfchen dahinter. Wenn jemand das Ding ganz sicher drehen wollte, dann ... dann ...«

»Das ist aber doch irre«, rief Unger.

»Laß ihn doch mal«, sagte Rodenstock ruhig. »Wieso also Polizisten? Ein paar Minuten nach dem Kladderadatsch war doch ein Streifenwagen da.«

Nun machte meinem Bürgermeister die ganze Sache Spaß. »Also, ich muß betonen, daß ich diese Theorie nicht vertrete, aber trotzdem ist was dran.« Er grinste wieder. »Sehen Sie mal, man sagt immer, daß der Eifler zwar erst mit sechs Monaten die Augen aufmacht, daß er aber dann wirklich alles sieht. Klar war da sofort ein Streifenwagen. Was ist denn, wenn der gar nicht zufällig daherkam?«

»Lieber Himmel«, sagte Rodenstock verblüfft, »das ist wirklich faszinierend. Diese ersten Beamten am Tatort können die Nachforschungen exakt so lange durch emsige Tätigkeit behindern, bis der Tieflader irgendwo ist, wo ein anderer Lkw auf ihn wartet. Meinen Sie das?«

»Das meine ich«, grinste Willi.

»Das kann nicht ganz sein«, wandte ich ein. »Ich war dort. Die Beamten hatten natürlich die ersten zwei, drei Minuten vor lauter Überraschung so etwas wie einen Schock, aber dann haben sie verdammt gut die Ringfahndung aufgestellt. Das glaube ich nicht, das glaube ich einfach nicht.«

»Ist ja nur ein Gedankenspiel«, beruhigte mich Willi. »Man kann daran erkennen, auf was die Leute alles kommen.«

»Jedenfalls zeigt es, daß man meinen uniformierten Kollegen hier alles Mögliche zutraut«, seufzte Marker. »Sagen Sie«, begann er aufs neue, »gibt es denn keine Theorie, die halbwegs realistisch ist?«

Willi verstand die Frage sofort, aber sicherheitshalber blickte er hilflos in die Runde. Dann räusperte er sich und murmelte: »Ja, ich dachte, Sie würden mich jetzt darüber informieren, was Sie wissen.«

»Wir sind uns nicht schlüssig«, entgegnete Marker und schien in tiefes Nachdenken versunken.

Rodenstock schüttelte mißbilligend den Kopf, sagte aber nichts. Elsa lächelte auf den Fußboden.

»Verdammt, nun führen Sie ihn doch nicht vor«, fluchte Unger.

»Heh!« rief Marker scharf.

»Unger hat recht«, entschied ich. »Das ist kein gutes Spiel. Paß auf, Willi. Jemand hat seit dem Wochenende unendlich viel Geld. Er verschenkt es nämlich.«

Er sah mich mit sehr ruhigen Augen an, blickte dann zwischen seinen Beinen zu Boden und stöhnte: »Ach du Scheiße!«

»Bitte, Willi«, bat ich. »Du mußt irgend etwas gehört haben. Du solltest das jetzt sagen. Ob es stimmt oder nicht, ist zunächst wurscht.«

Er atmete in einem heftigen Stoß aus. »Landratsamt! Es ist so, daß das Geld in Zeitungspapier gewickelt war, daß es beim Hausmeister nachts vor die Tür gelegt wurde. Dabei war ein Zettel. Ziemlich schlimm.«

»Was ist schlimm?« fragte ich.

»Auf den Zettel hatten sie Buchstaben geklebt. Ausgeschnitten. Die Behörden sollen das Geld für vier Häuser im Kreis verwenden, in denen Asylbewerber untergebracht sind. Damit nicht noch einmal so eine Schweinerei passiert wie damals mit dem Gymnasium.«

»Was war damals?« hakte ich nach.

»Vor ein paar Jahren kamen aus dem Osten die Deutschstämmigen. Da hat ein Gymnasium einen Wirbel gemacht und geschrien: Her damit! Sie haben die Turnhalle ausräumen wollen und als Lager angeboten. Aber nach vierundzwanzig Stunden war das vorbei. Angeblich haben Eltern den Schuldirektor angerufen und gesagt, sie wollen nicht, daß ihre Tochter in eine Schule geht, in der Russen in der Turnhalle sind. Plötzlich hat keiner mehr von der Turnhalle geredet. Die Landesregierung konnte die Flüchtlinge nicht schicken. Wir bekamen später natürlich trotzdem welche. Ich als Bürgermeister kann nur sagen: Wir wissen nicht mehr, wie wir das finanzieren sollen. Die Eifel war immer arm und wurde immer ausgenutzt. Wir verarmen wieder, wir kriegen keine Gelder. Wir haben diese Leute, die wir zugewiesen kriegten, in vier großen Häusern untergebracht. Weil in den Häusern alles Mögliche defekt ist, hat irgendwer der Kreisverwaltung vierhunderttausend geschenkt, damit diese Häuser hergerichtet werden. Außerdem stand wörtlich auf dem Zettel: ‚Ich verzichte auf eine Quittung, werde aber darauf beharren, daß das Geld seiner Bestimmung gemäß verwendet wird.' Natürlich sagte der Landrat: Mund halten, eisern den Mund halten!«

»Wann kam das Geld?« fragte Marker. Er war blaß.

»Gestern«, erwiderte mein Bürgermeister.

»Ich muß telefonieren«, sagte Marker. »Ich muß diesen Landrat aus dem Bett holen. Nein, nein, ich erwähne Sie nicht.«

»Darum muß ich auch bitten«, murmelte mein Bürgermeister. »Vielleicht will er Ihnen morgen freiwillig Bescheid geben.«

»Vierundzwanzig Stunden zu spät«, sagte Marker scharf. »Kann ich Ihren Wagen haben?« fragte er mich.

»Schlüssel steckt«, gab ich zurück.

»Heiliger Bimbam«, Unger schien sehr zufrieden.

»Es naht eine Gewitterfront«, stellte Elsa fest. »Noch jemand Kaffee?«

Niemand wollte. Wir starrten vor uns hin, wir hörten, wie Marker den Jeep startete und vom Hof fuhr.

»Also gut«, meinte Elsa. »Jemand hat den Geldtransporter geklaut und verschenkt jetzt das Bare. Wer kann das sein?«

»Ich weiß das wirklich nicht«, sagte Willi.

»Apropos Bargeld. Du mußt gelegentlich das Haus der Witwe Bolte umpflügen. Sie treibt immer irgendwo Geld auf«, berichtete ich ihm.

»Das ist schrecklich«, nickte er. »Viele alte Leute horten Geld. Weil sie gehört haben, daß sie im Altenheim nur Taschengeld kriegen. Also sammeln sie so viel wie möglich. Ja, ja, ich pflüge das Haus um. Wie ging es ihr heute?«

»Ganz gut«, lächelte Elsa.

»Sag mal«, fragte mein Bürgermeister, »wer hat denn noch was von dem Segen abgekriegt?«

Damit gab er uns eine Nuß zu knacken, und wir wußten nicht, ob wir ihm antworten sollten.

»Sie müssen es absolut vertraulich behandeln«, antwortete schließlich Rodenstock. »Kein Wort, nicht mal zur örtlichen Kripo.«

»Kein Wort«, versprach er.

»Okay«, sagte ich und erzählte es ihm. Ich schloß mit den Worten: »Mit deinen vierhunderttausend für die Kreisverwaltung haben wir erst läppische sechshundertfünfzigtausend.«

»Das ist doch schon was«, rief er empört.

»Die haben fast neunzehn Millionen!« mahnte Elsa.

Mein Bürgermeister beschloß, sich das Lachen nicht mehr zu verkneifen. »Da gibt es noch jede Menge Geschenke«, freute er sich. Er sah auf die Uhr und erklärte: »Ich muß morgen früh raus.«

»Ich begleite dich«, sagte ich. »Ich brauche frische Luft.«

Wir gingen nebeneinander die stille Dorfstraße hinunter, und unsere Schritte waren sehr laut.

»Ich kenne dich einige Jahre«, fing ich das Gespräch wieder an. »Du machst den Eindruck, daß du noch mehr weißt.«

»Da ist was dran«, muffelte er. »Das ist aber auch zu verrückt.«

»Was ist zu verrückt? Sag es ruhig, wir finden es doch irgendwann heraus.«

»Halten diese Leute vom Bundeskriminalamt mich wirklich raus?«

»Garantiert. Also, was ist noch?«

»Wir haben zwei Bundestagsabgeordnete hier«, erklärte er, blieb stehen und strich mit der Schuhsohle über den Asphalt. »Einen SPD, einen CDU. Die haben heute beide sechzehntausend Mark in bar gekriegt. In Zeitungspapier.« Er ging weiter. »Das ist durchgesickert, und sie haben dann die Bürgermeister angerufen und uns gebeten, die Schnauze zu halten.«

»Wozu sechzehntausend Mark?« fragte ich.

»Bei dem Geldpaket lag ein Zettel. Wieder so einer mit zusammengeklebten Buchstaben. Sinngemäß stand darauf, daß die Bundestagsabgeordneten bisher nichts, aber auch gar nichts für die Landwirte und ihr Auskommen getan haben. Na ja, das Geld ist dafür gedacht, daß sie auf einer staatlichen Landwirtschaftsschule lernen, wie Bauern leben und wie man ihnen wirklich helfen kann.«

»Hm«, machte ich. »Jemand führt die Vulkaneifel vor. Behalte es für dich, behalte es um Gottes willen für dich. Ich sage es dem Bundeskriminalamt.«

»Aber du hast es nicht von mir«, bestand er.

»Keine Spur«, erwiderte ich. »Sonst noch etwas?«

»Wie?«

»Sonst noch etwas?«

»Ich wüßte nicht.«

»Willi!«

»Wirklich nicht.«

Er stand da und sah hinter mir her. Wahrscheinlich überlegte er, ob es nicht günstiger gewesen wäre, alles zu sagen.

Zu Hause berichtete ich kurz. Ich schickte Elsa in mein Bett und blieb selbst auf dem Sofa im Arbeitszimmer. Ich starrte in den heißen Nachthimmel und fand keinen Schlaf. In heller Verzweiflung schaltete ich um sechs Uhr in der Früh das Morgenmagazin ein und erlebte eine Truppe in bunte Strampelhöschen gesteckter junger Frauen. Das, was sie hopsend darboten, nannten sie nicht Aerobic, sondern Joyrobic – zweifellos ein zivilisatorischer Fortschritt. Sie grinsten beim Hopsen schrecklich uniform.

Vermutlich hatten sie alle denselben Zahnarzt, denselben Liebhaber und fuhren alle einen VW-Golf.

ZEHNTES KAPITEL

Ich wachte auf, weil Rodenstock vorsichtig die Tür öffnete und das Funktelefon aus der Halterung nehmen wollte.

»Wieviel Uhr ist es?« fragte ich.

»Drei«, sagte er leise. »Drei Uhr nachmittags.«

»Wieso weckt ihr mich nicht eher?«

»Weil Sie müde sind. Wir sind alle müde.«

»Irgend etwas Neues? Hat man diese Heroin-Boys gefunden?«

»Sie sind nicht in der Szene. Weder in Frankfurt noch in einer anderen Großstadt. Aber es stimmt, sie sind seit ungefähr einer Stunde vor dem Klau des Geldtransporters spurlos verschwunden.«

»Was macht Marker?«

»Er hat die Sonderkommission verständigt und jeden persönlich vergattert, nichts, aber auch gar nichts durchblicken zu lassen.«

»Hat die Prüfung dieser Zeitungen irgend etwas ergeben?«

»Nicht die Spur. Raffiniert gemacht: Es handelt sich um Bogen des Trierischen Volksfreundes und des hiesigen Wochenspiegels. Mit anderen Worten: Sie können aus nahezu jedem Haushalt stammen. Keine sonstigen Hinweise, nicht einmal Fingerabdrücke.«

»Das hatten wir schon mal. Es ist immer alles ganz normal. Aber diese Bundestagsabgeordneten plus die Kreisverwaltung werden uns das Genick brechen.«

»Wieso das?«

»Das ist doch ganz einfach. Wenn das Bundeskriminalamt darauf besteht, diesen Geldraub aufzuklären, muß es gleichzeitig damit einverstanden sein, daß die ganze Bundesrepublik über die Täter lacht. Eine Kreisverwaltung vorzuführen und den hiesigen Bundestagsabgeordneten einen Zusatzkurs in praktischer Landwirtschaft zu finanzieren, heißt doch, die gesamte Vulkaneifel lächerlich zu machen.«

»Das ist richtig«, meinte er betroffen.

»Es wird weitergehen«, versicherte ich ihm. »Ist mein Badezimmer ausnahmsweise auch für mich geöffnet?«

»Soweit ich weiß, ja«, sagte er. »Ich bringe Ihnen einen Kaffee.«

»Danke, Papa«, murmelte ich, und er hielt einen Moment inne, bedachte meine Worte und lächelte dann erfreut, ehe er verschwand.

Ich wickelte mich aus der Decke und sah, daß der Tag so heiß war wie der gestrige. Das Ozonloch schlug zu. Man mußte nicht mehr nach Fuerteventura fliegen, es reichte, in die Vulkaneifel zu trampen.

Marker kam in mein Arbeitszimmer und brummte: »Das mit diesen Bundestagsabgeordneten zieht uns die Schuhe aus.«

»Es werden weitere schlimme Botschaften kommen«, vermutete ich.

»Gemessen an den Geldgeschenken, haben wir es mit einem hochintelligenten Kopf zu tun. Ich hasse intelligente Verbrecher.«

»Ja, aber es macht mehr Spaß als mit einem drittklassigen Eierdieb, oder?«

Er grinste breit. »Mir macht nichts mehr Spaß.«

»Was sagt denn der Herr Landrat?«

»Hm«, kam es zurück. »Der Herr Landrat ist ein tüchtiger Mann und tut, was alle Menschen in dieser Lage tun würden, die tüchtig sind: Er läßt mir ausrichten, daß er mir das Zeitungspapier, in das das Geld gewickelt war, zuschicken wird, und ansonsten weiß er nichts und legt Wert auf die Feststellung, daß irgendwelche Abteilungen des Landratsamtes mit dieser Sache nicht befaßt sind.«

Rodenstock brachte meinen Kaffee und brummelte: »Etwas macht mir wirklich Kopfzerbrechen. Nehmen wir an, es ist jemand von hier. Einer als Solist kann es nicht geschafft haben, also eine Gruppe. Wo, verdammt noch mal, haben die den Geldtransporter verschwinden lassen?«

»Der Bundesgrenzschutz hat keine Spur gefunden«, sinnierte Marker. »Soll ich sämtliche Bauernhöfe und Scheunen der Umgebung absuchen lassen?«

»Das würde ich tun«, nickte ich. »Ist eigentlich noch eine Banane im Haus?«

»Nichts mehr«, sagte Rodenstock betrübt. »Wir sind kahlgefressen. Unger und seine angebetete Bettina sind beim EXTRA und kaufen alles für eine Belagerung. Da haben übrigens sechs Redaktionen angerufen. Sie wollen wissen, wie weit der Fall gediehen ist. Ich habe Ihnen das aufgeschrieben.«

»Und wo ist Elsa?«

»Unsere liebe Elsa liegt in der Sonne, und ich habe ihr vergebens erklärt, daß das wegen des Ozonlochs Mist ist«, gab Marker Auskunft. »Vielleicht sagen Sie es ihr noch mal.«

»Dann wird sie bissig. Was macht Frau Schuhmacher? Hat sie was gesagt? Hat sie ihren Mann getötet?«

»Einer der behandelnden Psychiater meint, ja«, berichtete Marker. »Aber ein Geständnis liegt nicht vor. Ich gehe jetzt eine Runde schlafen.«

»Wir suchen einen Geldräuber, der Geld raubt, um es zu verschenken«, überlegte Rodenstock. »Ist der nun verrückt oder nur gut?«

Ich ging hinauf ins Badezimmer, rasierte mich und aalte mich genußvoll unter kaltem Wasser. Dann machte ich mich landfein.

Elsa klopfte und fragte: »Bist du nackt?«

»Nein, würde es dir etwas ausmachen?«

»Nackt wäre mir lieber«, erklärte sie. Sie kam herein. »Was machen wir jetzt?«

»Ich würde mich gern um die Heroin-Brüder kümmern.«

»Aber die scheiden doch aus. Solche Leute kommen doch nicht in Betracht.«

»Als Täter? Als Täter stelle ich sie mir gar nicht vor. Aber da gibt es eine andere Frage. Sie waren in der Kneipe neben der Bank. Ungefähr eine Stunde vor der Tat. Dann tuckerten sie mit ihrem Trecker in Richtung Wiesbaum. Wir wissen von Wassi, daß unmittelbar nach dem Geldraub irgendwo in der Gegend ein kleiner Trecker tuckerte. Und seitdem sind die Treckerfahrer spurlos verschwunden. So irre das auch klingen mag: Aber vielleicht sind die beiden volles Rohr in diesen Coup hineingefahren?«

»Das ist aber eine sehr verzweifelte Konstruktion«, meinte sie rücksichtslos.

»Das gebe ich zu. Aber erst einmal besuchen wir die Frau in der grünen Tonne!«

Sie sah mich an, als zweifelte sie an meinem Verstand. »Wen, bitte?«

»Die Frau in der grünen Tonne.«

»Und wer, bitte, ist das?«

»Eine sehr nette, eine sehr feine und außerdem eine sehr kluge Frau.«

»Soviel Lob würde mir angst machen. Im Ernst, wer ist das?«

»Sie ist jemand, der viel hört, viel erfährt. Sie ist jemand, der niemals einen anderen verraten würde, selbst dann nicht, wenn er neuerdings achtzehn Millionen im Keller verstecken würde.«

»Was soll das mit der grünen Tonne?«

»Na ja, sie ist aus Köln, und sie frönt dem gesunden Leben. Das brachte es mit sich, daß sie hinter ihrem Haus eine riesige Plastiktonne aufgestellt hat, um das Regenwasser zu sammeln. Und jetzt kommt's: Vornehmlich in kalten Jahreszeiten steigt sie morgens splitterfasernackt in diese grüne Tonne.«

»Und sie lebt noch?«

»Sehr sogar.«

»Dann will ich sie kennenlernen.«

Wir fuhren also langsam in Richtung Schloßthal. »Es ist einfach schön hier!« seufzte Elsa.

Ich nickte. »Das sagt auch unser Oberförster, wenn er traumverloren seinen Dackel leckt.«

Sie lachte, reckte sich und zündete sich eine Zigarette an.

Die Frau in der grünen Tonne hieß eigentlich Conny. Sie war zu Hause und bastelte an ihrem frischgebauten Teich herum. Sie drehte sich herum, sah uns kommen und sagte: »Ich habe keinen Kuchen zu Hause. Grüßt euch, Spätzelein.«

Sie sagt immer Spätzelein oder Liebchen. Ich stellte Elsa vor und erklärte: »Wir kommen vorbei, um mit dir über das geklaute Geld zu reden. Weißt du irgend etwas?«

»Wollt ihr einen Saft oder so was? Nein? Na gut. Also, ich weiß nichts von dem Kies, außer daß ich ihn gut gebrauchen könnte. In meinem Teich ist übrigens schon ein Molch, nein, halt, zwei Molche. Und eine Kröte, buffo buffo, im Regenerationszustand. Sie hat ein Bein verloren, aber sie scheint sich wohl zu fühlen. Nein, Liebelein, ich weiß wenig, und ihr wißt sicher viel, viel mehr.«

»Das ist es eben. Eigentlich wissen wir auch nichts. Was sagen deine Flüstertüten?«

»Sie malen sich dauernd aus, was sie mit achtzehn Komma sechs Millionen alles anfangen würden. – Hast du den

Kommentar von dem Bundestagsabgeordneten gelesen? Titel: Meine Landsleute sind redlich! Hast du das?«

»Nein. Das Fernsehen ist voll, die Tageszeitungen sind voll. Ich kann nicht alles lesen. Was sagt der Mann?«

»Er sagt, die Menschen in der Vulkaneifel sind redlich, ehrlich, hart arbeitende Menschen. Sie überlegen nicht einmal, wie sie dem Staat ans Bein pinkeln können. Der Arsch behauptet, sie kämen nicht einmal auf die Idee zu überlegen, wie man soviel Geld klaut.«

»Der Arsch lügt.« Elsa lächelte feinsinnig. »Irgendeiner ist auf die Idee gekommen.«

»Ja, ja, aber der Abgeordnete schreibt, es seien garantiert internationale Gangster, die die Naivität der Provinz benutzt hätten, dieses gewaltige Ding durchzuziehen.«

»Und was glaubst du?« fragte ich.

Sie hockte sich auf den Rand eines Blumenkübels, in dem Geranien wucherten. »Mir ist ehrlich gestanden das Geschrei zu laut. Immer nur hört man organisiertes Verbrechen, Gangstertum, Mafiamethoden. Na sicher, sie müssen ja brüllen, sie müssen ja betonen, daß ein Eifler auf so eine Idee nicht kommt. Gerade deshalb frage ich: Warum soll er denn nicht drauf kommen?«

»So denke ich auch«, murmelte Elsa.

»Das ist selbstverständlich«, sagte Conny. »Die Menschen hier waren Jahrhunderte hindurch Ausgenutzte, sie waren arm. Die Eifler Kuh war nicht größer als ein Bernhardiner, was alles sagt. Kann es denn nicht sein, daß jemand wütend wurde und sich dachte: Was andere können, kann ich auch!?«

»Es waren mindestens drei«, gab ich zu bedenken.

»Dann eben drei. Glaubst du, hier ist nur einer wütend?«

»Tauchen Sie wirklich im Winter in diese grüne Tonne da?«

Conny lachte. »Ja. Deshalb bin ich auch nie erkältet.«

»Kommen da nicht die Kerle vorbei, um zuzugucken?«

»Wenn sie klatschen, habe ich nichts dagegen«, meinte Conny.

»Und, klatschen sie?«

»Nein, sie stehen hinterm Busch und werden rot.«

Elsa lachte laut.

Conny wandte sich wieder mir zu: »Du solltest nach Leuten suchen, die wütend sind.«

»Aber das ist schwer zu erkennen«, sagte ich.

»Richtig«, nickte sie. »Hier läuft sogar die Wut verdeckt.«

»Was würdest du mit dem Zaster machen?« fragte ich.

»Ein paar Leute unterstützen«, sagte sie knapp und ohne zu überlegen.

»Wen zum Beispiel?«

»Zum Beispiel Schorsch. Der will sich unabhängig machen, der will keinen teuren Strom mehr vom RWE beziehen. Der braucht sechshunderttausend Mark, um einen Windgenerator aufzustellen. Natürlich kriegt er die nicht.«

»Sollen wir Schorsch besuchen?« schlug Elsa langsam vor.

»Durchaus«, nickte ich. »Wer weiß denn, daß Schorsch so ein Ding möchte?«

»Jeder«, entgegnete Conny. »Er hat schließlich alle gefragt, ob sie mitmachen. Aber da die meisten kein Geld haben, war das umsonst.«

»Ich danke dir, Mutter der Molche. Wir ziehen unseres Weges.«

Schorsch bewirtschaftete den Ahr-Hof. Er war nicht auf dem Hof, er war beim Silo.

Also fuhren wir ihm entgegen, und als er stoppte, grinste ich und fragte: »War das Bare in Zeitungspapier eingewickelt?«

Er sah mich an und wurde blaß. Dann stellte er die Zugmaschine ab und kletterte hinunter. »Sag das noch mal«, forderte er. Er achtete nicht auf Elsa.

»Ich habe gefragt, ob das Bare in Zeitungspapier gewikkelt war. In alte Zeitungen.«

»Ach du heilige Scheiße«, stieß er aus. Dann nahm er den uralten Filzhut vom Kopf und kratzte sich ausgiebig. Er blieb stumm.

»Heb das Geld auf, gib nichts aus«, riet ich. »Tut mir leid, aber was hast du gedacht?«

»An einen stillen Gönner«, murmelte er. »So was habe ich in der Verwandtschaft.«

»Wann hast du es gekriegt?«

»Heute nacht muß das gewesen sein. Es lag auf dem Sitz von der Zugmaschine hier.«

»Wo ist es jetzt?«

»Ich habe es meiner Frau gegeben, ich war so perplex.«

»Und die?«

»Die hat es unter die Wäsche gestopft. Wir rätseln rum, was das soll. Ist es Geld von … na ja, aus dem Transporter?«

»Sieht so aus«, nickte ich. »Kein Wort zu irgendwem. Deine Frau muß den Mund halten, unbedingt. Es wird jemand zu dir kommen. Gib es ihm, und gib ihm Auskunft.«

»Dann stehe ich in der Zeitung«, stöhnte er.

»Das garantiert nicht«, versprach Elsa freundlich.

»Oh, mein Gott«, seufzte er. Dann lächelte er mager. »Danke dir.«

»Nichts zu danken. Und mach dir keinen Kopf. Du hast es ja nicht geklaut.«

»Schade«, murmelte er. »War verdammt viel Geld.« Er kniff die Lippen zusammen. »War ein Traum, war nur ein Traum.«

»Mach's gut«, verabschiedete ich mich.

Als wir weiterrollten, schlug ich vor: »Vielleicht sollten wir nach Leuten suchen, die Pläne haben und nichts geschenkt bekamen.«

Elsa sah mich erstaunt an, sagte aber nichts.

Ich fuhr nach Hillesheim in die kleine Kneipe. Wir bestellten Cola und fragten munter drauflos. »Sag mal, Jonny, da waren doch am Samstag, als das Geld geklaut wurde, diese Heroin-Brüder hier, oder?«

»Na sicher«, gab Jonny bereitwillig Auskunft. Er war dick, gemütlich und hatte einen entschieden zu hohen Blutdruck, den er durch einen Vollbart kaschierte.

»Waren die allein hier? Und haben die hier mit jemandem gesprochen?«

»Nein. Die hockten da hinten an dem Zweiertisch. Allein. Außer denen war kein Mensch hier.«

»Sie hatten den Trecker vor der Tür?« fragte Elsa.

Er nickte etwas irritiert, weil er sich wohl nicht vorstellen konnte, daß eine Frau so etwas fragen durfte.

»Wie lange waren sie hier?«

»Höchstens zwanzig Minuten, würde ich mal sagen.«

»Waren sie zittrig?«

»Ja, sehr. Und der eine, der Ältere, wollte auch gar nichts essen. Aber der Jüngere sagte: Du ißt jetzt was, sonst kippst du gleich um!«

»Sie aßen also etwas.«

»Essen kann man das nicht nennen. Sie haben das in sich reingestopft, als kriegten sie es bezahlt. Dann sagte der Ältere, sie müßten los, sie hätten eine Verabredung.«

»Gut. Sie gingen also raus. Wohin fuhren sie?«

»Das habe ich den Bullen schon erzählt. Sie fuhren nach rechts, also die Kölner Straße entlang. Sie haben ja hinten bei ED noch getankt. Das sagten die Bullen jedenfalls.«

»Meinst du, die wollten wirklich jemanden treffen?«

»Ja, und zwar jemanden, der ihnen Drogen gibt. Sie hechelten irgendwie. Sind doch arme Schweine.«

»Also getankt haben sie bei ED. Haben die Bullen was gesagt, wohin sie weiterfuhren?«

»Richtung Wiesbaum, also weiter geradeaus.«

»Danke.«

Wir rollten die Kölner Straße entlang.

»Kann es denn sein, daß sie hier irgendwo Stoff bekommen?« fragte Elsa.

»Du meinst, weil hier nur brave Bürgerhäuser stehen? Sie bekommen das Zeug im Blitzverfahren. Die Deals laufen wie eine schnelle Stipvisite ab. Du kommst mit deinem Auto einem anderen Auto entgegen. Du hältst, jeder steigt für dreißig Sekunden aus und fährt weiter. Damit ist alles gelaufen und nichts beweisbar. Nehmen wir einmal an, sie haben kurz nach den letzten Häusern ihren Deal gemacht. Sie hatten Geld von ihrer Mutter geklaut. Sie werden also entweder nach rechts oder links abgebogen sein … Nach links! Auf keinen Fall nach rechts.«

»Wieso nicht nach rechts?«

»Weil da der Golfplatz ist, schlaues Mädchen. Wenn sie hier irgendwo links abbiegen, kommen sie in eine Gegend, die vollkommen still und abgelegen ist.«

»Und wie weit ist es von hier zum Tatort?«

»Zwei- bis dreitausend Meter, nicht mehr. Es kommt darauf an, wie weit sie in den Wald hineingefahren sind. Es kommt darauf an, wie gut sie sich hier auskennen. Fahren wir also nach links.« Ich zog nach links in einen sehr glatten Waldweg.

»Kennst du dich hier aus?« fragte Elsa.

»Ja, ziemlich gut.«

Der Weg teilte sich. Vor uns lag eine dichte Schonung mit drei Meter hohen Weißtannen. Ich wußte, daß in der Mitte der rechten Tangente eine schmale Schneise in dieses Dikkicht führte, ich nahm also den rechten Weg. Ich fuhr Schrittempo, und als die Schneise kam, bog ich ein und fuhr noch etwa zehn Meter weiter.

Als wir ausstiegen, rochen wir es sofort.

»Oh nein«, stöhnte Elsa erstickt.

»Warte hier«, sagte ich schnell. Ich lief etwa dreißig Meter, bis ich den Trecker sah. Die Heroin-Brüder konnte ich nicht erblicken, also ging ich weiter und versuchte, nicht zu atmen. Dann sah ich sie.

Sie lagen nebeneinander. Ich riskierte einen langen Blick auf ihre Körper und Arme, dann kehrte ich um.

»Es hat sie erwischt. Sie haben wohl H gespritzt und sind krepiert. Goldener Schuß oder so.« Ich nahm die Kamera und kehrte noch einmal um. Am Ende der Strecke mußte ich mich übergeben, fotografierte aber trotzdem. Elsa rief hinter mir: »Sie werden nichts gespürt haben.«

»Nein, sicher nicht.«

»Und jetzt?«

»Marker Bescheid geben.«

Unterwegs hielten wir an, und ich berichtete Rodenstock von unserem schrecklichen Fund.

»Nicht auch das noch«, hauchte er. Dann erzählte er das Neueste: »Marker hat vom Generalbundesanwalt einen Nachrichtenstop verpaßt bekommen. Denen geht der Arsch auf Grundeis.«

Wir fuhren nach Gerolstein. Weil wir trotz allem hungrig waren, gingen wir in das Chinarestaurant und aßen Glasnudeln. Elsa ließ sich darüber aus, wie schön es wäre, in dieser Gegend ein Blockhaus in den Wald zu setzen und langsam alt zu werden.

»Das würdest du nicht durchhalten. In der ersten Nacht hättest du einen Herzinfarkt wegen undefinierbarer Geräusche.«

»Dann müßtest du Wache schieben und mir die Unheimlichkeiten erläutern«, schlug sie vor. »Kannst du mir genauer erklären, was deine Bauern hier so wütend macht?«

»Das ist ein weites Feld. Tatsächlich hat die deutsche Politik im Rahmen der EG unseren gesamten bäuerlichen Mittelstand vernichtet, nebenbei unter reger Beteiligung von Führern des so hehren Deutschen Bauernverbandes. Zum Beispiel wurden Bauern, um die Butterpreise halten zu können, kaum subventioniert. Dagegen wurden die Hallen mit den riesigen Kältemaschinen, in denen die Butterberge aufgetürmt wurden, voll subventioniert. Das alles führte im Laufe der Zeit zu regelrechten Agrarfabriken auf Kosten des Mittelstandes. Dem Bauern wird vorgeschrieben, wie gut seine Milch sein darf. Ist sie besser als erlaubt, gießt er jeden Tag eimerweise die Sahne in den Gully. Das ist ein mieser Alltag, der ihm da zugemutet wird.«

»Wie kommen die Bauern da klar?«

»Es passiert, daß der Bauernsohn mit dem meisten Landbesitz im Dorf tagtäglich zur Bundespost nach Köln fährt, um dort Schichtdienst in der Paketabfertigung zu machen. Das ist normal geworden. Vor zwanzig Jahren haben die Bauern es als unter ihrer Würde betrachtet, daß die eigene Frau putzen ging oder die Tochter eine Stelle in Trier annahm. Heute ist auch das normal.«

»Was machen die ganz jungen Leute, die um die Zwanzig?«

»Sie sehen in der Regel zu, daß sie zunächst studieren oder eine Arbeit in der Stadt kriegen. Aber dann, nach drei, vier Jahren haben sie oft nur noch eins im Kopf: Wie schaffe ich es, einen guten Job in der Eifel zu bekommen? Sie kehren wieder heim, sie bauen hier ihre Häuser, und ihre Kinder kommen hier zur Welt.«

»Du magst sie sehr, nicht wahr?«

»O ja, ich mag sie.«

»Hat dein Vulkaneifel-Mensch auch Fehler?« Sie lächelte.

»Sicher hat er die. Er kriegt zum Beispiel Fremden gegen

über so lange die Zähne nicht auseinander, bis der Fremde beleidigt abhaut.«

»Ich habe versprochen, bis Samstag ein Manuskript zu liefern«, kam Elsa zum Punkt.

»Du wirst es haben.«

»Ich soll dir sagen, daß wir dir ein anständiges Honorar zahlen, wenn du mich unterstützt.«

»Das freut meine Katze«, sagte ich. »Laß uns fahren.«

Marker hockte im Garten in der Laube, die der Haselbusch und der Weißdorn gebildet hatten. Rodenstock hatte sich zwanzig Meter abseits an die Natursteinmauer gehockt, unter den Birken aalten sich auf einer Decke Unger und Bettina.

Wir gingen zu Rodenstock, weil der den friedlichsten Eindruck machte.

»Man hat die beiden Herointoten sehr leise entfernt«, erzählte er. »Marker hat nun ein zweites Problem. Er hat nicht nur Nachrichtensperre verhängen müssen, er erwartet einen Oberstaatsanwalt des Generalbundesanwaltes. Damit wird seine Arbeitsmöglichkeit auf etwa zwei Quadratzentimeter eingeengt, ich kenne das.«

Mit einem lauten Seufzer stand Marker auf und kam heran. »Wir sollten vielleicht überlegen, wo wir stehen. In zwei Stunden ist meine Freiheit gleich Null.«

Unger erhob sich und näherte sich uns ebenfalls, langsam und nachdenklich. Er fragte mich: »Hast du diese Herointoten fotografiert?«

»Selbstverständlich, und du kriegst die Fotos.«

Er hatte vermutlich geglaubt, darum kämpfen zu müssen, und er lächelte flüchtig. »War es ein schlimmer Anblick?«

»Das kann man sagen«, murmelte Elsa. »Vier Tage in dieser Hitze.«

»Da gibt es noch zwei Merkwürdigkeiten«, vervollständigte ich den Bericht. »In einem Reisebüro erschien ein Landwirt, um seiner Frau eine Dreißigtausend-Mark-Reise nach Hawaii zu buchen. Ein paar Stunden später versuchte er, diese Reise dem Reisebüro zurückzugeben. Zum zweiten: Man hat mir erzählt, daß zwei Gemeinden ein neues Geläut für ihre Kirche bekommen, urplötzlich. Ich habe diese Punkte noch nicht angetastet, noch nicht nachgefragt. Ich erwähne das nur, um nichts zu vergessen.«

»Der Alptraum wächst«, flüsterte Marker.

»Womit begründet denn die Bundesanwaltschaft die Nachrichtensperre?« fragte nun Unger.

»Gute Frage«, sagte ich.

Marker überlegte. Er saß in der Klemme. Er hatte seine Kommission unermüdlich auf Tatortspuren und mögliche Zeugen gehetzt, er hatte mein Haus als Ruhepunkt benutzt, er hatte kaum geschlafen und war eigentlich keinen Schritt weitergekommen. Er mußte vorsichtig sein. »Keine Indiskretionen«, bat er matt. »Der Mann der Bundesanwaltschaft begründet das so: Wir haben keine Verdächtigen, aber wir brauchen Erfolge. Der Geldraub beunruhigt die Öffentlichkeit, sie verlangt einen schnellen Erfolg. Also machen wir erst einmal dicht, total dicht.«

»Das ist eine Begründung für Nachrichtensperre?« rief Unger etwas fassungslos.

»Es ist eine sehr herkömmliche Begründung«, stellte ich fest. »Dadurch erweckt die Verfolgungsbehörde den Anschein, als sei sie auf einer oder mehreren wichtigen Spuren.«

Rodenstock räusperte sich. »Kann es sein, Herr Kollege, daß dieser anreisende Oberstaatsanwalt die Ermittlungen an sich ziehen will und zunächst einmal jedes Loch dichtmacht, bis er hier ist?«

»Das kann sein«, nickte Marker.

»Weiß der Staatsanwalt eigentlich, daß hier Geld verschenkt wird?« fragte Elsa.

»Das weiß er, das habe ich ihm gesagt.« Marker kratzte sich an der Stirn.

»Dann fürchtet er politischen Verdruß.« Rodenstock stellte das fest, als gebe es keine andere Möglichkeit.

»Moment mal«, widersprach Unger heftig, »das läuft nicht, das kann nicht laufen.«

»Das kann laufen«, sagte Rodenstock. »Die Täter sind offensichtlich an dem Geld nicht interessiert, sie verschenken es. Und sie verschenken es so, daß gleichzeitig hohe politische Funktionsträger blamiert werden.«

»Ach du lieber Gott«, stöhnte Unger. Seine Zunge spielte über die Lippen, er war betroffen. »Man kann aber doch nicht achtzehn Komma sechs Millionen klauen lassen und hinterher so tun, als wäre nichts passiert.«

»Es ist sogar mal ein Ministerpräsident in einer Badewanne gefunden worden, und alle Welt behauptete, er hätte Selbstmord verübt, obwohl er so viel Gift im Körper hatte, daß er ohne Hilfe nicht einmal mehr *in* die Badewanne hätte steigen können«, erklärte ich.

»Es ist auch passiert«, sagte Elsa, »daß unser Bundeskanzler vor einem Bundestagsuntersuchungsausschuß behauptet hat, er könne sich an diese oder jene höchstwichtige Kleinigkeit nicht erinnern, obwohl ihm das niemand glaubte. Kann mir jemand erklären, wieso die Bundesanwaltschaft das Verfahren so schnell übernehmen kann?«

»Ziemlich einfach«, antwortete ich. »Der Generalbundesanwalt hat in bestimmten Fällen das Recht, das Verfahren an sich zu ziehen. Es gibt Gesetze und Verordnungen, die das ermöglichen. Wenn wie in Mölln oder Solingen Türken ermordet werden, wenn also erkennbar ist, daß eine Tat einen stark politischen Hintergrund hat, dann darf er das. In diesem Fall ist es so, daß das organisierte Verbrechen in Frage kommt, es ist also ein nationales Problem. Deshalb.«

In diesem Moment begann das Telefon zu klingeln, und Elsa lachte: »Die Witwe Bolte.« Unger rannte los, um den Apparat zu holen.

Es war nicht in Sachen Witwe Bolte, es war eine Nachricht für Marker: Der Oberstaatsanwalt hielt Einzug. Marker trollte sich.

»Wie können wir herausfinden, ob diese Kirchengeläute Geschenke sind?« erkundigte sich Rodenstock.

»Ich plädiere für den Bürgermeister«, sagte ich. »Der wird es wissen, der weiß meistens alles.«

»Können wir nicht die Pfarrer fragen?«

»Die werden nicht antworten. Die werden erst ihren Bischof anrufen, und der wird ihnen befehlen, nichts zu sagen. Können Sie sich vorstellen, wie ein Pfarrer sich fühlt, dem man hunderttausend Mark für die neuen Glocken über die Gartenmauer wirft? Der ahnt sofort, woher der Zaster stammt. Er wird die Augen zumachen und beten, bis es vorbei ist.«

»Ich bin mir da nicht sicher«, meinte Rodenstock leise. »Aber sei's drum: Wollen wir Ihren Bürgermeister holen?«

»Das ist nicht gut«, entschied ich. »Wir schlendern hin und fragen ihn einfach.«

Wir spazierten also in das Dorf hinunter zum Haus meines Bürgermeisters. Er hockte mit dem halben Gemeinderat auf der Terrasse, und sie tranken Flaschenbier. Sie sahen uns so an, als könnten wir für sie alle Rätsel der Welt lösen.

Ich flüsterte Rodenstock zu: »Kein Wort!«

»Gut, daß ihr kommt. Wir unterhalten uns gerade darüber, welche Sorte Mafia wohl das Geld geklaut hat«, begrüßte uns mein Bürgermeister.

Es war eine Botschaft, es war die deutliche Botschaft: Sagt um Gottes willen keinen Ton, die anderen wissen nichts!

»Wir wollten nur einen schönen Abend wünschen und nach den Neuigkeiten des Tages fragen!« Rodenstock lächelte, wie nur alte Männer lächeln können.

Alfred, der auch im Gemeinderat saß, entgegnete: »Wir wissen nix, wir müssen tagsüber arbeiten.«

»Hör dir den an«, sagte ich, »hör dir dieses Monster an!« So fing die Flachserei an, und jede Gefahr war gebannt, bis wir zehn Minuten später erklärten, nun wollten wir aber weiter.

»Ich komme vorbei«, raunte Willi leise.

»Bis demnächst«, röhrte ich.

Wir gingen noch eine Weile in Richtung Hillesheim, bogen dann ab, machten die Runde und kehrten nach Hause zurück.

»Er hat etwas Neues«, orakelte ich. »Er kommt vorbei.«

Rodenstock schien gar nicht zuzuhören. »Wissen Sie, was ich befürchte?«

»Was befürchten Sie?«

»Daß wir eine fertige Lösung serviert kriegen, gegen die wir nichts machen können.«

»Was soll das?«

»So genau weiß ich das noch nicht, ich ahne nur so etwas.«

»Du lieber Gott, Papa, ich kann dunkle Andeutungen nicht ausstehen.«

»Wissen Sie, Baumeister«, murmelte er und strich sich mit der rechten Hand über die Stirn, als säße dort eine Fliege, »da erleben wir den dicksten Geldraub seit mindestens fünfzig Jahren. Und wir leben, als seien wir in Aspik erstarrt. Ich sehe alles, ich höre alles, aber bewegen kann ich mich nicht. Ich kann nichts tun, Sie können nichts tun, niemand kann irgend etwas tun.«

»Haben Sie das oft erlebt?«

»O ja. Selbst bei mehrfachen Morden. Zunächst ein Chaos, ein wildes Geschrei, und dann nichts als Stille, in der man nicht einmal ahnt, wen man verdächtigen wird.«

So standen wir auf dem Hof und debattierten einigermaßen ratlos vor uns hin, als Willi langsam in seinem Wagen vorbeizog, nach rechts fuhr, anhielt und die Scheibe runterkurbelte.

Ich war mit wenigen Schritten bei ihm. »Was ist, was gibt's Neues?«

»Ich habe nicht viel Zeit. Was wollt ihr wissen?«

Rodenstock war hinter mir. »Wir wollten wissen, wer diese Kirchengeläute finanziert hat. Waren es wieder Geschenke in Zeitungspapier?«

»Ich glaube, ja. Die Pfarrer sind alle vollkommen durcheinander. Aber das ist nicht das Schlimmste. Wir haben im Golfclub einen Mann, der ist Präsident eines riesigen Wirtschaftsclubs. Er hat hier bei uns eine alte Mühle gekauft. Das Ding stand unter Denkmalschutz. Der Mann hat die Mühle umgebaut mit irren Stahlkonstruktionen, aber die Denkmalschutzbehörde hat sich überhaupt nicht daran gestoßen. Schön sieht es nicht aus, und es paßt auch nicht, aber was geschehen ist, ist geschehen. Nun hat der Kerl per Post ein Paket mit sechzigtausend Mark gekriegt. In dem Paket lag ein Zettel. Wieder einer mit zusammengeklebten Buchstaben. Da stand, daß der Geldgeber dem reichen Industriemanager gern die sechzigtausend schenkt, wenn er statt der Stahlkonstruktion die alten Rundbögen in rotem Sandstein wieder einfügt. Da stand auch, daß der Wirtschaftsmensch dem Chef der Denkmalschutzbehörde zwanzigtausend als

Hilfe zum Leben geschenkt hat. Die könne er zurückfordern und auf die sechzigtausend draufsatteln. Das sind dann achtzigtausend. Diese achtzigtausend würden genau ausreichen, die Rundbögen zu schneiden und einzupassen.«

»Wann hat der Kerl das Paket gekriegt?«

»Heute. Hier im Golf-Club.«

»Wieso weißt du das?« fragte ich.

»Er hat der Clubleitung gesagt, er will kein Aufsehen. Er hat denen die achtzigtausend gegeben und tut nun so, als habe er nichts damit zu tun. Der Vorstand wiederum hat mich informiert.«

»Wo ist das Paket aufgegeben worden?« hakte ich nach.

»In Köln«, erwiderte er.

»Wo sitzt die Denkmalschutzbehörde?« wollte Rodenstock wissen.

»In Mainz bei der Landesregierung.«

»Dann wollen wir mal gucken, was da juristisch drin ist: Einmal der Umbau einer alten Mühle gegen Denkmalschutzverordnungen. Dann die Bestechung eines Behördenleiters, dann das Sichbestechenlassen des Behördenleiters. Kommen alle die hinzu, die es wußten, nichts sagten und nichts taten. Mit anderen Worten: Ein Skandal«, faßte er zusammen.

»Aber möglicherweise auch ein Fehler der Täter. Denn die Frage lautet: Woher können die Täter das gewußt haben?«

»Das ist ein Kinderspiel«, sagte Willi mit abgewandtem Gesicht. »Darüber wird seit Wochen überall geflüstert.«

»Auch davon, daß der Behördenleiter zwanzigtausend bekam?« fragte Rodenstock.

»Davon auch«, nickte mein Bürgermeister.

»Gibt's sonst noch was?« bohrte ich weiter.

»Ja. Ein Altenheim hinter Daun hat hunderttausend Mark bekommen, um zwei Nachtschwestern zu finanzieren. In dem beigefügten Zettel steht, sie sollten den alten Leutchen nicht so viele Beruhigungstabletten geben.« Er schüttelte den Kopf angesichts des Chaos. »Nichts für ungut, ich muß weiter.« Und fort war er.

»Die Täter werden zu einem echten Problem«, murmelte Rodenstock. »Und wie kommen wir jetzt an Marker heran? Er sollte das wissen. Unbedingt.«

»Ziemlich einfach«, erklärte ich. »Ich fahr Sie rüber ins Hotel. Ich gehe derweil einen Reisebürobesitzer besuchen.«
»Aha, wegen Hawaii.«
»Richtig«, bestätigte ich.
So standen wir auf dem Hof, und wir hatten Angst. Aber Indianer geben so etwas nicht zu.
Elsa kam heraus und gesellte sich zu uns. »Mir ist unbehaglich«, meinte auch sie.
»Du kannst mitfahren. Rodenstock muß zu Marker und ich zu einem Reisebüro. Dann brauchen wir uns nicht zu langweilen.« Wir erzählten ihr, was Willi erzählt hatte.

Wir fuhren los und setzten Rodenstock an Markers Hotel ab.
Das Glück war mit uns. Der Reisebürobesitzer mit dem schönen Namen H. H. und seine Frau Marion hockten im Garten und tranken irgend etwas sehr Rotes aus sehr hohen, vornehm wirkenden Gläsern.
»Oh, nein!« wimmerte H. H. »Der schon wieder. Das bedeutet Unheil.«
»Aber es ist spannend«, strahlte seine Frau.
Ich stellte Elsa vor, und wir hockten uns hin. Elsa bekam auch ein vornehmes Glas mit rotem Gift und ich einen Kaffee.
»Ich weiß, H. H.«, eröffnete ich den Abend, »daß du dich gleich auf deine Verschwiegenheit berufen wirst. Ich weiß auch, daß es gegen deine Mannesehre geht. Aber ich brauche den Namen des Bauern, der für seine Frau sechs Wochen Hawaii buchen wollte.«
»Ist nicht in der Tüte«, wehrte er sich wild. »Ich ahnte es, ich habe es geahnt.«
»Sie kennen den Hintergrund nicht«, sagte Elsa. »Hören Sie doch erst einmal zu.«
»Also zuhören kannst du wirklich!« forderte seine Frau.
»Nicht die Bohne«, sagte er. Dann stockte er, beugte sich vor und fragte: »Hat das etwa mit dem gestohlenen Moos zu tun?«
»Hat es«, sagten Elsa und ich.
Er sah uns an, als seien wir nicht recht bei Trost. »Der Mann, der bei mir Hawaii buchte, war es aber garantiert nicht«, prustete er. Dabei schlug er sich vor Vergnügen auf

die Schenkel, wobei nicht klar wurde, ob der Grund die gute Laune oder die rote Flüssigkeit war.

»Warum war er es denn garantiert nicht?« fragte ich ruhig.

»Weil das unvorstellbar ist«, rief H. H. belustigt. »Das ist einfach irre, verstehst du?«

»Die ganze Geschichte ist irre«, meinte Elsa.

Marion seufzte, ohne irgendeinen anzusehen: »Man hört ja so einiges.«

»Was hört man?« fragte ich schnell.

»So einiges«, wiederholte sie vage. »Aber ich weiß ja nichts, ich habe ja nichts damit zu tun.«

»Der Mann hatte Bares. Und wenn ein Bauer Bares hat, dann hat er entweder in den Sparstrumpf gelangt, oder aber er hat sein Sparbuch auf der Bank geplündert. Und mein Kunde, das garantiere ich, war am Sparbuch«, erklärte nun H. H.

»Woher weißt du das so genau?«

»Ziemlich einfach. Er kam her, ich sagte ihm den Preis mit allem Drum und Dran, er griff in die Tasche und holte das Geld raus. Er hatte es vorn in der Brusttasche in seinem Blaumann. Aber das war es nicht allein. Das Geld war ordentlich gebündelt. Zusammen mit den Bündeln zog er seine Papiere raus, also eine dünne Brieftasche. Auch das Sparbuch! Kein Bauer fährt sein Sparbuch spazieren, wenn er nicht vorher bei der Bank war. Leuchtet das ein?«

Ich überlegte und nickte dann: »Okay, das ist wohl so.«

»Hast du etwas von Klara Schuhmacher gehört?« fragte Marion.

»Nicht viel. Ich denke, sie ist in guten Händen und muß erst einmal zur Ruhe kommen. Wir wissen nicht, was los war, wir wissen nicht, ob sie den Mörder sah oder den Mord selbst beging. Wie auch immer, sie ist krank. Sag mal, H. H., hast du dich mit dem Bauern geeinigt? Kauft er jetzt Hawaii oder kauft er es nicht?«

»Er kauft es nicht, aber er trägt meine Kosten und einen geringen Prozentsatz der Reisekosten. Ich sehe gut aus, er sieht gut aus – wie das in der Eifel so ist.« Er wurde wieder von unbändiger Heiterkeit gepackt und kicherte vor sich hin.

»Also hat er den Zaster wieder auf das Sparbuch zurückgetragen?«

»Na sicher. Denke ich jedenfalls. Ist denn die Polizei weiter?«

»Nicht die Spur«, antwortete Elsa gutgelaunt. »Das wird auch noch eine Weile dauern. Sagen Sie, Marion, was hören Sie denn so?«

»Na ja, irgend jemand soll herumgehen und Geld verschenken«, erwiderte sie leise und zündete sich eine Zigarette an, um die Beliebigkeit der Auskunft zu unterstreichen.

»Wie bitte?« H.H. hatte sehr große, sehr runde Augen. »Woher hast du das denn? Das weiß noch nicht einmal ich.«

»Aber es wird erzählt«, sagte sie spröde.

»Wer erzählt das?« fragte ich.

»Na ja, die Hausfrauen beim Einkaufen.«

»Und wer kriegt es geschenkt?« bohrte Elsa.

»Was weiß ich.« Sie wandte den Kopf zur Seite und betrachtete angelegentlich die Steinplatten der Terrasse.

»Marion, so geht das nicht«, eröffnete ich meinen Vortrag. »Du kannst dich nicht in dunklen Andeutungen ergehen. Also, sag mir, wer dir was gesagt hat.«

»Es sind doch aber Gerüchte«, verteidigte sie sich. »Keiner weiß etwas Genaues. Jeder redet, keiner weiß was.«

»Die Gerüchte kommen zu den Beamten des Bundeskriminalamtes, und die tauchen dann hier auf«, mahnte Elsa lächelnd. Es war das Lächeln, bei dem ich den Eindruck hatte, es könne ein Glas zum Zerspringen bringen.

»Also sag es schon«, murrte ihr Ehemann. »Die kriegen es ja doch raus, und dann haben wir hier die Bullen.«

»Es wird gesagt, daß die neue Küche vom Altenheim ein Geschenk ist. Also, daß irgendwer Mater Maria das Geld auf den Küchentisch gelegt hat.«

»In Zeitungspapier eingewickelt«, säuselte Elsa.

»Woher wissen Sie das?« fragte Marion erschrocken.

»Das meiste wissen wir«, erklärte ich beiläufig. »Wann soll denn das passiert sein?«

»Sonntag«, sagte sie.

»Noch etwas?« fragte Elsa.

»Nicht, daß ich wüßte«, sagte Marion leicht beleidigt.

»Ich glaube dir nicht«, sagte ich freundlich.

»Na ja, es wird gemunkelt, daß die Jungens von der Freiwilligen Feuerwehr ganz plötzlich dieses Allzweckfahrzeug kaufen können, was sie schon immer haben wollten.«

»Oh Gott!« hauchte ihr Mann. »Das Ding kostet zweihunderttausend.«

»Wie schön!« strahlte Elsa. »Und weiter?«

»Sonst wirklich nichts«, behauptete sie hastig und nahm einen tiefen Zug von der roten Flüssigkeit. H. H. sah seine Ehefrau sehr lange und sehr nachdenklich an, und ich schloß daraus, daß er ihr nicht traute. Also machte ich weiter: »Möglicherweise hast du gehört, daß bestimmte Kirchen neue Glocken kaufen können, nicht wahr?«

Sie nickte.

»Kannst du denn sagen, wer?«

»Na ja, jedenfalls Walsdorf. Und dann noch eure.«

»Wie bitte?«

»Na ja, euer Angelusgeläut soll gesichert sein. Seit heute morgen.«

»Bei wem lag das Geld auf dem Küchentisch?«

»Bei irgendeinem Pfarrgemeinderat.«

»Ach Marion«, ich wurde wirklich wütend, »bei irgendeinem doch wohl nicht. Bei wem?«

»Na ja, beim Vorsitzenden, beim Peter Blankenheim.«

»Oh, là là«, summte Elsa.

Ich registrierte, wie H. H. zusammenzuckte, und plötzlich hatte ich den Mut, ihn anzuschauen und festzustellen: »Du brauchst nicht abzustreiten, daß es Peter Blankenheim war, der Hawaii buchte.«

»Wenn du es schon wußtest, was quälst du mich so?« rief er wild.

ELFTES KAPITEL

Auf der Rückfahrt sagte Elsa träumerisch: »Das ist ein Ding! Peter Blankenheim ist doch einer der drei Musketiere, nicht wahr? Wenn er es gedreht hat …? Wenn er seiner Frau etwas schenken wollte, wovon sie immer schon träumte?«

»Du kannst durchaus weiter spekulieren. Wenn es die drei Musketiere waren, dann ist das Ding so und so abgelaufen ... O nein, Geliebte, mein Hirn braucht Ruhe. Die haben achtzehn Komma sechs Millionen geklaut und bisher über zwei Millionen verschenkt. O nein, ich trete vorübergehend in den Streik. – Sieh mal da oben, da ist noch ein Pärchen Rote Milane unterwegs. Und da drüben an dem alten Gemäuer haust neuerdings ein Turmfalkenpaar. Großer Gott, ich drehe durch, ich drehe wirklich durch. Das ist diabolisch.«

Wir rollten auf den Hof, wahrscheinlich machten wir einen unheilschwangeren Eindruck.

Rodenstock hockte auf den Stufen vor der Tür, sah uns und schüttelte den Kopf: »Es geht also weiter.«

»Es geht weiter«, sagte ich. »Was Neues?«

»Nichts Besonderes«, entgegnete er. »In der Stube hockt der Bauer Peter Blankenheim. Er hat Ihnen achtzigtausend Mark ins Haus geschleppt. Das reicht nicht nur für eine Angelusglocke, das reicht für ein Geläut aus drei Glocken. Er sitzt da mit Marker, und sie versuchen herauszufinden, wer solche Geschenke macht.«

»Elsa, erzähl ihm bitte alles. Ich gehe in den Garten.«

Herbert Unger kam den Flur entlang und sagte voller Befriedigung: »Wenn ich richtig gezählt habe, sind anderthalb Millionen verschenkt.«

»Falsch«, beschied ich ihn. »Über zwei Millionen.«

»Oha«, murmelte er vage. »Du solltest dir den Bauern Blankenheim anhören. Wirklich eine gute Geschichte.«

»Ich höre niemanden an, ich gehe in meinen Garten.«

»Ich wette, da werden noch haarsträubende Dinge herauskommen«, meinte Unger gierig.

Das Licht war blau, keine Spur von Feuchtigkeit und Nebel. Ich überlegte, daß Blankenheim wahrscheinlich einiges auslassen würde. Hawaii zum Beispiel. Aber dann dachte ich wütend, daß das Markers Sache sei und eine Frage des Geschicks.

Ich war eingedöst, als Bettina mich sanft an der Schulter faßte und behutsam sagte: »Also, es ist so, daß wahrscheinlich irgend etwas mit Krümel passiert ist. Sie ist seit Stunden nicht dagewesen, und eine Nachbarin erzählte mir, sie hätte gesehen, wie ein Auto sehr schnell zur Schule hochfuhr. Das Auto hat eine Katze überfahren, jedenfalls wurde die Katze durch die Luft gewirbelt. Scheiße, Baumeister. Aber ich dachte, ich sage es dir gleich.«

»Wo ist die überfahrene Katze?«

»Das wissen wir nicht. Katzen verkriechen sich ja, wenn sie verletzt sind.«

»Krümel geht niemals auf die Straße«, beruhigte ich mich. »Krümel ist viel zu klug, um freiwillig die Rennbahn zu betreten.«

»Aber Krümel ist nicht da«, meinte sie unglücklich.

»Schon gut«, sagte ich paralysiert.

Es war dämmrig, aber noch hell genug, sie zu suchen. Ich entdeckte den ziemlich großen Blutfleck auf dem Asphalt, wo die Katze getroffen worden war. Ich kletterte auf den Boden von Alfreds Scheune und wühlte mich, »Krümel!« rufend, durch die Heuballen, ich kroch auf allen vieren durch die vollkommen verwachsene kleine Parkanlage, die mein Nachbar Albert angepflanzt hatte, ich suchte die Krone der Natursteinmauer ab, auf der sie im Sommer herumzudösen pflegte, ich stieg sogar meinem Nachbarn auf das Dach, weil sie zuweilen dort langgestreckt auf dem First lag und die Aussicht genoß. Sie war verschwunden. Ich hockte mich unter die Birke.

Marker kam und sagte: »Das mit Ihrer Katze tut mir leid.«

»So ist das Leben«, erwiderte ich.

»Blankenheim erzählt eine einfache Geschichte. Er fand das Geld für die Glocken auf dem Sitz eines seiner Trecker. Dabei lag einer der Zettel mit ausgeschnittenen Buchstaben. Darauf steht: *Du weißt schon, wofür*. Sonst nichts. Die Buchstaben sind immer aus dem Trierischen Volksfreund und dem hiesigen Wochenspiegel ausgeschnitten. Er hat auch gesagt, er habe seiner Frau die Reise nach Hawaii schenken wollen. Er hatte den Beleg der Auszahlung von seinem Sparbuch bei sich. Er hat fast eine Viertelmillion drauf, und er behauptet, er wäre es leid, das Geld zum Wohl der Bank dort zu belassen. Seine Frau hat abgelehnt, da hat er die Reise zurückgegeben.«

»Verdammt noch mal, sie ist doch nie auf die Straße gelaufen.«

»So etwas passiert«, sagte Marker. »Elsa erzählte etwas von einem Feuerwehrauto: Haben wir da eine Verbindung?«

»Haben wir. Aber das dürfte jetzt zu spät sein. Morgen früh. Ich stelle Ihnen die Verbindung her. Was sagt Ihr Oberstaatsanwalt?«

»Die haben einen konkreten Hinweis auf eine Gruppe der PKK in Frankfurt. Also Leute, die für die Freiheit der Kurden kämpfen.«

»Klingt das überzeugend?«

»Nicht sehr«, entgegnete er. »Aber sie glauben dran. Es hat Käufe gegeben. Merkwürdigerweise nicht Heroin gegen Waffen, sondern Bargeld gegen Waffen.« Er machte eine Pause. »Wenn es stimmt.«

»Und was sagt Ihr Oberstaatsanwalt zu den hiesigen Spuren, zu all den Geldgeschenken?«

»Er meint, das sei doch nur Pipifax. Pipifax ist sein Lieblingswort. Wir werden sehen.«

»Aber er kann an den hiesigen Spuren nicht vorbei«, rief ich zornig.

»Wieso kann er nicht?« fragte Marker aufreizend langsam. »Das ist doch das Schöne an diesen Leuten: Sie haben ein Amt, und sie nutzen es.«

»Scheiße!« sagte ich.

»Sie sagen es«, murmelte er und setzte sich Bewegung, um zu gehen. Doch er blieb noch einmal stehen, drehte sich herum und setzte nach: »Es ist wohl nicht mehr wichtig, aber Schuhmachers Frau hat gestanden. Sie hat ihm den Pflanzstock in den Mund gerammt. Seither geht es ihr besser. Arme Frau.« Er verschwand.

Dann kam Elsa und setzte sich neben mich mit den Worten: »Peter Blankenheims Geschichte klingt verdammt überzeugend.«

»Das ist mir wurscht«, sagte ich. »Krümel ist niemals auf die Straße gegangen.«

»Vielleicht war sie supernervös durch die vielen Besucher. Vielleicht war sie irritiert.«

Plötzlich fiel mir ein, daß sie möglicherweise im Jeep in

der Garage lag. Weil sie Autos liebte, schlief sie zuweilen dort. Ich rannte um das Haus herum, aber auch dort fand ich sie nicht.

»Wir sorgen für eine neue Katze«, rief Elsa hinter mir.

»Du kannst doch Krümel nicht ersetzen durch irgendein Katzenvieh.«

»Warte ab«, sagte sie ruhig. »Vielleicht taucht sie irgendwann in der Nacht schwanzwedelnd auf.«

»Ich hasse Tröstungen.«

»Von den drei Musketieren als Täter können wir Abschied nehmen.«

»Ist mir wurscht«, wiederholte ich störrisch.

»Ich gehe schlafen«, seufzte sie.

»Moment, warum können wir von den drei Musketieren Abschied nehmen?«

»Na ja, weil Blankenheim das Hawaii-Geld vom Sparkonto nahm und das Geld für die Angelusglocken sofort herbrachte.«

»Und deshalb schließt du sie aus? Bist du naiv!«

Ich kramte mir einen alten Bundeswehrschlafsack aus meinen Schätzen und verzog mich unter meine Birke. Bevor ich mich hinlegte, suchte ich noch einmal die ganze Strecke ab und versuchte, den Blutspuren mit einer Taschenlampe zu folgen. Aber das ist schwer in mannshohem Gras, und nach etwa achtzig Metern verlor ich die Spuren, hockte da und fühlte mich elend. Schließlich war Krümel nicht irgendwer.

Ich linste auf die Uhr und blinzelte, weil die Sonne so grell war. Die Zeiger wiesen auf kurz nach sieben, und ich fluchte, weil es viel zu früh war. Einen Augenblick lang dachte ich, Krümel liege auf meinem Rücken. Aber es war nicht Krümel. Es waren die beiden jungen Damen Nora und Cosima, sehr hübsch, sehr lebendig und beide ganze zwölf Jahre alt. Sie sahen mich besorgt an.

»Hör mal, Siggi«, begann Nora sehr sanft. »Stimmt das, daß Krümel tot ist? Ich meine, ist sie überfahren worden?«

»Das sieht so aus, das sieht wirklich so aus.«

»Also, wir glauben das nicht«, sagte Cosima. »Mag ja sein,

daß irgend so ein Scheusal Krümel angefahren hat. Aber dann hat sie sich verkrochen.«

»Dann müßte sie aber langsam hier sein«, entgegnete ich dumpf.

»Wir dachten, wir machen Zettel und hängen sie überall auf. An die Kirchentür und an die dicken Bäume im Dorf und an Scheunentore und so. Wir haben schon mal einen Zettel gemacht. Hier ist er.«

Sie hatten geschrieben:

Ich suche meine Katze »Krümel«. Es ist eine Tigerkatze, und sie hat ein weißes Schnäuzchen. Bitte, meldet Euch, wenn Ihr sie gefunden habt, bei: Siggi Baumeister. Telefon …

»Das ist ja eine tolle Idee«, lobte ich hoffnungslos.

»Man kann es ja versuchen«, meinte Nora liebevoll.

»Man darf den Mut nicht aufgeben«, assistierte Cosima. »Und sonst fahren wir zu Tom. Wir wissen nämlich, daß Tom junge Katzen hat, und der verlangt bestimmt kein Geld.«

»Wenn ihr meint«, sagte ich lahm.

Elsa kam mit einem Tablett um die Ecke. Sie begrüßte mich: »Ich habe auch nicht geschlafen. Hier ist Kaffee … Sieh an, Besuch.«

»Das sind Nora und Cosima. Sie wollen Zettel an die Bäume hängen, daß ich Krümel suche. Sie sagen, sie werden sie finden.«

»Hervorragend«, rief Elsa.

»Und wenn alles nicht hilft«, sagte Cosima, »kann man vielleicht ein neues Kätzchen für Siggi finden, weil …«

»Wir wissen auch schon, woher«, ergänzte Nora eifrig.

»Nicht böse sein, aber ihr geht mir im Moment auf den Hut. Ich muß weg.«

»Wohin denn?« fragte Elsa.

»Ich will Peter Blankenheim treffen«, antwortete ich.

»Aber der hat doch alles gesagt«, wandte sie ein.

»Ja, schon. Aber nicht mir.«

»Deine Perfektion macht dich noch unbeliebt«, warnte Elsa.

»Das liebe ich so an dir, du machst mir soviel Mut«, sagte ich.

Ich rasierte mich nicht, ich wusch mich nicht, ich hockte mich in den Wagen und fuhr zu Blankenheims Hof.

Er saß auf seiner schweren Zugmaschine und fuhr Silo platt. Er röhrte verloren hin und her und sah mich nicht, bis ich kräftig auf den Radkasten klopfte. Dann stellte er die Maschine ab und sah mich an. »Was ist?«

»Ich weiß, du hast achtzigtausend gekriegt. Und deine Hawaii-Nummer war ein Geschenk für deine Frau. Aber: Mir fehlt da etwas. Hast du zwei Minuten?«

Er seufzte und kletterte von seinem Ungetüm herunter. »Aber nicht länger. Was willst du wissen?«

Ich hockte mich auf die Betoneinfassung des Siloplatzes und fing an: »Die meisten, die hier die Untersuchung führen, haben keinen Schimmer von der Vulkaneifel. Die Pressefritzen sowieso nicht, die gehen nur allen auf den Wekker.«

»Ja, ja«, meinte er, »aber die bezahlen. Für alles und für jedes. Hier einen Blauen und da einen Blauen, jeder Satz nur gegen Bares.« Er grinste flüchtig.

»Wer wußte denn, daß das Angelusgeläut achtzigtausend kostet?«

»Jeder im Pfarrgemeinderat und jeder im Gemeinderat und jeder, der es wissen wollte. Stimmt das mit dem Feuerwehrauto für zweihunderttausend?«

»Ich weiß es nicht. Marker kümmert sich drum. Aber es scheint zu stimmen. Wieso ist das mit Hawaii so schiefgegangen?«

Er hockte sich neben mich und drehte sich eine Zigarette mit einem mörderisch starken Tabak. »Irgendwie war das eine Spinnerei«, sagte er nachdenklich. »Als ich meine Frau freite … so was sagt man heute nicht. Also vor meiner Verlobung war sie in Koblenz im Orden. Sie war da in der Küche.« Er wedelte mit den Armen. »Junge, Junge, das waren Zeiten. Wir alle hier hatten nur Pferde, kein Mensch hatte einen Trecker. Ich hatte damals eine ›Maria-hilf-und-Josef-schieb-nach‹.« Er lachte laut. »Kennst du das noch? Das war eine achtundneunziger NSU, eine Klassemaschine. Meine war natürlich gebraucht, ich zahlte in Raten ab. Fünfzehn Mark im Monat, Jesus Maria, waren das Zeiten. Und das Ding war so alt, daß es mal fuhr und mal nicht, je nach Lust und Laune. Wenn ich Josefa in Koblenz besuchen wollte, dann mußte ich mich früh am Morgen nach dem Melken auf die Socken machen. Ich mußte es so drehen, daß ich gegen sechs Uhr abends zum Melken wieder zu Hause war. Um Sprit zu sparen, habe ich den Motor immer abgestellt, wenn es den Berg runterging. Dann sprang die Kiste nicht mehr an, und ich schob, bis sie irgendwie wieder lief. Manchmal bekam Josefa keine Erlaubnis von der Schwester Oberin, mit mir ein Bier trinken zu gehen oder eine Cola. Dann sah ich sie nur fünf Minuten lang an einem Fenster stehen. Aber wir konnten uns nichts sagen, weil das Fenster fünfzig Meter entfernt war, und schreien wollten wir doch nicht. Mein Gott, waren das Zeiten!« Er schüttelte den Kopf, als könne er das alles nicht begreifen. »Wir waren schon verlobt, sie war immer noch im Dienst im Kloster, als ich sie fragte: Wo möchtest du hinfahren, wenn du einen Wunsch frei hättest? Und sie antwortete: Hawaii!« Er lachte wieder, und es klang zärtlich. »Es war so: Sie hatten mal Ausgang und sahen im Kino einen Film über Hawaii. Und seitdem wollte sie nur nach Hawaii. Sonst nichts. Wir heirateten dann, die Kinder kamen, der Hof machte Schwierigkeiten, es war nicht einfach. Niemals waren wir im Urlaub, und sie sagte nie wieder etwas von Hawaii.«

»Und dann wurde das Geld geklaut«, stellte ich fest.

»Richtig«, sagte er. »Irgendwie dachte ich: Du hast genug gespart, du kannst nicht mehr tun, als drauf hockenbleiben, und letztlich ist das ja Mist. Und Christian macht sich gut auf seinem Hof, und sein Vater macht sich auch gut und braucht keine Hilfe. Und die kennen ja den Hawaii-Fimmel von Josefa auch. Sie sagten: Sei nicht dumm, schenk ihr das! Also ging ich hin und kaufte ihr Hawaii. Ich habe H. H. gebeten, mir das zu quittieren. Dann bin ich hierhergegangen. Als sie die Kälbchen gefüttert hat, habe ich ihr die Quittung in die Kiste mit dem Kraftfutter gelegt. Ich dachte: Gleich schreit sie und fällt mir um den Hals. Aber es kam ganz anders.«

»Sie wollte nicht.«

»Wenn es nur das gewesen wäre! Also, sie kommt bleich wie die Wand in den Stall, hält mir die Quittung hin und sagt: Blankenheim, du bist ein Arsch! Das hat sie noch nie gesagt. Na ja, sage ich, irgendwann mußt du ja mal für das Leben belohnt werden. So ein Scheiß! schreit sie. Dann nichts mehr. Ich komme ins Haus und setze mich an den Tisch, um zu essen, da meint sie: Das könnte dir so passen! Mich nach Hawaii schicken! Ganz allein! Das könnte dir so passen! Wieso? frage ich, ist doch eine feine Sache, ist doch ein Traum von dir. Na ja, das ging so weiter. Dann sagt sie wütend: Ich habe dich schließlich geheiratet, um mit dir zu leben, und nicht, um nach Hawaii zu fahren. Und außerdem: Was soll ich allein in Hawaii? Und wer versorgt die Kälber, die Schweine und das alles?«

»Sie liebt dich eben«, erklärte ich.

»Ja, ja«, sagte Blankenheim ganz unglücklich und schniefte dann. Er warf die Zigarette hinter sich und machte eine paar Schritte.

Ich gab ihm eine Weile Zeit und fragte dann: »Und wenn du die Reise für euch beide buchst?«

»Und wer versorgt den Hof?«

»Irgendwelche Nachwuchsleute. Und Christian Daun kann es überwachen.«

»Christian hat genug zu tun«, wehrte er ab.

»Christian und sein Vater würden es schaffen«, widersprach ich.

»Ach ja«, er stieß einen langen Atem aus. »War ja nur eine Idee. Ich habe dann plötzlich denken müssen: Das mußt du der Polizei sagen, sonst glaubt die am Ende noch, ich hätte den Geldwagen geklaut und würde jetzt Reisen verschenken.«

»Aber irgendwer verschenkt Geld«, sagte ich.

Er nickte. »Ich weiß.«

»Was habt ihr denn so gedacht, bevor das Geld geklaut wurde? Wieviel könnte in so einem Transporter sein?«

»Na ja, die meisten haben gedacht, so um die fünfhundert- bis achthunderttausend oder so. Aber doch nicht mehr. Da kutschieren die fast neunzehn Millionen durch die Wälder. Das bricht dir doch das Herz, so dumm ist das.«

»Was weißt du?«

»Was man so hört. Einige Pfarrer sollen plötzlich sehr reich sein. Aber der Bischof in Trier hat ihnen befohlen, das

Geld zurückzugeben und die Schnauze zu halten. Der Landrat soll einiges bekommen haben. Übrigens, meine Frau ist im Landfrauenverband hier im Kreis. Die hat auch was läuten hören. Aber ich weiß nicht, was.«

»Ich gehe sie fragen«, sagte ich. »Vielleicht solltest du doch nach Hawaii fliegen. Vielleicht kommst du dann nach Hause und willst Ananas anbauen.«

Das gefiel ihm, er lachte schallend.

Seine Frau war hinten bei den Hühnern und mischte Futter. »Morgen, Josefa. Sag mal, Peter hat gesagt, du hättest im Landfrauenverband was läuten hören. Irgendwer hat Geld geschenkt bekommen.«

Sie lachte, sie beugte sich über den Eimer mit Hühnerfutter und lachte. »Das ist aber ein Gerücht«, warnte sie.

»Ich liebe Gerüchte«, sagte ich.

»Also, wir haben zwei Landtagsabgeordnete in Mainz«, erklärte sie. »Der eine ist der Bauer, die andere ist eine Frau. Sie ist Zahnärztin oder so was. Bei der Versammlung gestern abend ist erzählt worden, daß der Mann fünftausend Mark bekommen hat, in Zeitungspapier eingewickelt. Dabei lag ein Zettel. Auf dem stand: *Weil Sie so schlecht lügen können, finanziere ich Ihnen einen Rhetorik-Kurs in Frankfurt. Gebühren anbei.* Und die Frau hat viertausend Mark erhalten, auf ihrem Zettel stand: *Sie haben versprochen, sich für die Belange der Frauen einzusetzen. Dann tun Sie das auch gefälligst. Kursbeginn über Frauenfragen im September an der Universität in Dortmund.*« Sie strahlte mich an, und ihr Gesicht war schön und voll Belustigung. »Also, ich weiß nicht, ob das stimmt. Aber wenn es stimmt, ist es ein schönes starkes Stück.«

»Da sagst du was«, meinte ich und verabschiedete mich.

Doch sie hielt mich zurück: »Moment mal, Siggi. Hast du auch das gehört? Das von Pater Leppich?«

Ich wußte, es gab einen Pfarrer, der einige Gemeinden südlich von Gerolstein betreute und den Spitznamen Pater Leppich führte, weil er gelegentlich seine Sonntagspredigten dazu benutzte, die anwesende Gemeinde wüst zu beschimpfen.

»Was ist mit dem?«

»Der soll auch was geschenkt gekriegt haben«, erklärte sie. »Aber Näheres weiß ich nicht. Wirklich nicht.«

»Was soll er geschenkt bekommen haben?«

»Geld«, antwortete sie . »Anders war der auch nicht mehr zu retten!«

»Wieso war der nicht anders zu retten?«

»Das sage ich nicht, das müssen dir andere sagen. Er ist ja eigentlich ein netter Kerl.«

»Das ist er. Mach es gut.«

Ich sah auf das Dorf zu meinen Füßen, auf den Hof von Nikolaus Daun, der am Hang gegenüber lag, auf Christian Dauns altes Anwesen, dem Traumziel von Klärchen, der Witwe Bolte. Ich dachte resigniert: Das Ding knacken wir nie!

Aber dann reagierte ich wie ein braver Bürger: ›Da sei die Arbeit vor!‹, fuhr in das Altenheim, hockte mich auf die Armesünderbank im Erdgeschoß und bat Mater Maria um eine Audienz.

Nach einer Weile kam sie, ein Weib wie ein Schrank, bebend vor Energie. Das erste, was sie sagte, um mir den Wind aus den Segeln zu nehmen, war: »Es hat aber keinen Zweck, sich mit mir über gewisse, sagen wir, Spendengelder zu unterhalten. Da trage ich den bischöflichen Maulkorb.«

»Ehrlich gestanden, stören mich der Bischof und sein Wort nicht sehr. Es geht auch gar nicht um das freundliche, in Zeitungspapier gewickelte Paket, das Ihren Küchennöten Abhilfe schaffen sollte. Es geht um etwas ganz anderes.«

»Das freut mich aber«, strahlte sie. »Wissen Sie, kurz nach dem Geldraub kamen äußerst seriöse Herren ins Haus, die angeblich ihre Großmütter hier einmieten wollten. Dann stellte es sich heraus, daß sie von mir eine Art Psychogramm der Eifler Bevölkerung in Sachen Geldraub haben wollten. Wirklich, ganz reizende Leute. Und Sie? Was wollen Sie?«

»Über den Pfarrer reden, den man Pater Leppich nennt«, erklärte ich.

Sie formte einen Kußmund, sah tief in sich selbst hinein und schaufte dann: »Das werde ich auf keinen Fall tun.«

»Aber warum nicht?«

»Weil ich mir nicht anmaßen kann, über einen Priester zu urteilen, den ich zwar kenne, aber nicht gut kenne.«

»Sehen Sie, Schwester Maria, genau das ist mein Problem. Mit welchem Phänomen haben wir es denn hier zu tun? Jemand klaut viel Geld, hat aber offensichtlich kein allzu starkes persönliches Interesse daran. Statt dessen verschenkt er es. Unter anderem an Sie. Ich erinnere mich an ein Weihnachtsfest. Da wurden Sie gefragt, was Sie sich denn wünschen. Sie kicherten und sagten: Eine neue Küche! Alle haben gelacht, und alle haben Sie gemocht. Nun gibt es eine ganze Menge Leute, die ganz öffentlich gesagt haben, sie möchten gern dies oder das auf die Beine stellen. Sie haben ihr erforderliches Geld bekommen. Im Prinzip ist das bei einigen Empfängern gut, bei anderen weniger. Es stellt sie bloß, nicht wahr.« Ich lächelte sie an. »Nun müssen Sie mir nicht bestätigen, daß unser älterer Mitbürger mit dem Spitznamen Pater Leppich Geld bekommen hat. Daß er etwas bekommen hat, weiß ich bereits. Die Frage ist nur: Warum entzieht er sich der Befragung?«

»Entzieht er sich?« fragte sie entzückt. Gleich darauf räusperte sie sich. »Ich hörte davon«, gab sie zu.

»Ich bin hier, um mit Ihnen über dieses Phänomen zu sprechen. Daß Pfarrer ein neues Geläut bekamen oder andere Leute Feuerwehrautos, ist unter diesen merkwürdigen Umständen ja fast normal. Aber daß einem Pfarrer ein Haufen Geld zufließt und jedermann so tut, als sei es verboten, darüber zu sprechen, wofür denn das Geld bestimmt ist; das, verehrte Schwester Maria, verstört mich sehr. Ich darf Sie an etwas erinnern: Ich bin zwar ein Neubürger, aber durchaus ein Eifel-Freak, und ich verrate meine Leute nicht. Und da bekannt ist, daß Sie eine kluge Frau sind, bin ich hier. Uff, das war eine lange Rede.«

»Und eine durchaus spritzige«, sagte sie trocken. »Sie appellieren also an meine Klugheit und Intelligenz, auf daß ich den Pater Leppich in die Pfanne haue.«

»Wenn Sie so wollen, ja. Aber es wird nicht in der Zeitung stehen, oder wo auch immer.«

»Versprochen?«

Ich nickte.

Sie wiegte den Kopf hin und her. »Natürlich müssen alle Leute das Geld wieder abliefern. Schade, es wäre so schön gewesen. Bei Pater Leppich ist das freilich etwas anderes. Und Sie ahnen doch bestimmt schon, warum. Oder?«

»Ich ahne gar nichts«, gab ich zu.

»Also, das ist eine Frage der Bilanzen«, erläuterte sie feinsinnig. Sie sah mich dabei so an, als sei damit nun wirklich alles gesagt, jede weitere Bemerkung überflüssig.

»Es kann sein, daß der Fall mich lähmt. Ich verstehe nicht. Wieso Bilanzen?«

»Sehen Sie, Herr Baumeister, der Pater Leppich betreut doch sechs, nein, halt, sieben Gemeinden. Und einmal im Jahr ist Bilanz in jeder Gemeinde. Da zeigte sich nun, daß, na ja, einiges fehlte eben. Irgendein Mensch, der irgend etwas mit diesem Geldraub zu tun hatte, wußte davon, wollte den Pater Leppich schützen, der ja wirklich hinreißend predigen kann, und schenkte ihm das Geld. Pater Leppich glich aus, und vermutlich war er selig. Wie sagte der Heilige Vater? Auch Priester sind Menschen.«

»Nun ist er vermutlich nicht mehr so selig. Wo ist denn das Geld nun?«

»Soweit ich weiß, hat Pater Leppich es dem Bischof geschickt und gleichzeitig um seine Entlassung gebeten.«

»Lieber Himmel, welch ein Wirbel!« rief ich angewidert.

Sie lachte. »Das kann man so oder so sehen. Immerhin waren es hundertsechzigtausend Mark. Dafür muß eine alte Frau lange stricken.«

»Was hat der mit hundertsechzigtausend Mark angestellt?« Ich war aufrichtig fassungslos.

»Das weiß ich nun wirklich nicht. Und wenn ich es wüßte, müßte ich erröten«, sagte die erstaunliche Nonne, errötete aber nicht.

»Hat er denn auch ein Begleitschreiben bekommen?«

»Sicherlich. Zufällig weiß ich, daß nur zwei Worte draufstanden. *Nicht aufgeben*!«

»Wie ist das denn rausgekommen?«

»Soweit ich weiß, stand die Bilanzprüfung an. Da wurde es entdeckt. Dann wurde geredet, aber niemand wußte etwas. Dann war klar, daß irgend etwas nicht stimmte. Und das Minus war gerade ausgerechnet worden, als das Geschenk kam. Zu spät.«

»Was macht ein Landpfarrer mit einhundertsechzigtausend Mark?«

»Das müssen Sie den Pfarrer fragen. Übrigens hockt der zu Hause und ist keinesfalls verschwunden, Herr Baumeister. Keine Notlügen mehr, mein Lieber!«

Ich verabschiedete mich und ging. Sehr nachdenklich fuhr ich nach Hause und wußte nicht, an welchem Punkt ich neue Recherchen ansetzen konnte. Es sah nicht gut aus.

Elsa, Nora und Cosima hockten auf den Eingangsstufen und kicherten.

»Also«, hob Nora an, »du darfst nicht so wild in dein Arbeitszimmer stürmen, die Tür auflassen und so. Da ist jemand drin, der auf dich wartet. Aber dieser Jemand ist ein Marsmännchen, also sehr klein, also winzig klein, also ...«

»... so winzig«, sagte Cosima ernsthaft, »daß du es vielleicht gar nicht siehst.«

»Sooo winzig«, sagte jetzt Elsa lächelnd, »daß du es vielleicht schon in der Hosentasche hast und es gar nicht merkst.«

»Aha«, sagte ich und überlegte, ob es eine Möglichkeit gab, an diesen Pfarrer heranzukommen.

»Du mußt die Tür ganz vorsichtig aufmachen«, befahl Nora.

»Das mache ich«, versprach ich.

Ich machte die Tür wirklich sehr vorsichtig auf, und natürlich sah ich zunächst nichts Besonderes, nichts fiel mir auf. Ich nahm das Telefon, setzte mich an den Schreibtisch und bat: »Laßt mich bitte eben telefonieren, dann spiele ich mit euch.«

Es wurde nichts daraus. Zuerst sah ich ein fuchsrotes Köpfchen, vielleicht vier Zentimeter im Durchmesser. Das beschnupperte meinen rechten Schuh. Dann folgte ein durchaus gut gefülltes Bäuchlein. Dann ein Hinterleib, der in seiner erbärmlichen Dürre zusammen mit einem erbärmlichen Schwanz den Eindruck machte, als bestehe das halbe Tier aus einer halbverhungerten Kanalratte.

»Das ist Momo«, erklärte Nora feierlich.

»Wir haben sie Momo genannt. Sie ist fünf Wochen alt«, sagte Cosima.

»Und Toms Vater«, sagte Elsa, »hat festgestellt, daß es ein Mädchen ist.«

»Ihr seid verrückt«, murmelte ich gerührt. »Hat sich … ich meine, keine Spur von Krümel?«

Elsa schüttelte den Kopf.

»Und Momo ist wirklich ein Mädchen?« fragte ich.

»Du kannst ja den Schwanz hochheben und nachgucken«, schlug Cosima vor.

»Ich bin im Moment nicht dazu aufgelegt, Katzen die Schwänze zu heben. Ihr seid richtig klasse!« Ich nahm diese Mischung aus Ratte und fuchsiger Katze und stellte sie auf den Schreibtisch.

Plötzlich nahm die Natur ihren Lauf. Das reizende Kätzchen namens Momo, genau in der Mitte der ledernen Schreibtischunterlage postiert, hob anmutig den Schwanz, stellte die Hinterläufe leicht auseinander und kackte traumverloren vor sich hin. Sie hatte Durchfall, es stank gewaltig.

»Sie braucht eine Wurmkur«, stellte ich fest.

»Och, mein Schätzchen«, jubelte Cosima.

»Kann man so etwas kaufen?« fragte Elsa.

»Kann man. Aber du kannst auch Dr. Schneider in Gerolstein anrufen. Kann sein, daß der hier in der Gegend ist. Er hat so etwas immer bei sich, die Telefonnummer ist in der Kartei. Und wer räumt die Scheiße weg?«

»Ich«, sagte Nora heldenhaft.

»Das ist toll. Ich freue mich, daß sie mir nicht auf das Telefon geschissen hat. Wo ist Marker?«

»Konferiert mit diesem Oberstaatsanwalt und der ganzen Kommission.«

»Und Rodenstock?«

»Im Garten. Wenn du Kaffee willst, es ist noch etwas in der Küche. Gibt es Neues?«

»Ja.«

Die Katze namens Momo fing jetzt an, ihrem Instinkt nachzukommen und versuchte, ihre Exkremente zuzukratzen, was auf dem Schreibtisch schlecht möglich war. Es entstand eine Art stinkendes Chaos, und ich flüchtete. Das heißt, ich wollte flüchten. Doch plötzlich schrie Elsa fassungslos: »Krümel!«, und besagte Krümel kam durch die

Tür geschlichen, maunzte laut, war verdammt mager und trug ihren Schwanz wie ein U-Boot sein Sehrohr.

»Das fasse ich nicht«, rief ich. »Krümel-Liebling! Wo warst du denn?«

Sie kam und maunzte und rieb ihren Körper an meinen Beinen. Dann roch sie die Bescherung auf dem Schreibtisch, und zu allem Unglück linste Momo über den Tischrand.

Ich wollte aufspringen, aber das mißlang. Krümel stieß einen hohen spitzen Schrei aus und knurrte wie der Goldwyn-Löwe. Momo fiel ihr exakt und laut jaulend vor die Füße. Krümel schlug einmal kräftig zu, reckte den Schwanz hoch und ging tödlich beleidigt hinaus.

»Das darf nicht wahr sein«, hauchte Nora.

»Und jetzt?« fragte Cosima. »Müssen wir Momo zurückbringen?«

»Ach Quatsch!« entschied ich. »Momo bleibt hier.«

Alle schrien hurra, und ich hatte Gelegenheit, mich zurückzuziehen, während Elsa nach dem Tierarzt telefonierte.

Langsam war es so, als hätte ich eine große Familie, und ich konnte nicht sagen, daß es mir mißfiel. Rodenstock hockte zusammen mit Unger und Bettina unter der Birke. Ich berichtete ihnen, was geschehen war, und Unger sah endlich eine Chance. »Ich finde heraus, was dieser Pater Leppich mit hundertsechzigtausend Mark gemacht hat.«

»Gut«, sagte ich. »Aber bitte, Umwege gehen, nicht verschrecken, niemanden verprellen und nicht mit dem Presseausweis wedeln.«

»Kann ich mit?« fragte Bettina.

Ich betete insgeheim inständig um meiner Ruhe willen, er würde sie mitnehmen. Meine Gebete wurden erhört, er nickte, und sie machten sich auf den Weg.

»Was sagt Marker? Was meint sein Oberstaatsanwalt?«

Rodenstock neigte den Kopf. »Der glaubt, wir hätten es mit strikt logistisch arbeitender organisierter Kriminalität zu tun. Auf die Geldgeschenke will er nicht eingehen. Vielleicht kann er nicht? Der Landrat, Bundestagsabgeordnete, Landtagsabgeordnete, die Caritas, ein Wirtschaftsmagnat, der Golfclub, die katholische Kirche. Vielleicht einigt man sich.«

»Was soll das heißen: Man einigt sich?«

»Man löst den Fall nicht, man läßt ihn auslaufen.«

»Mann, in sieben Jahren haben wir das Jahr 2000.«

»Ja und?« lächelte er. »Glauben Sie im Ernst, die Menschheit hätte sich geändert?«

»Das kann nicht sein«, sagte ich. »Soviel kann man nicht übersehen.«

»Sie sind naiv«, stellte er trocken fest.

»Das macht mich so wertvoll«, nickte ich. »Was können wir noch tun? Hat dieser Täter, hat diese Tätergruppe Fehler gemacht? Paßt irgendeiner der Beschenkten nicht ins Programm? Vielleicht dieser sogenannte Pater Leppich?«

Cosima, Nora und Elsa tanzten heran und schleppten die neue Katze Momo durch meinen Garten. Krümel kam um die Ecke und wirkte vor Eifersucht rosarot. Dahinter erschien ein strahlender Veterinär aus Gerolstein namens Dr. Schneider und trompetete: »Die Katze ist kein Weibchen, die Katze ist ein Männchen.«

»Dann kann der Name bleiben. Herzlich willkommen, Momo«, sagte ich.

Wenig später hockte Rodenstock mit den beiden Mädchen im Gras und hatte Momo im Schoß. Sein Gesicht wirkte ganz sanft und gelassen, es war voll Freude.

Langsam fuhr ich zum Tatort, als könnte ich nachvollziehen, was sich ereignet hatte. Ich erreichte diesen Tatort, hielt an, hockte mich auf einen liegenden Baumstamm und stopfte bedächtig die Camargue von Butz Choquin. Ich rauchte und dachte darüber nach, was ich mit so einem Transporter tun würde. Und was mit dem Motorrad?

Moment: Markers Leute hatten alle Scheunen durchsucht. Was war dabei herausgekommen? Es konnte nicht viel sein, denn Marker hatte nichts erwähnt – also Fehlanzeige. Was tut ein international arbeitender Gangster mit einem Geldtransporter? Er versenkt ihn in einem Fluß, in einem Baggersee. Er denkt nicht daran, das Ding auf ewig verschwinden zu lassen, es reicht, wenn es ein paar Wochen, ein paar Monate vielleicht verschwunden ist. Was wird er mit dem Motorrad machen? Dasselbe vermutlich. Also vielleicht irgendwo zwischen hier und Köln oder hier und Trier einen Fluß suchen, ein großes Wasserloch.

Was tut ein Mann aus der Eifel, der aus irgendeinem Grund furchtbar wütend ist, einen Geldtransporter klaut, das Geld verschenkt … was tut der mit diesem Transporter, mit diesem Motorrad?

Bleib auf dem Boden, Baumeister. Laß deine Phantasie nur in den Grenzen spielen, die der Alltag dieser Leute zieht. Nicht herumspinnen, einfach nachdenken. Dann wußte ich plötzlich, daß wir alle an einer sehr naheliegenden Idee vorbeigerannt waren, und ich mußte lachen. Es war wie eine Befreiung.

Ich stieg in den Jeep und fuhr gemächlich auf den Hof. Rodenstock schlug wieder Holz und fühlte sich offenkundig prächtig, die Mädchen hockten auf dem Holzstoß und kraulten Momo – sie ließen ihn nicht auf die Erde, sie ließen ihn nicht laufen. Elsa kam in die Sonne und brachte ein Tablett mit Kuchen und Kaffee. Sie sah mich, kam heran und sagte: »Ich machte mir Sorgen. Dir geht es nicht gut, oder?«

»Jetzt geht es mir wieder gut«, erklärte ich. »Papa Rodenstock, lassen Sie uns eine Weile reden. Ich habe eine Idee.«

Wir drei gingen also hinein, sperrten Kinder und Katzen aus, und ich erklärte: »Es war immer ein Rätsel, was die Täter mit dem Transporter und dem Motorrad gemacht haben. Ich habe vielleicht eine Idee. Die Eifel war immer ein armes Land. Besitz, gleich welcher Art, wurde ängstlich gehütet, niemals vernichtet. Da wir annehmen müssen, daß es Eifler waren, müssen wir also mit Eifler Augen sehen. Die Männer werden den Transporter zerlegen, nichts wegwerfen, den Motor in eine andere Karre umbauen, die Achsen für irgendein anderes Fahrzeug gebrauchen können. Ist das einleuchtend?«

»Sehr«, sagte Rodenstock sofort.

»Und wie!« nickte Elsa.

»Aber wie setzen wir das um?« fragte Rodenstock. »Sollen wir systematisch suchen?«

»Ja«, nickte ich. »Jeden Wasserwagen bei den Kühen auf den Wiesen prüfen, jeden Kuhstall, ob er vielleicht Panzerglasfenster hat.«

»Das geht doch gar nicht«, wandte Elsa ein. »Wieviel Dörfer kommen denn in Betracht?«

»Ich weiß es nicht«, sagte ich. »Wir fangen im engsten Umkreis an und tasten uns vor.«

»Das könnte etwas bringen«, nickte Rodenstock.

Plötzlich wurden wir unterbrochen, weil Marker vorfuhr. Er kam in einem äußerst feudalen BMW und hatte einen Mann im Schlepptau, von dem er sagte: »Das ist der Untersuchungsführer, Oberstaatsanwalt Dr. Brüning.«

Wir nannten unsere Namen und gaben ihm artig die Hand. Er war ein Mann Mitte Vierzig, und offensichtlich war er es gewohnt, Befehle zu erteilen. Er sagte: »Setzen wir uns kurz.«

Wir setzten uns also und sahen ihn freundlich an, weil uns nichts anderes übrigblieb.

Ganz deutlich war er ein Mann, der frühmorgens um sechs auf den Beinen war und joggte. Er sah ein wenig magenkrank aus, hatte aber gleichzeitig die Ausstrahlung eines Politikers, der dauernd fordert: Denkt doch mal positiv, Leute!

Mit merkwürdig gleichförmiger Stimme, nicht hoch, nicht tief, in einer ermüdenden Mittellage, sagte er: »Herr Marker hat mir berichtet, wie sehr und vor allem wie fair Sie sich um unser gemeinsames Problem in dieser abgelegenen Landschaft gekümmert haben. Ich danke Ihnen dafür ausdrücklich und denke, daß der Generalbundesanwalt mit mir einer Meinung ist, wenn ich ihm vorschlage, Sie als besonders verantwortungsbewußte Mitbürger auch schriftlich und öffentlich zu belobigen. Ich danke Ihnen und bin hier, um mich gleichzeitig zu verabschieden. Ich denke, wir haben unsere Aufgabe erfüllt.« Dann lächelte er uns offen und herzlich der Reihe nach an.

Marker unterbrach an dieser Stelle und wedelte mit einer Ausgabe der Frankfurter Allgemeinen Zeitung. »Wir haben hier einen ersten, wirklich glaubwürdigen Hinweis, daß sich Spuren des gestohlenen Geldes in Frankfurt nachweisen lassen. Nach sorgfältiger Recherche hat ein Redakteur der FAZ herausgefunden, daß eine Gruppe Kurden in Frankfurt mit einer Unmasse an Geld Waffen ordert. Diese Gruppe war am Freitag, also dem Tag vor der Tat, erst in Trier, dann im benachbarten Wittlich. Das wiederum legt die Vermutung nahe, daß die Gruppe die Tat begangen hat. Am

Samstag abend gegen neunzehn Uhr, also rund sieben Stunden nach der Tat und rund eine Stunde, nachdem das Zeitschloß des Fahrzeugs den Saferaum freigab, tauchte die Gruppe in Frankfurt in einer von Türken geleiteten Kfz-Werkstatt auf. Am Sonntag hat die Szene kurz gefiebert, als eben diese Kurden Waffen orderten und dabei mit Bargeld in unbegrenzter Höhe winkten.«

Er hörte auf zu dozieren und sah uns vollkommen unschuldig an. Das gelang ihm blendend.

»Darf ich eine Frage stellen?« fragte ich höflich.

»Aber selbstverständlich, Herr Baumeister«, erwiderte der Oberstaatsanwalt leutselig.

»Der Artikel der FAZ deutet also einwandfrei auf Kurden hin. Hier aber wurden keine Kurden gesichtet. Des weiteren wurde hier anonym Geld verschenkt. Es handelt sich, Moment bitte, ich habe einen Zettel, um genau zwei Millionen zweihundertfünfzigtausend Mark. Haben Sie dafür eine Erklärung?«

»Absolut nicht.« Der Mann lachte genüßlich. »Nichts, wirklich gar nichts zwingt zu der Annahme, daß das verschenkte Geld tatsächlich mit dem des Geldraubs identisch ist, nicht wahr?« Er legte die Fingerspitzen zusammen, das wirkte sehr fein. »Vielleicht haben wir es hier mit einem Irren zu tun, der sein Geld einfach verschenkt?«

»Werden Sie diese Geschenke im Auge behalten?« fragte Elsa.

»Selbstverständlich, meine Liebe. Wir lassen Herrn Marker noch ein paar Tage hier. Die restliche Truppe allerdings ziehen wir ab. Wir werden uns auf die Kurden konzentrieren.«

»Sind die Kurden einschlägig aufgefallen?« fragte sie weiter.

»Ja«, antwortete er knapp. »Allerdings in London, nicht bei uns in Frankfurt.«

»Was geschieht mit den Geldern?« bohrte ich. »Soweit ich weiß, hat Herr Marker den Segen eingesammelt. Wird er den Beschenkten zurückgegeben?«

»Da wir annehmen, daß es sich bei dem Geldgeber um einen – sagen wir – Verrückten handelt, behält die Staatsanwaltschaft sich das Recht vor, später zu entscheiden. Wir verwahren die Gelder und warten, was in diesem dubiosen Fall geschieht«, lächelte er.

»Was ist, wenn die Geschenke fortgesetzt werden?« fragte wieder Elsa.

»Wir sammeln sie ein«, sagte der Oberstaatsanwalt. »Glücklicherweise haben wir es hier mit hochanständigen, guten Bürgern zu tun, bei denen sich herumgesprochen hat, daß das Geld möglicherweise nicht koscher ist. Die Bevölkerung wird das melden, und Marker bleibt ja noch ein paar Tage hier.« Er war rundum mit sich zufrieden. Er stand auf und verbeugte sich kurz und mit sehr steifem Rücken. »Es hat mich gefreut«, sagte er aufrichtig.

Als er gegangen war, meinte Elsa: »Sagen Sie, Marker, was soll das Theater?«

»Stellen Sie mir nie mehr diese Frage«, erwiderte er müde und strich sich über das Gesicht. »Er bekam einen Anruf vom Innenministerium in Bonn. Man legte ihm nahe, das internationale Verbrechertum zu bekämpfen. Und jetzt kein Wort mehr. Ich schlafe erst einmal zwei Tage.« Dann sah er Rodenstock an: »Können Sie mich noch kurz über alles informieren, was hier zuletzt geschah?«

»Aber sicher«, nickte Rodenstock. »Ich erzähle es Ihnen. Gehen wir in den Garten?«

Als die beiden abgezogen waren, schrie Elsa zornig: »Die schmettern den Fall ab, Baumeister!«

»Rodenstock hat es gerochen, Marker hat es gerochen. Das ist nicht neu und nicht überraschend. Als sie merkten, daß die ganze politische Eifel bloßgestellt wird, legten sie los ...«

»Aber irgendwo sind noch mehr als fünfzehn Millionen!« rief sie wild.

»Richtig«, gab ich zu. »Aber wer will das hören, wenn Kurden in Frankfurt Waffen kaufen und bar bezahlen? Sie wollten das internationale Gangstertum.«

Wir schwiegen und hörten, wie Rodenstock und Marker im Garten miteinander sprachen, wie Marker sich verabschiedete, wie er sagte: »Ich gehe die paar tausend Meter zu Fuß, wird mir guttun.«

»Ich schlafe unter der Birke«, brach ich das Schweigen.

Aber ehe ich verschwinden konnte, kamen Unger und Bettina auf den Hof gefahren, und sie sahen sehr glücklich und erregt aus.

»Junge, Junge«, sagte Unger hoch, »das ist vielleicht ein Ding!«

»Laß es raus«, forderte ich. »Nein, halt, warte noch, bis Rodenstock kommt. Dann mußt du es nicht zweimal erzählen.«

Unger setzte sich auf die Bank vor dem Haus, und Bettina nahm neben ihm Platz. Er war jetzt ein Teil von ihr, und das wirkte sehr tröstlich.

Rodenstock kam. »Ist der Pfarrer durchleuchtet?«

»Und wie«, behauptete Unger. »Also, die Sache begann vor etwa einem Jahr. Da kam ein Student zu dem Pfarrer ins Haus. 25 Jahre alt, studierte Germanistik und Politologie. Er wollte eigentlich eine Examensarbeit schreiben, irgend etwas untersuchen: Die Stellung katholischer Priester in der Dorfgemeinschaft von heute. Irgend so etwas in der Art. Er blieb. Es war überhaupt nicht schwer herauszufinden, was da passiert ist. Also nehmt um Gottes willen nicht an, daß es eine schwule Liebe wurde oder so. Aber eine Liebe war es wirklich. Das ganze Dorf wußte Bescheid. Der Student ergriff Besitz von Pater Leppich. Stück um Stück sozusagen. Es war einfach für uns, das meiste erzählten die Verkäuferin in einem Tante-Emma-Laden, ein Kneipenwirt und ein Gemeindeangestellter. Der Pater Leppich kaufte dem Jungen erst einmal eine Einrichtung für zwei Zimmer, dann ein altes, gebrauchtes Auto, dann ein neues Auto. Dann fuhren sie zusammen in Urlaub, einmal, zweimal, dreimal. Immer teurer und immer weiter weg. Ein paarmal haben ältere Männer aus dem Dorf versucht, mit dem Jungen zu reden, ihn aus dem Dorf zu scheuchen, aber der Junge hat nur gelacht und gesagt: Besser werde ich es nie mehr im Leben haben! Irgendwie sind einhundertsechzigtausend Mark zusammengekommen. Ich habe einige Posten notiert, es ist kein Kunststück gewesen, so viel Geld auszugeben. Der Priester wurde depressiv, er sprach von Selbstmord. Und was passiert? Schwuppdiwupp ist der Student verschwunden. Aber ich habe seine Adresse, das wird eine verrückte Geschichte.«

»Das wird vermutlich keine«, widersprach Rodenstock und berichtete kurz vom Besuch des Oberstaatsanwaltes.

»Aber das ist Wahnsinn«, reagierte Unger, »das ist doch völlig verrückt.«

»Nein«, sagte ich, »das ist der Staat. Haben Sie den … entschuldige, hast du mit dem Pfarrer sprechen können?«

Er schüttelte den Kopf. »Das wollte ich nicht, weißt du. Er ist wirklich krank, der Arzt kommt jeden Tag und spritzt ihm irgend etwas. Eine ältere Frau aus dem Dorf paßt auf ihn auf. Der Mann ist kaputt! Der ist sechzig, hatte einen Liebsten, der ihn ausnahm, und jetzt ist er kaputt.«

Es war seltsam, niemand sprach ein Wort, wir zerstreuten uns auf meinem Hof, als hätten wir nichts miteinander zu tun. Als Bettina ihre Hand an Ungers Gesicht legte, wehrte er sie ab wie ein Insekt, drehte sich um und schlenderte aus dem Lichtkreis der Lampe über der Haustür.

Elsa murmelte: »Ich gehe in dein Bett. Du nimmst ja wohl die Birke.«

Wenig später meinte auch Rodenstock: »Ich versuche mal, etwas zu schlafen.«

Ich schnappte mir das Telefon für alle Fälle, ging unter die Birke und legte mich auf den Schlafsack. Irgendwann kam Krümel, maunzte hocherfreut und gesellte sich neben mich, nachdem sie die Umgebung abgesucht und alles in Ordnung gefunden hatte.

Ich erinnerte mich an meine neue Katze Momo, sah aber nicht nach ihr. Junge Katzen bleiben gern im Haus, solange Wände eine Deckung für sie sind.

Es war drei Uhr, als einige Dinge gleichzeitig in mein Bewußtsein drangen. Das Telefon schrillte, und in der Ferne heulten Sirenen. Die Feuerwehr kam schnell näher. Ich tippte auf den Knopf im Hörer, und Willi, mein Bürgermeister, rief atemlos: »Es hat Christian Dauns Scheune erwischt. Diese doofe Witwe Bolte hat wahrscheinlich wieder mit Maria und dem Erzengel gesprochen.«

Eine zweite Feuerwehrsirene, höher als die erste, war zu hören, dann eine dritte.

»Wie groß ist das Feuer?«

»Weiß ich nicht genau. Der Brandmeister sagt, daß sie es

nicht unter Kontrolle kriegen. Alles sei trocken wie Zunder. Kommst du?«

»Na sicher.«

Keiner meiner Besucher war ausgezogen, keiner hatte geschlafen. Sie standen im Flur und starrten mich an.

»Es ist Dauns Scheune. Die mit dem vielen Heu. Laßt uns fahren, nein, laufen, wir versperren ihnen nur den Weg.«

ZWÖLFTES KAPITEL

Das ganze Dorf pilgerte mit uns, die Kinder machten den Eindruck, als ginge es zu einer Kirmes mit Feuerwerk. Ein leichter Wind stand aus Südwest und wisperte in den Büschen und Bäumen. Als wir die letzten Häuser erreicht hatten und einen freien Blick auf Christian Dauns Anwesen bekamen, wirkte seine Scheune wie ein riesiges rotgeflecktes Tier, das sich zum Sterben niedergelegt hat und gegen den Tod kämpft.

Das Geräusch war sehr laut, und es war jetzt deutlich auszumachen, daß es zwei Geräusche waren. Männer schrien, die Motoren schwerer Maschinen mahlten, die Klingeln der Feuerwehren waren schrill und aufdringlich. Darüber lag wie ein Stöhnen der Laut, den die brennende Scheune von sich gab. Es war, als atmete sie krampfhaft und kämpfte um Luft.

»Das Feuer ist da, wo Witwe Bolte den Altar hatte«, sagte Elsa.

Christian Dauns Scheune lag ziemlich genau in Nord-Süd-Richtung. Am südlichen Ende, dort wo die Witwe Bolte die Jungfrau Maria und den Erzengel Michael getroffen hatte, war das Gebäude vom Erdboden bis hin zu dem flachen Dach grellrot. Dunkelrot nach Norden hin, wo in einer Entfernung von zwanzig Metern das alte Wohnhaus der Dauns stand. Wenn man genau hinschaute, schienen die Konturen der Gebäude zu verschwimmen. Die Hitze flimmerte.

Ein Mann schrie im höchsten Diskant: »Zwei C-Rohre auf das Wohnhaus. Sonst geht dort alles hoch.«

»Wieso hochgehen?« fragte Unger.

»Er meint die Hitze. Es ist alles pulvertrocken«, erklärte Rodenstock.

Sie hatten eine Batterie greller Scheinwerfer südlich des brennenden Kolosses in ungefähr dreißig Metern Entfernung aufgestellt, und je näher wir an die reichlich dürftige Absperrung aus Autos und dazwischen gespannten Plastikstreifen kamen, umso klarer war zu erkennen, daß die Scheune im Innern längst eine Feuerhölle war.

»Das ist aussichtslos«, rief Unger und hielt Bettina um die Schultern fest.

Elsa lehnte sich gegen mich. »Wie viele Feuerwehren sind das denn?«

»Sicherlich alle, die nahe genug stationiert sind. Mindestens sechs. Berufsfeuerwehr und Freiwillige Feuerwehren. Die Jungens sind gut und schnell. Aber sie haben bei dieser Hitze keine Chance. Sie haben großes Glück, wenn sie das Wohnhaus retten können.«

»Woher kriegen sie denn das Wasser?«

»Sie haben eine schwere Leitung westlich liegen. Und sie pumpen aus dem Greisenbach ab. Ich mache einen Vorschlag: Wir trennen uns und passen auf.«

»So soll es sein«, stimmte Rodenstock zu. Er wirkte vollkommen entspannt. »Ich gehe zu der Gruppe Männer, die rechts vorne steht. Einsatzleitung«, sagte er.

»Unger, geh mit Bettina bitte dorthin, wo es am hellsten brennt. Da hatte die Witwe Bolte ihren Hausaltar. Wir gehen rüber zum Wohnhaus.«

Dann dachte ich an die viele Arbeit des Christian Daun und daran, daß hier mit seiner Heuernte auch sämtliche großen und kleinen Maschinen verbrannten. »So eine Scheiße«, fluchte ich.

Es wirkte sehr chaotisch, aber wenn man eine Weile hinschaute, so erkannte man Strukturen. Alles, was die sicherlich mehr als hundert Feuerwehrleute taten, machte Sinn. Die Gruppen arbeiteten schnell und präzise, und als wir das Wohnhaus erreichten, verschwand es unter einem Wasservorhang.

Der immer fröhliche Franz von der Truppe, die den Golfplatz in Schuß hielt, kam in voller Montur und einem lederbewehrten Helm vorbeigerannt und keuchte: »Wo ist denn Christian?«

»Könnt ihr das Wohnhaus retten?« fragte ich.

»Ach, Siggi, ich weiß nicht«, japste er. »Die Temperatur am Dachstuhl fühlt sich an wie meine Heizung bei dreißig Grad Kälte. Ich glaube, wir müssen räumen.«

Im gleichen Augenblick schrie eine dumpfe Männerstimme: »Wir räumen das Wohnhaus. Der Trupp Walter zwo zu mir. Der Trupp Walter zwo.« Ein anderer Mann rief: »Wir brauchen Leute zum Tragen.«

»Komm«, sagte Elsa, »wir können helfen.«

Explosionsartig sprang in Christian Dauns Wohnzimmer eine große Fensterscheibe. Jemand fluchte laut und ausgiebig.

Gesprochen wurde jetzt wenig bis auf die schrillen Schreie der Männer, die eine Leitungsfunktion hatten. Wir bildeten mit ungefähr dreißig Frauen und Männern eine weitgezogene Kette, und sehr bald reichten wir wortlos und schwitzend alles Mögliche, was ein Haus enthalten kann, weiter. Erst den Inhalt von Schränken und Schubladen, dann die Schränke und Schubladen selbst. Ganz vorne in dieser Kette, zwei Männer von mir entfernt, arbeitete Christian Daun und wollte immerzu in sein Haus rennen.

»Laß das, da drin stirbst du!« schnauzte Franz.

»Aber die Papiere!«

»Wo sind die?«

»Im Schlafzimmer in der Anrichte, oben rechts.«

»Ich hole sie«, sagte Franz mit rotem, schwitzendem Gesicht und verschwand.

»C-Rohr eins, mehr rechts halten. Oh Scheiße, der Dachstuhl. In die Mitte, ihr Knallköppe, in die Mitte!«

»Sind da noch Tiere?« fragte jemand.

»Keine Tiere«, keuchte Christian Daun. Dann ließ er mit einer endgültigen Bewegung beide Arme sinken und scherte aus der Reihe derer, die seine Habseligkeiten in Sicherheit trugen. Er weinte auf eine lautlose, wütende Art.

»Kommen Sie«, sagte Elsa, nahm ihn in den Arm und führte ihn ein paar Schritte abseits in das Dunkel neben dem seitlichen Hauseingang.

»Alles im Arsch«, klagte er, »alles kaputt.«
»Das baust du wieder auf«, versuchte ich ihn zu trösten.
»He, Chris«, sagte eine vorsichtige Stimme. Eine Frau schob sich an mir vorbei. Sie war unglaublich verdreckt, trug einen dünnen Anorak und hohe gelbe Gummistiefel. Es war Gitta.
»Du hättest eher kommen können«, flüsterte er und hörte augenblicklich auf zu weinen.
»Ich hab deine Scheißmöbel gestapelt«, sagte sie wütend. »Du hattest außerdem keinen Blick für mich. Wie immer.«
»Ja, ja«, murmelte er. »Ist ja schon gut.«
»Weg hier!« schrie Franz. »Es geht los.«
»Aber wieso?« stammelte Elsa mit aufgerissenen Augen. »Da ist doch Wasser, das ganze Wasser.«
Franz stockte im Schritt, erstarrte, wandte sich zu ihr und sagte so ruhig wie beim Frühschoppen: »Also wir spritzen das Wasser auf Dach und Wände. Wenn es runterkommt, kocht es. So ist das, Madame.«
»Aha, so ist das«, erwiderte Elsa hilflos.
Das Dach färbte sich an einer Stelle blutrot. Die Dachziegel blieben liegen, trotzdem waren da Flammen.
»Das schöne Haus«, rief Elsa.
»Das schaffen wir noch«, sagte Franz.
Gitta nahm Christian fest am Arm und schob ihn hinter das Haus. »Du kommst erst einmal zu Atem!«
»Schleppen wir weiter«, meinte Elsa.
Aus dem Schleppen wurde nichts, die Feuerwehrleute stürmten gleich zu einem halben Dutzend ins Haus. Sie schrien wild durcheinander, und ich begriff nicht, was sie vorhatten. Wenig später krachten Äxte. Da verstand ich: Sie legten den Brandherd auf dem Dachboden frei, um Wasser hinaufpumpen zu können.
»Das schaffen wir«, wiederholte Franz. Es klang wie ein Gebet.
Rodenstock kam heran. »Ist Christian Daun hier?«
»Zehn Schritte hinter uns im Schatten mit Gitta«, entgegnete Elsa.
»Vater Daun ist bei der Einsatzleitung. Blankenheim auch. Sie haben entschieden, mit Bulldozern zu arbeiten. Wenn sie

die Scheune nicht plattkriegen, brennt nicht nur das Wohnhaus. Wir kriegen mehr Wind. Oben die Häuser um die alte Schule sind gefährdet.«

»Eine gute Entscheidung«, fand ich.

»Eine sehr gute.« Wort für Wort tropfte aus seinem Mund, und er wirkte arrogant.

»Was soll das?« fragte Elsa irritiert.

»Sie müssen ins Feuer sehen«, meinte Rodenstock väterlich.

»Wie? Ach? Ach du lieber Gott!«

»Ob *der* dabei ist, weiß ich nicht so genau«, sagte ich.

Die Feuerwehrleute verscheuchten uns und wiesen uns einen anderen Platz zu. Aber da konnten wir nichts sehen. Also marschierten wir an der Absperrung entlang auf die Seite der tosend brennenden Scheune, an der die Witwe Bolte gebetet hatte.

Da war sie, klein und unbezwingbar wie ein granitener Berg. Neben ihr stand Kättchen und sagte dauernd: »Nun reg dich nicht auf, Klärchen. Das wird alles wieder aufgebaut.«

»Das ist ein Zeichen der Jungfrau«, weinte Klärchen.

Am Wegrand standen Peter Blankenheim und Nikolaus Daun und rauchten schweigend.

»Was ist mit all den Maschinen?« fragte ich.

»Schrott«, antwortete Blankenheim. »Wir haben versucht, sie wegzuziehen, aber sie waren glühendheiß, und der Lack warf Blasen.« Er hatte die rechte Hand dick verbunden.

»War es nun Klärchen?« erkundigte sich Elsa.

»Na sicher war es das Klärchen.« Blankenheim lächelte matt.

»Warten wir den Sachverständigen ab«, murmelte der alte Daun. Seine Frau kam heran und rief ganz weiß im Gesicht: »Wo ist der Junge, wo ist der Junge?«

»Hinterm Wohnhaus«, sagte ich.

»Brennt das auch ab?« fragte sie.

»Wahrscheinlich können sie es retten«, meinte ich. »Wie alt ist es?«

»Von meinem Ururgroßvater«, sagte Daun. »Das muß so um 1850 gebaut worden sein.«

Hinter uns begannen Wagen in die Wiesen zu fahren, die Rammen kamen, zwei Maschinen auf Ketten mit je sechshundert PS.

»Endlich«, sagte Blankenheim. »Haben die sichere Kabinen?«

»Mit Gitternetz«, nickte Daun. »Absolut sicher. Sie müssen Vollgas geben, wenn das Dach runterkommt. Dann gibt's einen Funkenflug wie bei einem Tornado.«

Die beiden Fahrer auf den Rammen trugen eine silber glänzende Kleidung, hatten schwere Helme auf dem Kopf und ein gläsern wirkendes Visier vor dem Gesicht. Sie schwenkten gleichzeitig von Süden her nach Norden ein, bremsten dann ab. Der rechte Fahrer hob die Hand, und als er sie senkte, fuhren sie an. Es machte einen Höllenlärm, und eine Weile war sogar das Feuer nicht zu hören.

Zwei Feuerwehrleute folgten mit kleinen einachsigen Wagen den Ungetümen und berieselten sie mit einem mächtigen Schwall Wasser.

»Hoffentlich geht das gut«, murmelte Elsa und steckte wie ein kleines Mädchen den rechten Zeigefinger in den Mund.

Die beiden Rammen erreichten die Scheune und drückten die lodernde Wand ein. Das Dach schwenkte widersinnig erst nach oben, als hebe jemand den Hut, dann kam die Hälfte der Fläche mit einem wüsten Krachen herunter. Das Wasser schuf einen perfekten Vorhang aus Schwaden und Dampf, wir konnten eine Weile nichts mehr sehen.

Wir erkannten nur, wie ein Teil der Längswand nach innen fiel, und die Umrisse der schweren Maschinen verschwanden vollkommen. Aber ihre Motoren brüllten.

»Wie lange können die das?«

»Bis zu fünf Minuten, wenn sie genug Wasser kriegen«, erklärte einer der Männer hinter uns.

»Wie viele Tonnen Heu waren das eigentlich?« fragte ich.

»Mehr als dreihundert«, sagte Vater Daun. »Ein Haufen Arbeit. Aber der Junge braucht sich nicht zu sorgen. Wir haben Platz genug und auch alles andere genug.«

Hinter uns schob sich ein Caravan heran. Dorita, Petra, Martina und Beate riefen einigermaßen fröhlich: »Genug Wasser habt ihr ja, wir bringen was zu trinken!«

Sie luden Kisten mit allen möglichen Getränken ab. Dorita sah mich an und meinte: »Kaffee haben wir auch!«

Die Feuerwehrleute kamen vollkommen verdreckt und verschwitzt heran und ließen sich etwas eingießen. Sie tranken keuchend und wortlos, während die Rammen die nördliche Querwand der Scheune von außen faßten und nach innen umbogen. Sämtliche Rohre waren jetzt auf das Inferno im Innern gerichtet, die Rammen blieben mit laufenden Motoren stehen. Es war ein unbeschreiblicher Lärm.

Dann war Tilman Peuster bei uns, der Arzt aus Jünkerath. Er fragte sachlich und kühl: »Hier soll einer sein mit Brandwunden im Gesicht.«

»Schorsch dahinten«, antwortete ein Feuerwehrmann. »Der hat irre Schmerzen.«

»Leute, trinkt noch kein Bier«, warnte jemand. »Wir haben noch Arbeit.«

Peuster verschwand, um seine Kunst zu üben. Blankenheim betrachtete den Feuerherd mit schmalen Augen, und Daun sagte erregt: »Sie haben nur eine Chance. Sie müssen die Querwände fassen und in die Wiese ziehen. Dann unter Wasser durchfahren, immer durchfahren.«

»So könnte es gehen.« Franz neben mir atmete pustend aus: »Und Schaum, was ist mit Schaum?«

»Noch nicht«, schrie jemand. »Noch keinen Schaum. Erst die Querwände weg und die Teile der Längswände. Nicht zu weit weg, nicht den Herd vergrößern. Dann Wasser, dann die Rammen, dann mit Schaum ersticken. Also, ihr faulen Säcke!«

Ein paar Leute lachten.

Die Rammen glitten rückwärts gegen das Wohnhaus aus dem Brandherd, die beiden Fahrer stiegen ab und bewegten sich schwerfällig nach vorn. Sie schleppten jeder eine Kette, bückten sich irgendwo, klinkten die Ketten ein, bewegten sich zurück auf ihre Fahrzeuge und zogen nach Handzeichen vorsichtig an. Die Querwand wurde weggezogen, und das Feuer kam grell und gewaltig wie eine Explosion hoch.

Es war eine geisterhafte Szene, weil niemand etwas sagte, niemand mehr schrie und alles davon abhing, wie gut die Fahrer der Rammen waren. Das Wohnhaus, das wurde deutlich, stand jetzt abseits wie ein dunkel drohender Klotz und schien nicht mehr zu brennen. Die Rammen bewegten sich gleichmäßig nebeneinander, die Fahrer wiederholten das gefährliche Spiel mit den Ketten und zogen die Längswand vom Feuer. Das Heu loderte, so daß wir die Hitze brennend auf der Haut spürten. Die Rammen arbeiteten unermüdlich weiter.

Teil zwei der Operation bestand darin, das große Viereck des Feuers aus stark streuenden Düsen unter Wasser zu setzen. Dann Teil drei: Die Rammen mahlten unermüdlich hin- und herfahrend alles zu Schlamm und funkenstiebenden Resten. Das dauerte mehr als eine Stunde. Erst danach belegten die Wehren die Fläche mit Schaum.

Rodenstock stand plötzlich hinter mir. »Kommen Sie einmal mit.« Er wartete nicht, sondern ging langsam auf das Wohnhaus zu.

»Wo geht der denn hin?« fragte Elsa ungeduldig hinter mir.

»Nur die Ruhe«, sagte ich.

Der Haupteingang des alten Wohnhauses lag auf der vom Feuer abgewandten Seite. An einem Beet mit zwei Rosensträuchern hockten Gitta und Christian auf einer Bank und schwiegen vor sich hin.

»Es ist gutgegangen mit Ihrem Haus«, erklärte Rodenstock freundlich. Dann ging er langsam weiter in den Vorgarten hinein. Da befand sich ein eiserner Doppelbogen, etwa zwei Meter hoch, an den Christian Daun Pflanzen in Töpfen gehängt hatte.

Rodenstock drehte sich zu uns herum und bat leise: »Elsa, Sie stehen neben einem großen Topf mit Geranien. Nehmen Sie bitte den Topf ab und marschieren Sie um den alten Stall herum, dann die Wiese hinauf, dann nach Hause. Und nicht fragen, einfach los.«

Sie nahm den Topf in die Hand, er hängte ihn aus, und sie ging los und atmete augenblicklich schneller. Der Topf war schwer.

»Es ist ein besonderer Topf«, erklärte Rodenstock. »Es ist der aufgeschnittene Tank eines Motorrades.«

»Sieh an, sieh an«, sagte ich heiter. »Noch irgend etwas?«

Er schüttelte den Kopf. »Aber wir hätten eine Chance, wenn wir die Gelegenheit benutzen würden – alle Häuser im Dorf stehen leer.«

»Ich verstehe«, meinte ich. »Gehen Sie oder gehe ich?«

»Ich gehe«, sagte er. »Wenn ich fehle, fällt das nicht so auf.«

Ich ließ ihn verschwinden und setzte mich dann zu Gitta und Christian.

»Hast du die Witwe Bolte gesehen? Ich meine, bevor es zu brennen begann?«

»Ja, ja, sie war da. Aber das war um Mitternacht. Sie hatte die Kerzen brennen lassen. Ich blies sie aus. Sie muß wiedergekommen sein, das ist schon öfter passiert.«

»Ich weiß«, sagte ich. »Das ist ein Riesenverlust.«

»Das Wohnhaus steht noch.« Er war verwirrt und fuhr sich mit der Hand über die Augen. »Ich wollte nie auf dem Hof meiner Eltern leben. Das alte Haus ... es riecht anders, verstehst du? Es riecht ... ich weiß nicht, ich bin hier zu Hause.«

»Kann ich gut kapieren. Wo wirst du schlafen, du mußt dich irgendwie ausruhen.«

»Er kann mit zu mir nach Hause«, sagte Gitta sanft und sah ihn dabei an.

»Das ist gut. Aber achte darauf, daß er wirklich ein paar Stunden pennt. Hier kann er im Moment sowieso nichts machen.«

Um auszuschließen, daß irgendwo im Geviert der niedergebrannten Scheune noch Brandherde verborgen waren, fuhren die Kettenfahrzeuge weiter hin und her und machten den Schlamm zu Brei. Niemand löschte mehr, niemand schrie Befehle, niemand rannte. Alle hockten total erschöpft in der Wiese und ließen sich bedienen. Sie hatten es sich verdient. Ein paar waren so geschafft, daß sie sich einfach auf die Seite gelegt hatten und schliefen.

»Gehen wir heim«, sagte ich laut, obwohl es garantiert keinen Menschen interessierte.

Da stand auf einmal Marker vor mir und fragte erregt: »Was ist passiert?«

»Es gibt zwei Möglichkeiten. Entweder hat sich das Heu selbst entzündet, was unwahrscheinlich ist, weil Daun eine

Temperatursonde und Ventilatoren eingebaut hatte, oder die Witwe Bolte hat Kerzen brennen lassen. Das Ding ist jedenfalls futsch.«

Marker schwieg und ging an mir vorbei, blieb stehen, starrte auf das Chaos aus weißgrauem Schaum und schwarz verkohlten Balken. »Wie lang hat das gebrannt?«

»Ich weiß es nicht. Stundenlang. Und es war bei dieser Affenhitze verdammt gefährlich für das ganze Dorf. Als es begann, war es dunkel, jetzt ist es Tag.«

»Was machen diese Kettenfahrzeuge da?«

»Mit denen haben sie das Ding plattgewalzt, damit es nicht noch schlimmer wird. Funkenfluggefahr.«

»War irgend etwas Besonderes? Den Fall betreffend?«

»Kann man sagen. Jemand hat einen Motorradtank aufgeschnitten und als Blumenkübel für Geranien verwendet. Sah eigentlich ganz hübsch aus.«

»Wahrscheinlich auch verbrannt«, sagte er ohne Hoffnung.

»Nicht die Spur. Von Elsa sichergestellt und nach Hause geschafft.«

»Das ist gut. Also Christian Daun.«

»Vorsicht, Vorsicht«, warnte ich. »Rodenstock ist unterwegs und sucht weiter.«

»Ach, was soll's!« fluchte er. »Mir hört ja doch keiner zu.«

»Im Augenblick vielleicht nicht. Später schon. Oder?«

»Vielleicht«, nickte er. »Werden Sie eigentlich darüber schreiben?«

»Und wie! Kommen Sie, gehen wir heim.«

»Was sucht denn Rodenstock?«

»Ach eigentlich etwas, was man dauernd sucht. Eine Vorderachse, eine Hinterachse, einen Motor, Panzerglas aus dem Fahrerhaus und derartige Kleinigkeiten.«

Er schwieg wieder eine Weile. Dann sagte er: »Nicht schlecht, Herr Specht.«

»Ich bin überhaupt gut«, erwiderte ich artig.

Wir schlenderten heim, es wurde schon wieder warm, irgendein neckischer Junge im Radio hatte gesagt: »Das Ozonloch komme über euch!«

»Machen wir uns einen Kaffee?« fragte er.

»Na sicher«, sagte ich.

Aber Elsa hatte schon Kaffee gekocht. Sie stand mit dem Motorradtank, der einstmals Geranien enthalten hatte, am Spülbecken und kratzte ganz vorsichtig an dem roten Überlack herum. »Das ist schwierig«, meinte sie. »Aber es steht fest, daß es eine Suzuki war, den Schriftzug habe ich schon.«

»Was mache ich jetzt?« fragte Marker mehr sich selbst als einen von uns. »Kriege ich ein Geständnis?«

»Niemals«, sagte Elsa sanft, ohne sich umzudrehen.

»Mein Oberstaatsanwalt hat mir durch einen Kurier eine Vorausgabe der Frankfurter Allgemeinen von heute geschickt. Sie haben die Sache festgeklopft, sie machen eine ganze Seite über Kurden, die in der Eifel Bares klauen, um in Frankfurt Waffen zu kaufen. Sie nennen sogar Namen.« Marker schüttelte den Kopf. »Die Gruppe hat sich abgesetzt, heißt es. Es wird ein wüster Vorwurf an die strafverfolgenden Behörden formuliert. Die Zeitung sagt, wir hätten noch immer nicht gelernt, schnell und energisch die zu verfolgen, die wirklich erkennbar den Staat unterhöhlen.«

Elsa drehte sich herum. »Und? Stimmt das?«

»Es stimmt nicht«, antwortete er einfach. »Man läßt uns doch nicht.« Dann drehte er sich um und hockte sich in der Stube auf das Sofa, um dumpf vor sich hin zu brüten.

Unger und Bettina kamen zurück. Sie hatten jeder ein großes Einmachglas mit einer ekelhaft schwarz-grauen Masse im Arm.

»Ist das unser Frühstück?« fragte ich.

»Das ist Löschschlamm«, erklärte Unger sichtlich erschöpft.

»Hast du irgend etwas gehört?«

Er schüttelte den Kopf. »Nichts Besonderes jedenfalls.«

»Was ist denn das wirklich für ein ekelhaftes Zeug?« zeigte sich nun Marker wieder interessiert und deutete auf die Einmachgläser.

»Für Sie«, gab Unger zurück. Er war ruhig, nichts verriet mehr den Strahlemann. »Es ist der Rest von rund sechzehn Millionen.«

Marker hob eines der Gläser gegen das Fenster und machte mit breitem Mund: »Igittigitt.«

»Es ist aber wichtig«, sagte Unger müde. »Die Chemiker werden mit Sicherheit Notenbankpapier nachweisen können. Ich dachte, wir helfen Ihnen damit.«

»Das ist die Frage«, murmelte Marker dumpf.

»Das ist keine Frage«, widersprach Elsa vom Spülbecken her.

»Ich denke, da ist irgend etwas gelaufen, irgendein Einspruch aus Bonn, irgendein hoher Beamter, der gesagt hat: Hört mit euren Scheißermittlungen auf, da wird die ganze politische Garde blamiert.« Unger war wütend.

»Na und?« fragte Marker.

»Der Oberstaatsanwalt, Ihr Oberstaatsanwalt, hat sich gebeugt. Und eines Tages wird jemand sagen: Der hat damals den Fall versaut. Irgendein anderer wird fragen: Ja und? Wo sind die Beweise?« Er grinste. »Dann können Sie in Ihren Keller gehen und zwischen den selbstgemachten Marmeladen Ihrer Frau die beiden Gläser herauspulen und sagen: Hier ist der Beweis!« Er hatte begriffen, wahrscheinlich war er in schmerzhaften Minuten um ein Jahrzehnt gealtert.

»Ach so«, seufzte Marker. »Danke. Ich verstehe nur nicht, warum meine Leute in dieser Scheune nichts fanden.«

»Wir werden das klären«, sagte ich. »Wahrscheinlich ist die Antwort wie immer sehr einfach. Ich muß etwas essen.«

»Aber das mit dem Tank hier war sagenhaft leichtsinnig«, meinte Elsa.

»Da bin ich mir nicht sicher«, erwiderte ich. »Zum ersten Mal begreife ich wirklich das Wort ›cool‹.«

»Wahrscheinlich kommen sie nicht vor den Kadi«, überlegte Marker. »Sie würden grinsend Geschichten aus der Vulkaneifel erzählen, und alle Welt würde ihnen zuhören und sich kaputtlachen.«

Bettina stieß aufgeregt zu uns. »Krümel hat für Momo eine Maus gefangen, und Momo kapiert nicht, was eine Maus ist.«

»Auch Pflegemütter bei Katzen halten ihren Nachwuchs für genial«, sagte Marker feinsinnig. »Laßt uns die Realitäten der Welt betrachten.«

Wir marschierten also ins Arbeitszimmer und beobachteten Momo, die etwa zehn Zentimeter vor einer kleinen Spitzmaus hockte, die ihrerseits scheinbar furchtlos auf einem Flickenteppich Platz genommen hatte, um als Unterrichtsmaterial zu dienen. Krümel hockte gut sechs Schritte entfernt auf meinem Schreibtisch und schien zu sagen: Laßt ihr Zeit, sie ist ja noch so klein!

Momo streckte ganz vorsichtig eine Pfote weit heraus. Als sie leicht zuschlagen wollte, um der Maus zu zeigen, was Sache ist, geriet sie ins Straucheln und kippte seitwärts.

»Das ist doch süß«, rief Bettina.

»Nicht sehr«, entgegnete Elsa. »Am Ende wird sie gefressen.«

Momo streckte erneut die Pfote aus, die Maus machte drei schnelle Schritte und kauerte sich zusammen. Momo wußte nicht genau, was das bedeutete. Sicherheitshalber leckte sie sich ausgiebig die Pfote. Dann miaute sie kläglich, weil das Spielzeug gefälligst ruhig zu sein hatte. Die Maus entschloß sich zu einem Ausbruchsversuch. Sie rannte stracks auf einen der Sessel zu und verschwand darunter.

»Das ist unfair«, sagte Unger.

»Nicht die Spur«, widersprach ich. »Momo muß jetzt lernen, darauf zu warten, daß die Maus wieder erscheint.«

»Warum muß die Maus wieder erscheinen? Sie kann doch hockenbleiben«, fragte Marker.

»Das ist die Dämlichkeit der Mäuse, die die Katzen ernähren.« Elsa wirkte sehr weise.

Momo legte sich flach auf die Seite und streckte die Pfote unter den Sessel. Die Maus rannte auf der anderen Seite fort und erreichte sicher die drei alten Buchenkloben, die neben dem Kamin lagen, und verschwand erneut.

Krümel beschloß eine Hilfsaktion, sprang vom Schreibtisch und räumte ganz vorsichtig das äußerste Buchenscheit beiseite. Da hockte die Maus, und Krümel schien zu drohen: Bald biste dran!

Momo kam, offensichtlich nicht sonderlich interessiert, herangeschlendert und betrachtete ihr Geschenk. Dann sprang sie zu und sprang daneben, und es gab ein Scheppern, als ein zweites Scheit herunterfiel und Momo den

Schürhaken aus dem Kamingehänge stieß. Sie entschied sich, sehr erschreckt zu sein, und leckte sich die Pfoten. Die Maus war irgendwo, nicht sichtbar, wahrscheinlich entkommen. Dann sahen wir sie über die unterste Buchreihe im Regal laufen und hinter Oswald Spengler verschwinden. Momo war verwirrt, begriff nichts, und Krümel zog sich erneut auf meinen Schreibtisch zurück.

»Wie lange geht das jetzt?« fragte Unger.

»Mit Halbzeitpause ein paar Stunden«, gab ich Auskunft.

Jemand war im Flur und rief: »Ist keiner da?« – Es war Rodenstock.

Wir zogen also zurück in die Stube, und er betrachtete gedankenverloren den Benzintank im Spülstein. Er berichtete: »Ich habe Achsen gefunden. Vorderachse, Hinterachse. Nicht mal sonderlich gut versteckt. Bei Blankenheim über dem Hühnerstall.«

»Und den Motor?« fragte Marker.

»Auch den Motor«, nickte er. »Der steht, komplett und sehr sauber ausgebaut, beim alten Daun über dem Stall hinter einem großen Haufen alter Kornsäcke.«

Das Telefon schrillte, Elsa holte es und gab es mir. Es war die nichtssagende, sonore Stimme des Oberstaatsanwaltes, der sich erkundigte, ob Marker da sei. Ich gab Marker den Hörer, wir gingen raus, um nicht aufdringlich zu erscheinen.

Nach einer Weile kam er zu uns, hängte den Hörer ein und verkündete: »Ich muß zurück in die Filiale nach Mekkenheim. Es stehen eine Reihe wichtiger Konferenzen an.« Er wirkte, als lebe er in einem Traum.

Rodenstock sagte leichthin: »Dann fahren Sie konferieren. Wenn Sie zurückkommen, trinken wir ein Bier zusammen und feiern ein bißchen die Bauernschläue.«

»Eine gute Idee«, nickte Marker. Aber er meinte es nicht so, er war ganz weit weg, hob nur die Hand, ging auf den Hof, setzte sich in den Wagen und fuhr ab.

Nach einer Weile fing Rodenstock merkwürdig an zu kichern, schlug sich auf die Knie vor Vergnügen und lachte sehr schnell laut und hemmungslos, was uns alle ansteckte.

»Du lieber Himmel, ist das ein schönes Verbrechen!« keuchte Unger ganz begeistert.

NACHSCHLAG

Rodenstock war der erste, der wieder auf den Boden kam. »Es wird keine Geschenke mehr geben. Aber wir haben auch keinen Beweis, daß das Geld in der Scheune war und verbrannte. Sicher, wir haben den Motorradtank, die Achsen des Transporters und den Motor. Aber was soll das, solange sich niemand dafür interessiert?«

Wir schwiegen. Elsa und Unger beschlossen, die Tatsachen von den Gerüchten zu trennen und eine Materialsammlung zusammenzustellen.

Bettina beschloß voll Inbrunst: »Heute koch ich euch endlich mal was Gutes. Avocadocreme als Vorspeise. Lamm-Pie mit angebratenem Kartoffelbrei und als Nachspeise Erdbeermus mit Sahne.«

Niemand reagierte, nur Unger sagte beiläufig: »Das ist ja irre!«

Ich ging meiner Wege, zurück zur Brandstätte. Da gab es drei oder vier in hüfthohe Gummistiefel gezwängte Männer, die mit ernsten Mienen durch den Schlamm liefen und alles Mögliche notierten. Es gab einige Besucher, die nachts nicht dort gewesen waren und nun wenigstens die Brandstätte aus erster Hand genießen wollten. Christian war nirgends zu finden, auf mein Klopfen an der Haustür rührte sich nichts.

Dort, wo die Witwe Bolte ihre Gipsmadonna angebetet hatte, standen ein paar verdächtig frisch aussehende Teelichter und brannten munter vor sich hin. Klärchen mußte gerade dagewesen sein.

Ich schlenderte umher und entdeckte im Garten ein großes, frisches Beet, das sich unter einem Glasdach befand. Ich erinnerte mich, daß Christian einmal in Mechthilds Kneipe geäußert hatte, er wolle versuchen, ein paar wilde Orchideen nachzuziehen und auszusetzen. Die Glasplatten auf den hölzernen Unterlagen waren einwandfrei Panzerglas. Ich hoffte, sie waren geeignet, Orchideen abzuschirmen.

Dann trabte ich auf Gittas Hof, aber dort war niemand außer Gittas Mutter, die schlechtgelaunt murrte: »Ich weiß auch nicht, wo Gitta ist. Ist ja sowieso alles durcheinander im Dorf.«

Ich fragte nicht, was denn im Dorf durcheinander sei, sondern marschierte den Hohlweg hoch und ging über den Sportplatz in Richtung Steinbruch. Gitta gehörte zu denen, die in den Steinbruch gingen, wenn Probleme zu lösen waren. Vermutlich hatte sie Probleme.

Es waren eine Menge Haubenlerchen in der Luft, und weit oben kreiste ein Pärchen Rote Milane. Ein paar Schritte begleitete mich ein Zitronenfalter und ruhte sich dann auf einem rosafarbenen kleinen Lerchensporn aus. Unter einem Haselbusch blühte ein verspätetes Maiglöckchen, das den Mai verschlafen hatte. Irgendwo riefen Glockenunken.

Sie hockten mit den Rücken aneinander auf einem großen, grauen Basaltblock am Teich und schwiegen. Auf eine rührende Weise bildeten sie eine vollkommene Einheit. Gitta trug ein großkariertes rotes Holzfällerhemd und Christian ein blaues. Sie hatten beide Arme seitlich gestützt und hielten sich an den Händen fest. Gittas Gesicht war weich und verträumt, und hinter seiner großen intellektuellen Brille schien er erschöpft, aber gelassen.

Sie haben miteinander geschlafen, dachte ich.

»Der schon wieder«, stöhnte Christian in gutmütigem Spott.

»Ich werde die Idylle nur kurz stören«, versprach ich. »Nachdem lockere sechzehn Millionen verbrannt sind, nehme ich mir das Recht zu fragen, ob du deine Scheune selbst angezündet hast.«

»Ich weiß nicht, was das mit dem Geld soll«, gab er zurück. »Die Scheune habe ich nicht selbst angezündet. So was mache ich nicht, so was würde ich nie machen. Außerdem war die Witwe Bolte mit ihren verdammten Kerzen zugange. Außerdem sind Spezialisten an der Brandstelle. Also wirst du sowieso erfahren, wie es gelaufen ist.«

»Er ist leicht sauer«, informierte mich Gitta.

»Das hat etwas mit deiner Mutter zu tun, nicht wahr? Sie war eben verdammt muffig, als ich nach dir fragte.«

Gitta kicherte hoch, und Christian grinste.

Er erklärte: »Du weißt ja, Gitta nahm mich heute nacht

mit. Ich bin dann irgendwann eingeschlafen, und als ich wach werde, da steht ihre Mutter vor mir und sagt ganz giftig: Also, ich weiß nicht, was du dir ausgerechnet hast, aber du wirst auf diesem Hof nicht Bauer! Ich dachte, mich tritt ein Pferd.«

»Sie ist der Meinung, sie hat zu bestimmen, mit wem ich zusammen bin«, kommentierte Gitta. »Das war schon immer so.«

»Sie hat Angst, die Tochter zu verlieren«, sagte ich. »Dann hockt sie mutterseelenallein auf dem Hof, und das Leben ist irgendwie nutzlos oder zu Ende.«

»Das weiß ich ja auch«, murmelte Gitta. »Aber ihn gleich beleidigen?«

»Vergiß es«, sagte er. »Deine Mutter ist eben ein Satansbraten.« Er kicherte.

Seine arrogante Gelassenheit machte mich wütend. »Du hockst hier, als machtest du Ferien. Was ist, wenn die Bundesanwaltschaft dich in die Mangel nimmt?«

»Was soll dann sein?« fragte er zurück.

»Eine Zelle«, sagte ich scharf.

»Er will sowieso mal ein paar Wochen ausschlafen«, nuschelte Gitta träge.

Eine Weile war es ruhig, und nur die Unken in ihren Löchern beklingelten den Sommer.

»Das halte ich für ganz, ganz leichtsinnig«, warnte ich und kam mir ziemlich dämlich vor. »Ich bin kein Bulle und erst recht kein Richter. Also solltest du keinen Gegner in mir sehen.«

»Aber du schreibst doch«, stellte er fest.

»Sicher schreibe ich. Aber ich bemühe mich zu begreifen und verstehe langsam, was euch getrieben hat.«

»Da bin ich aber gespannt«, sagte er.

»Es war einfach die totale Frustration«, versuchte ich und schwieg dann. Ich stopfte mir die Valsesia von Lorenzo und dachte: Wenn *du* Zeit hast, mein Junge, dann habe *ich* alle Zeit der Welt.

»Eigentlich hat er recht«, meinte Gitta, löste sich von Christian, stellte sich hin und holte eine Tabaktasche aus dem Hemd. Sie drehte sich eine Zigarette.

»Ich will es nur verstehen«, wiederholte ich. »Es ist sowieso sicher, daß alle Welt euch bewundern wird.«

»Das wollen wir nicht«, sagte er scharf. »Bin ich Robin Hood? Bin ich nicht. Ich bin ein Eifelbauer, ich will, daß die uns ernst nehmen.«

»Sie nehmen dich ernst«, versprach ich. »Jetzt nehmen die dich ernst. Also, war das Geld in deiner Scheune? Ja oder nein?«

»Na sicher«, nickte er. »Wo denn sonst?« Er hockte da, blinzelte in die grelle Sonne und war ein Bild des Friedens und äußerster Gelassenheit.

»Was habt ihr euch denn einfallen lassen für den Fall, daß das Bundeskriminalamt auftaucht und ›Hände hoch!‹ schreit?«

»Nichts«, erklärte er.

»Das ist das Verrückte«, sagte Gitta ebenso gelassen, aber voller Bewunderung. »Sie haben nichts geplant oder sich ausgedacht.«

Ich bedachte das. Als ich es begriff, konnte ich mir das Lachen nicht verbeißen, und sie lachten mit. »Mit anderen Worten: Ihr streitet es gar nicht ab?«

»So isses«, nickte er. Er strahlte mich an: »Die haben ein Problem, verstehst du, wir haben keins.«

»Sie sind richtige Sauhunde«, sagte Gitta befriedigt.

Die Pfeife war ausgegangen, ich zündete sie wieder an und setzte mich erst einmal.

»Habt ihr das lange geplant?«

»Eigentlich nicht.«

»Laß dir die Würmer nicht einzeln aus der Nase ziehen«, mahnte Gitta. »Übrigens, ich wußte bis heute nacht nichts, rein gar nichts.«

»Das ist richtig«, bestätigte er.

Vielleicht ging es schneller, wenn ich ihn direkt in das Geschehen stieß. Ich fragte: »Marker vom Bundeskriminalamt hat Männer losgehetzt, die in alle Scheunen und Bauernhäuser geguckt haben. Wieso haben die in deiner Scheune nichts entdeckt?«

»Gute Frage«, murmelte er. »Weil sie nicht richtig nachgesehen haben. Sie haben das Haupttor aufgemacht. Da stehen zwei kleine Maschinen und dahinter die Rundballen Heu. Sie haben die Tür gleich wieder zugemacht. Ich habe danebengestanden und gedacht: So dumm können die doch gar nicht sein! Aber sie sind es.«

»Wie habt ihr das gemacht?«

»Ganz einfach. Die Scheune hatte auf der abgelegenen Längsseite ein langes Vordach. Da habe ich alle Maschinen stehen, das ist der Platz, an dem ich schweiße. Die Scheune stand auf einem Fundament aus Hohlblocksteinen, darüber eine Bretterwand. Wir haben hinter der Dreschmaschine die Bretter gelöst und mitten in den Rundballen einen großen Platz freigemacht. Da haben wir den Transporter reingefahren und die Bretter wieder vorgenagelt. Als du mich beim Schweißen besucht hast, mußten die innen drin Pause machen.«

»Also hatte der Banker nichts damit zu tun?«

»Der? Oh nein, der wirklich nicht. Der hatte keine Ahnung.« Er überlegte kurz. »Der wäre mir auch zu dämlich gewesen.«

»Und Peter Blankenheim hat die Hawaiireise wirklich vom Ersparten bezahlen wollen?«

»Sicher. Es war klar, daß wir keinen Pfennig anrühren würden. Wir haben sogar die Kosten selbst getragen. Also zum Beispiel die zerdepperte Suzuki. Die habe ich für zwanzig Mark einem Händler am Nürburgring abgekauft. Irgend jemand hat sich damit totgefahren, und ich habe gesagt, ich würde sie ausschlachten.«

»Wie seid ihr denn auf den Geldtransporter gekommen?«

»Wir wußten, daß er jeden Samstag fuhr, das ist alles. Es war ganz einfach, es war irgendwie schrecklich einfach.« Er wirkte verwundert.

»Warum nur? Was hat euch dazu getrieben?«

Er überlegte eine Weile. »Das Übliche. Du ackerst wie verrückt und weißt gleichzeitig, daß deine Kinder den Hof nicht mehr halten können. Zuviel Arbeit, zuviel Dreck, zuviel Mühe. Mein Vater hat die Rente ausrechnen lassen und dann gesagt: Das ist genau so, als hätte ich zwanzig Jahre lang jeden Tag fünf Stunden im Krankenhaus in Daun als Putzfrau gearbeitet. Bei Blankenheims Frau ist es die Mindestrente, irgend etwas knapp über fünfhundert Mark im Monat. Das mußt du dir mal reintun: Von morgens sechs bis abends acht Uhr schuften. Dann kriegst du eine Rente, die nicht mal für ein Bierchen reicht. Dann kommst du ins Altenheim, und sie verscheuern dir den Hof unterm Arsch weg, um deine Pflege zu bezahlen. Du kriegst hundertfuffzig Mark Taschengeld, und sie reden dich mit Opa an, und abends ab fünf Uhr geben sie dir Beruhigungstabletten, damit du schön leise bist.«

»Wann genau seid ihr auf den Geldtransporter gekommen?«

»Das war eine Woche vorher. Wir haben uns das überlegt und dann gesagt: Das machen wir. Es war wirklich einfach.« Er begann zu lachen.

»Warum lachst du?«

»Ich denke an mein Gesicht, als wir die Karre öffneten und die Säcke Geld ausleerten. Wir haben Geld gezählt, oh Mann, haben wir Geld gezählt. Wir haben gedacht, das wird so eine halbe Million sein. Schließlich haben wir zu dritt die ganze Nacht gezählt, und zuletzt haben wir nur noch ungefähr geschätzt.«

»Und von Anfang an wolltet ihr Geldgeschenke verteilen?«

»Nein, nicht von Anfang an. Verteilen wollten wir es schon. Jeder sollte sich einen Empfänger aussuchen, der es wirklich nötig hat. Aber es war so viel.«

»Und die Politiker, wolltet ihr die von Anfang an blamieren?«

»Nein, das entwickelte sich so. Schön, nicht wahr?«

»Habt ihr denn nicht versucht, euch ein Alibi zu verschaffen?«

Er sah mich an. »Gute Frage. Haben wir. Und wenn ich hier nicht säße und dir alles erzählen würde, könntest du dich nach Alibis totreiten. Wir hatten alle drei Alibis, und zwar wasserdichte.«

»Wie denn das?«

»Na ja, wir haben das Ding gedreht und sind dann, wie an jedem Samstagmorgen, durch die Kneipen gezogen und haben ein Bierchen geschlürft. Und zwar so, daß wir erst den Transporter untergebracht haben, dann sind wir getrennt in die Kneipen nach Hillesheim, nach Nohn und nach Walsdorf. Dann haben wir am Transporter weitergemacht. Dann wieder in eine Kneipe und so weiter.«

»Und Peter Blankenheims Frau Josefa?«

»Die wußte es, die hat ja die Buchstaben für die Mitteilungen ausschneiden müssen. Ein Geschenk ist euch durch die Lappen gegangen: Herms Mattes in Udler.«

»Der verrückte Bauer?«

»So verrückt ist der doch gar nicht. Der weigert sich einfach, Steuern zu zahlen und Strom und all den Kram. Der will aufmerksam machen, sonst nichts. Der hatte hundertsechzigtausend Mark Steuerschulden. Jetzt hat er sie nicht mehr.«

»Das Finanzamt muß das Geld aber doch zurückgeben«, sagte ich.

»Hat das Finanzamt aber nicht«, gluckste er. »Das Finanzamt wird es nicht zurückgeben, jedenfalls nicht sofort.«

»Ach du lieber Gott. Und die Witwe Bolte?«

»Wieso die?« fragte er erstaunt.

»Na ja, die hatte die Maria an der Ecke deiner Scheune aufgestellt. Und sie hatte zweimal zerknüllte Geldscheine im Haus, die mit Motoröl verschmiert waren.«

»O nein«, sagte er und lachte. »Aber, das stimmt, das kann gut sein. Wir haben das Zeug in Haufen rumliegen gehabt. Wenn sie durch die Lüftungsschächte an der Ecke langte, konnte sie sich bedienen. Ach du Scheiße, die Witwe Bolte.«

»An dem Punkt wurde ich nachdenklich«, erklärte ich.

»Hättest du uns verpfiffen?« fragte er.

Sie sahen mich beide an.

»Ich glaube nicht«, antwortete ich. »Bist du eigentlich gut gegen Brand versichert?« Er sah mich an, und ein Leuchten lag auf seinem Gesicht.

»Alles in allem, Scheune und Maschinen, eine halbe Million. Und sie müssen zahlen.« Er prustete los, Gitta prustete los, ich prustete los. Dann fragte er: »Wie stehen denn eigentlich unsere Chancen?«

»Nicht schlecht«, meinte ich. »Die Politiker werden alles Mögliche tun, um Gras über die Sache wachsen zu lassen.«

»Aber die Presse wird schreiben«, wandte er ein.

»Das schon«, gab ich zu. »Es wird ein bißchen wie beim Fall des Uwe Barschel ausgehen: Jeder weiß, daß Schweinereien gelaufen sind, aber keiner will es ganz genau wissen. Warten wir es ab. Eine Schwierigkeit wird es allerdings geben: Die Bank wird die Rückführung des Geldes verlangen.«

»Hm.« Er nickte bedächtig. »Aber das ist verbrannt.«

»Ja, ja«, sagte ich. »Und wenn das nicht bewiesen wird, weil niemand mehr nachforscht, wird die Rückversicherung der Bank einspringen müssen. Die wiederum wird der Regierung nahelegen, daß es irgendwie zu einer gütlichen Einigung kommen müßte, und dann ... Christian Daun, ich gratuliere dir, das war ein wirklich guter Coup.«

Er lächelte. »Du weißt noch nicht alles.«

»Aha, dann raus damit.«

»Wir haben noch zwei Geldpakete verschickt. Eines an den Bundeslandwirtschaftsminister. Einhundertsechsunddreißigtausend. Er soll in Abendkursen Mathematik studieren, damit er für die deutschen Bauern rechnen lernt. Dann ein Paket an den Bundeskanzler. Zweihunderttausend. Er soll einen Redenschreiber engagieren, dem man wirklich glaubt, einen, der nicht dauernd vom Vaterland schwafelt.«

Ich stellte mir Marker und seinen Oberstaatsanwalt vor, der zitternd vor Wut sagen würde: »Verdammt noch mal, wenn wir die hochgehen lassen, lacht die Nation.«

»Bingo! Und wann heiratet ihr?«

»Irgendwann«, entgegnete Gitta. »Jedenfalls nicht in den nächsten paar Monaten. Mutter muß sich erst beruhigen.«

Langsam machte ich mich auf den Weg und lachte einen Kilometer lang vor mich hin, und falls mich jemand gesehen hat, wird er mich für einen Narren gehalten haben, was ich als Kompliment empfinde. Ich ging bis zum kleinen Steinbruch, hockte mich in den Schatten und schlief ein. Als ich wach wurde, war die Nacht gekommen, und ich war wunderbar ausgeruht und guter Dinge. Ich schlenderte heim, und Elsa empfing mich auf dem Hof mit einem wütenden: »Wo warst du denn? Du machst mir angst.«

»Das will ich nicht. Entschuldige.«

»Kann ich ...«

»Sicher kannst du bleiben. So lange du willst.«

»Wo warst du denn?«

»Überall und nirgends.« Krümel kam heran und rieb ihren Kopf an meinen Beinen. »Ich habe die Lösung. Ich erzähle sie euch. Morgen. Jetzt ist keine Eile mehr.«

»Es ist so, daß ich nicht gern nach Hamburg zurückfahre, Baumeister. Ich möchte gern ...«

»Du mußt nichts sagen«, erklärte ich und ging hinein. Meine neue Katze Momo war auf die Fensterbank zum Garten hin geklettert, hielt das winzige Köpfchen ganz schräg und starrte in die Nacht. Es war so, als sagte sie: »Guck mal, Papi, eine Sternschnuppe. Und extra für mich!«

Krimis von Jacques Berndorf

Eifel-Blues
ISBN 3-89425-442-4 Der erste Eifel-Krimi mit Siggi Baumeister
Drei Tote neben einem scharf bewachten Bundeswehrdepot.

Eifel-Filz
ISBN 3-89425-048-8 Der dritte Eifel-Krimi mit Siggi Baumeister
Totes Golferpärchen. Das Mordwerkzeug: Armbrust. Das Motiv?

Eifel-Schnee
ISBN 3-89425-062-3 Der vierte Eifel-Krimi mit Siggi Baumeister
Sehnsüchte, Träume und Betäubungen junger Leute.

Eifel-Feuer
ISBN 3-89425-069-0 Der fünfte Eifel-Krimi mit Siggi Baumeister
Wer hat den General in seinem Landhaus liquidiert?

Eifel-Rallye
ISBN 3-89425-201-4 Der sechste Eifel-Krimi mit Siggi Baumeister
Auf dem Nürburgring wird ein großes Rad gedreht.

Eifel-Jagd
ISBN 3-89425-217-0 Der siebte Eifel-Krimi mit Siggi Baumeister
Ein Hirsch aus der Eifel kann teurer sein als ein Menschenleben.

Eifel-Sturm
ISBN 3-89425-227-8 Der achte Eifel-Krimi mit Siggi Baumeister
Tote träumen von der sanften Windenergie.

Eifel-Müll
ISBN 3-89425-245-6 Der neunte Eifel-Krimi mit Siggi Baumeister
Müllprofit und Liebe machen Menschen mörderisch.

Eifel-Wasser
ISBN 3-89425-261-8 Der zehnte Eifel-Krimi mit Siggi Baumeister
Toter Trinkwasserexperte läßt Rodenstock rätseln.

Eifel-Liebe
ISBN 3-89425-270-7 Der elfte Eifel-Krimi mit Siggi Baumeister
In Annas Clique beginnt das große Sterben …

Eifel-Träume
ISBN -89425-295-2 Der zwölfte Eifel-Krimi mit Siggi Baumeister
Hildenstein wird zum Hexenkessel. Wer tötete die Dreizehnjährige?

Die Raffkes
ISBN 3-89425-283-9 Der erste Krimi mit Jochen Mann
Berlin: Zuerst eine Bombe, dann ein Bankenskandal.

Eifel-Krimis von Andreas Izquierdo

Der Saumord

ISBN 3-89425-054-2

In Dörresheim geschieht Seltsames: Die vielversprechende Zuchtsau Elsa wird aufgeschlitzt, und die preisgekrönte Kuh Belinda begeht Selbstmord. Jupp Schmitz, Reporter des ›Dörresheimer Wochenblattes‹, glaubt nicht an einen Zufall. Bei seinen Recherchen legt er sich nicht nur mit dem mächtigen Fabrikanten Jungbluth an, sondern zieht den Haß aller Dörresheimer auf sich und gerät schließlich selbt unter Mordverdacht. Einzig Jupps Jugendliebe Christine hält zu ihm.

»Der Saumord ist eine Geschichte mit haarsträubenden Bildern, urkomischen Szenen und seltsamen Typen. Eine Geschichte voll ernster Inhalte, menschlicher Schwächen und echter Freundschaft.« (Blickpunkt)

Das Doppeldings

ISBN 3-89425-060-7

Eine wertvolle Münze aus der Antike wird gestohlen. Dann taucht sie wieder auf, wird wieder gestohlen. Eine Menge Leute scheinen sie besitzen zu wollen. Auch Jupp Schmitz, Redakteur des »Dörresheimer Wochenblattes«, macht sich auf die Suche. Derweil kämpft die »IG Glaube, Sitte, Heimat« für die Schließung des kürzlich eröffneten Bordells.

Jede Menge Seife

ISBN 3-89425-072-0

Der kanadische Seifenopern-Spezialist Herb Buffy soll der schlappen Serie »Unser Heim« quotenmäßig auf die Sprünge helfen. In den Colonia-Studios und beim Außendreh in Dörresheim beginnt eine dramatische Krimi-Oper. Die Serienhelden werden entführt, Reporter Jupp Schmitz in einer Scheune in Dörresheim halbtot geschlagen.

Schlaflos in Dörresheim

ISBN 3-89425-243-X

Hat ein Geilheitsvirus die Ställe der Dörresheimer Bauern befallen? Verfügt ›Föttschesföhler‹ Martin über die Viagra ähnlichen magischen Kräfte? Ein düsteres Familiendrama bildet den Hintergrund dieser Ermittlungsburleske voller Komik und Sprachwitz.

Jacques Berndorf/Christian Willisohn

Otto Krause hat den Blues

CD, 73 Minuten
ISBN 3-89425-497-1
€ 15,90/sFr 30,50

»Er ist nicht nur einer der besten Blues- und Boogie-Pianisten und -Sänger weit und breit, Christian Willisohn setzt sich auch mit Notenbüchern für den Nachwuchs und mit einem eigenen Label für Kollegen ein. Und er hat sich jetzt mit Jacques Berndorf, dem bekannten Eifel-Krimi-Autoren, auf ein spannendes literarisch-musikalisches Experiment eingelassen. Auf der Hörbuch-CD ›Otto Krause hat den Blues‹ erzählen die Reibeisenstimmen der beiden ein Bluesmärchen. Willisohns eigens dafür komponierte Stücke gehen nahtlos in die mal witzigen, mal traurigen Episoden rund um eine große Liebe über.«
Süddeutsche Zeitung, SZ Extra

»Kein Krimi diesmal von Jacques Berndorf, sondern ein Märchen, ein Bluesmärchen. Nichts fehlt darin: die große Liebe und die bittere Enttäuschung, Verlust und Hoffnung, Depression und Durchhaltevermögen, Mülltonnen und Fische im trüben Teich, Momente des Glücks und lange Phasen der Einsamkeit, Riesenschlangen und ein Happy End.«
Jazz Podium

»Das Zusammenspiel von Krimiautor Jacques Berndorf und dem Jazzer Christian Willisohn macht diese Scheibe zu einem schauerlich schönen Hör-Erlebnis.«
Neues Deutschland

Krimis von Felix Thijssen

»Felix Thijssen ist ein guter Erzähler, er nimmt sich Zeit für seine Figuren und für die Motivationen der Bösen wie der Guten; nichts gerät ihm aus den Fugen und nichts gibt er zu früh preis. Dafür hat man ihm völlig zu Recht den holländischen Krimipreis gegeben.«
Heilbronner Stimme

»Max Winter ist ein sympathischer Privatdetektiv vom Typ Matula, der sich selbst nicht allzu ernst nimmt und mit einer gehörigen Portion Selbstironie ausgestattet ist.« krimi-couch.de

»Max Winter und CyberNel sind ein tolles Gespann, und was die beiden ... herausbekommen, ist verdammt spannend.« WDR

Cleopatra
Max Winters erster Fall
Aus dem Niederländischen von Stefanie Schäfer
Deutsche Erstausgabe ISBN 3-89425-504-8

Isabelle
Max Winters zweiter Fall
Aus dem Niederländischen von Stefanie Schäfer
Deutsche Erstausgabe ISBN 3-89425-513-7

Tiffany
Max Winters dritter Fall
Aus dem Niederländischen von Stefanie Schäfer
Deutsche Erstausgabe ISBN 3-89425-520-X

Ingrid
Max Winters vierter Fall
Aus dem Niederländischen von Stefanie Schäfer
Deutsche Erstausgabe ISBN 3-89425-524-2

Caroline
Max Winters fünfter Fall
Aus dem Niederländischen von Stefanie Schäfer
Deutsche Erstausgabe ISBN 3-89425-530-7

Charlotte
Max Winters sechster Fall
Aus dem Niederländischen von Stefanie Schäfer
Deutsche Erstausgabe ISBN 3-89425-536-6